AUG 2012

D1043242

AUG 2012

PETAWAWA PUBLIC LIBRARY

LE RÉVEIL DU MONSTRE

DÉPARTEMENT 19

TOME 2, LIVRE I

Will Hill

LE RÉVEIL DU MONSTRE

DÉPARTEMENT 19

TOME 2, LIVRE I

Traduit de l'anglais (Grande-Bretagne)
par Frédérique Fraisse

SEUIL

Déjà paru :
Département 19, tome 1
2011

Édition originale parue sous le titre
The Rising : A Department 19 Novel
© Will Hill, 2012
Tous droits réservés.
Première publication par *HarperCollins Children's Books*,
une marque du groupe *HarperCollins*,
77-85 Fulham Palace Road, Hammersmith, London W6 8JB
www.harpercollins.co.uk

Pour la traduction française : © 2012, Éditions du Seuil
ISBN : 978-2-02-104802-5

Pour Charlie et Nick,
jamais je n'aurais rêvé meilleurs experts en crime

Un jour je me retrouverai à raconter avec un soupir
Quelque part dans un lointain avenir que
Deux routes divergeaient dans un bois, et moi,
J'ai pris celle par laquelle on voyage le moins souvent,
Et c'est cela qui a tout changé.
Robert Frost

Combien est plus heureux l'homme qui croit que
sa ville natale est le centre de l'univers
et qui n'aspire pas à dépasser ses limites naturelles.
Victor Frankenstein

MÉMORANDUM

De : Bureau du Directeur du Comité de coordination du Renseignement

Sujet : Classification révisée des départements gouvernementaux britanniques

Sécurité : TOP SECRET

DÉPARTEMENT 1   Premier ministre

DÉPARTEMENT 2   Cabinet

DÉPARTEMENT 3   Département de l'Intérieur (*Home Office*)

DÉPARTMENT 4   Bureau des Affaires étrangères et du *Commonwealth*

DÉPARTEMENT 5   Ministère de la Défense (MoD)

DÉPARTEMENT 6   *British Army*

DÉPARTEMENT 7   *Royal Navy*

DÉPARTEMENT 8   Services diplomatiques de Sa Majesté

DÉPARTEMENT 9   Trésor de Sa Majesté

DÉPARTEMENT 10   Département des Transports (DfT)

DÉPARTEMENT 11   Bureau du Pocureur Général (AGO)

DÉPARTEMENT 12   Ministère de la Justice (MoJ)

DÉPARTEMENT 13   *Security Service* (MI5)

DÉPARTEMENT 14   *Secret Intelligence Service* (SIS)

DÉPARTEMENT 15   *Royal Air Force*

DÉPARTEMENT 16   Bureau pour l'Irlande du Nord (NIO)

DÉPARTEMENT 17   Bureau pour l'Écosse

DÉPARTEMENT 18   Bureau pour le pays de Galles

DÉPARTEMENT 19   **CLASSÉ SECRET**

DÉPARTEMENT 20   Forces de police territoriales

DÉPARTEMENT 21   Département de la Santé (DH)

DÉPARTEMENT 22   *Government Communications Headquarters* (GCHQ)

DÉPARTEMENT 23   Comité conjoint du renseignement (JIC)

12 SEMAINES
APRÈS LINDISFARNE

91 JOURS AVANT L'HEURE H

1

EN PATROUILLE

PILGRIM HOSPITAL
BOSTON, LINCOLNSHIRE, GB

Les pieds gelés, le sergent Ted Pearson de la police du Lincolnshire vérifia une nouvelle fois l'heure à sa montre. Son collègue, l'agent Dave Fleming, lui lança un regard nerveux.

Dix heures et demie, pensa le sergent, qui grimaça. *Je devrais être peinard à la maison. Sharon cuisine des lasagnes ce soir et j'aime pas quand elles sont réchauffées.*

L'appel d'urgence passé à 21 h 50 provenait de la réception de l'hôpital. Le sergent Pearson et son collègue venaient de finir leur rapport sur un cas d'immigration illégale dans une ferme près de Louth et avaient hâte de rentrer chez eux quand on leur avait ordonné de se rendre sur place. Grommelant, ils avaient parcouru en voiture les quelques kilomètres qui séparaient le poste de police et l'hôpital. La lumière bleue tournoyait au-dessus d'eux, la sirène hurlait en cette nuit glaciale de janvier.

Trois minutes plus tard, ils questionnaient l'infirmière qui avait téléphoné, une jeune Nigérienne aux yeux écarquillés par la peur. Soudain, la radio du sergent Pearson avait grésillé. Le message avait été bref et précis.

– Sécurisez l'accès à la scène de crime potentielle. N'enquêtez pas, ne parlez pas aux témoins. Montez la garde en attendant la relève.

Pearson avait juré dans le récepteur, mais la voix à l'autre bout, une voix qu'il ne reconnut pas, s'était déjà tue. Il obéit donc et ordonna à Fleming de cesser son interrogatoire. Puis il informa tout le personnel que l'accès à la banque de sang de l'hôpital était interdit sans sa permission expresse. Enfin, les deux hommes avaient pris position devant l'entrée latérale du bâtiment. Ils tremblaient de froid en attendant. Qui, quoi ? Ils l'ignoraient.

– Que se passe-t-il, sergent ? demanda l'agent Fleming au bout d'un quart d'heure. Pourquoi jouons-nous les vigiles ?

– On obéit aux ordres, répliqua le sergent Pearson.

Peu convaincu, Fleming hocha la tête, regarda la ruelle étroite et mal éclairée, l'usine de brique rouge délabrée un peu plus loin. Sur le mur d'en face, à la peinture noire qui avait coulé sur le sol, quelqu'un avait tagué deux mots :

IL
ARRIVE

– Qu'est-ce que cela signifie, sergent ? s'enquit l'agent Fleming en désignant le graffiti.

– La ferme, Dave, rétorqua son collègue. Pas de questions, O.K ?

Le gamin ferait un bon flic, Pearson n'en doutait pas, mais son enthousiasme et sa curiosité sans bornes avaient tendance à donner la migraine au sergent. En vérité, Pearson ignorait totalement ce qu'il se passait, pourquoi ils faisaient le piquet devant une porte d'hôpital et ce que signifiait le graffiti. Il n'allait certainement pas l'avouer à Fleming qui était dans la police depuis six mois à peine. Alors qu'il tapait du pied pour la énième fois, un moteur rugit au loin.

Trente secondes plus tard, un fourgon noir s'arrêta devant les deux policiers.

Les vitres étaient aussi noires que la carrosserie et il roulait au ras du sol sur de gros pneus renforcés. Le ronflement du moteur était tel que Pearson et Fleming le ressentaient jusque dans leurs bottes. Pendant une trentaine de secondes, il ne se passa rien. Le fourgon demeura immobile, trapu et étrangement menaçant sous la lumière fluorescente qui éclairait l'entrée latérale de l'hôpital. Soudain, sans un bruit, la porte arrière s'ouvrit et trois silhouettes descendirent.

Fleming écarquilla les yeux. Pearson, qui en avait vu des vertes et des pas mûres tout au long de sa carrière, savait mieux cacher ses émotions que son partenaire et n'afficha pas son malaise grandissant.

Les trois personnes plantées devant eux étaient vêtues de noir de la tête aux pieds : bottes, gants, uniforme, ceinture, gilet militaire. Le seul éclat de couleur, violet vif, provenait de la visière plate qui leur couvrait le visage. Cette visière était attachée à un casque noir d'un modèle inconnu des deux policiers. Pas un millimètre de peau n'était visible. Ces anonymes auraient quasiment pu être des robots. À leur ceinture, deux revolvers noirs pendaient dans leur étui au côté d'un long cylindre doté d'une poignée et d'une gâchette. Aucun des deux policiers ne reconnut cet objet qui devait être une arme.

Le plus grand des trois s'était posté devant Pearson, sa visière luisante à quelques centimètres de son visage. Quand il s'adressa au sergent, sa voix – masculine – avait une consonance plate et numérique qui lui rappela son passage à la cellule antiterroriste du *Metropolitan Police Service* de Londres. La personne parlait au travers de plusieurs filtres afin d'empêcher toute identification vocale.

– Avez-vous signé la loi relative aux secrets d'État ? demanda la silhouette noire sur un ton sec.

Les deux policiers hochèrent la tête, trop intimidés pour parler.

– Bien. Alors, vous ne nous avez jamais vus et ceci n'est jamais arrivé.

– De quelle autorité… ? chevrota Pearson.

– Du chef d'état-major général, répliqua la silhouette qui se pencha en avant.

Sa visière n'était plus qu'à quelques millimètres du nez du sergent.

– Et de la mienne. Compris ?

Pearson hocha encore la tête, la silhouette recula puis le dépassa et entra à grands pas dans l'hôpital. Les deux autres en noir suivirent.

– La banque de sang se situe…, commença l'agent Fleming.

– Nous connaissons le chemin, lui lança la troisième silhouette à la voix féminine numériquement altérée.

Puis ils disparurent.

Les deux policiers se dévisagèrent. L'agent Fleming posa la main sur l'épaule du sergent Pearson, qui tremblait comme une feuille. Celui-ci le repoussa mais ne sembla pas contrarié par ce geste. Au contraire, il paraissait vieux et effrayé.

– Qui étaient ces gars, sergent ? bredouilla Fleming.

– Je n'en sais rien, Dave. Et je ne veux pas le savoir.

Les trois silhouettes en noir traversèrent d'un pas pressé les couloirs lumineux de l'hôpital.

Le grand qui avait parlé au sergent Pearson ouvrait la marche. Derrière, plus petit et plus mince que le chef, le deuxième semblait glisser sur le lino. Le troisième, encore plus petit, fermait la marche, sa visière violette balayant l'endroit de droite et de gauche, à la recherche du moindre problème ou d'un éventuel témoin de leur présence. Alors qu'ils franchissaient la porte qui menait aux salles d'opération, le plus grand fit signe aux deux autres de s'arrêter puis décrocha une radio de sa ceinture. Il tapa une série de chiffres et de lettres et activa la connexion sans fil du combiné intégré dans son casque. Au bout de quelques secondes, il annonça :

– Équipe G-17 opérationnelle en position. Alpha au rapport.

– Bêta au rapport, déclara la deuxième silhouette à la voix féminine métallique.

– Gamma au rapport, indiqua le troisième membre.

Alpha écouta la voix à l'autre bout de la ligne puis replaça la radio à sa ceinture.

– Allons-y, ordonna-t-il à son équipe.

Après quelques secondes seulement, Gamma demanda :

– Qui a appelé les secours ?

– L'infirmière de la réception, répondit Alpha. Un des gardiens de nuit a vu un homme et une petite fille entrer dans la banque de sang. D'après lui, cet homme avait les yeux rouges. Un junkie, aurait-il dit à l'infirmière.

Bêta s'esclaffa.

– Il a sûrement raison. Seulement ce n'est pas le genre auquel il pense.

Les trois silhouettes sombres poussèrent une porte marquée ACCÈS LIMITÉ et avancèrent.

– Cinquième appel en trois nuits, récapitula Gamma. Seward nous punirait-il ?

– Nous ne sommes pas les seuls, intervint Alpha. L'agence est sur le pied de guerre. Toutes les équipes sont épuisées.

– Et nous savons tous pourquoi, pas vrai ? répliqua Bêta. C'est à cause de…

– Non, l'interrompit Gamma. Ne parle pas de lui. Pas maintenant, d'accord ?

Un petit bruit retentit à l'arrière du casque de Bêta. On aurait dit un rire mais elle n'insista pas.

– Tu as été plutôt dur avec les policiers, commenta Gamma. Le vieux sergent avait l'air terrifié.

– Tant mieux. Moins il parlera de ce qui s'est passé ce soir, plus il sera en sécurité. Maintenant, silence.

Ils avaient atteint la banque de sang de l'hôpital, dont la porte était ouverte. Alpha entra lentement dans la pièce noire et alluma.

Rien.

Il dégaina une torche qu'il braqua au plafond. L'ampoule avait été pulvérisée. Seul un cercle de verre brisé entourait le filament. Il balaya le sol et constata les dégâts : les étagères métalliques avaient été pillées. Du sang et du plastique déchiqueté maculaient les surfaces et s'amoncelaient par terre.

– N'approchez pas.

La voix provenait d'un coin de la pièce. Aussitôt, Alpha dirigea sa torche vers son propriétaire. Deux autres torrents de lumière blanche jaillirent quand Bêta et Gamma firent de même.

Les rayons éclairèrent la silhouette tremblotante d'un homme d'une cinquantaine d'années, accroupi dans un coin. À ses pieds gisait un sac de sport rempli de poches de sang. Il tenait dans ses bras une fillette de cinq ou six ans qui avait l'air terrorisée. L'homme plaquait un ongle aiguisé comme un rasoir contre la gorge de la petite et regardait les trois intrus avec un air à la fois désespéré et paniqué.

Alpha manipula un cadran sur le côté de son casque et sa vision de la pièce se modifia. Le casque comprenait un détecteur infrarouge à cryorefroidissement qui affichait la variance de température de tout objet présent dans son champ de vision. Les murs et le sol froids de la banque de sang apparaissaient en vert et bleu pâle, tandis que la petite fille était plus sombre et tachetée de jaune et d'orange. Semblable à un feu d'artifice, l'homme en rouge vif et violet déformait la vision d'Alpha.

– Je la tue si vous approchez ! menaça-t-il en se plaquant contre le mur.

Il appuya davantage sur la gorge de la fillette, qui gémit.

Alpha remit le cadran en mode normal.

– Restez calme, lui conseilla-t-il. Lâchez la fillette puis nous discuterons.

– Vous voulez discuter de quoi ? s'écria l'homme, qui souleva la petite.

Celle-ci hurla, les yeux écarquillés par la terreur ; Alpha fit un pas en avant.

– Lâchez-la, répéta-t-il.

– Ce n'est pas normal, marmonna Bêta.

Alpha tourna vite la tête vers elle.

– Attendez mon signal pour agir, la prévint-il.

Bêta ricana.

– Je t'en prie…

Aussitôt, elle dégaina un tube noir et court de son ceinturon, visa le coin de la pièce et appuya sur un bouton.

Un épais rayon ultraviolet balaya la banque de sang, frappa le bras de l'homme et le visage de la fillette. Tous deux s'enflammèrent. Des hurlements et l'odeur écœurante de peau brûlée emplirent l'air alors que Gamma étouffait un cri derrière son viseur.

La fillette s'arracha du bras qui la retenait et se gifla avec furie jusqu'à ce que les flammes s'éteignent. Puis elle tomba à genoux et creva une des poches de sang avant de boire goulûment le liquide écarlate.

L'homme l'observait l'air impuissant quand soudain, il se rendit compte que son bras brûlait. Il bondit alors au milieu de la pièce en se tapant avec sa main valide. Une fois les flammes éteintes, il s'empara d'une poche de sang sur une étagère et en avala le contenu. Le visage de la fillette et le bras de l'homme guérirent sous les yeux de l'équipe G-17. Les muscles et les tissus repoussèrent, la peau rosit et cicatrisa. Quand plus aucune séquelle ne fut visible – processus qui dura une poignée de secondes – la fillette leva les yeux vers l'homme et geignit.

– Papa ! s'écria-t-elle, la bouche formant un ovale déçu. Tu avais promis que ça marcherait !

L'homme la dévisagea avec une profonde tristesse.

– Je suis désolé, mon cœur. Je me suis trompé.

Il se tourna vers les trois silhouettes sombres qui n'avaient pas bougé.

– Comment avez-vous su qu'elle avait été transmutée ? La pauvre petite est restée dans un bain de glace pendant plus d'une heure afin que vos casques ne repèrent pas sa température élevée. Elle claquait encore des dents il y a un quart d'heure.

Bêta ôta son casque et révéla le visage d'une adolescente, beau, pâle et étroit, cerné par une chevelure noire qui lui effleurait le cou. Elle arborait un grand sourire et ses yeux rouges luisaient sous les lumières vives de la banque de sang.

– J'ai senti son odeur, expliqua Larissa Kinley.

La fillette siffla. Ses yeux rougeoyèrent comme ceux de Larissa.

– C'est donc vrai, constata son père. Le Département 19 abrite un traître. Comment peux-tu traquer ton propre peuple ? Tu n'as pas honte ?

Larissa s'approcha de lui. Son sourire s'évanouit.

– Vous n'êtes pas mon peuple, déclara-t-elle sur un ton glacial.

Alpha posa la main sur son épaule et elle recula sans quitter l'homme des yeux.

Gamma ôta son casque et secoua la tête. Des cheveux blonds et courts apparurent autour d'un joli visage en forme de cœur. De grands yeux bleus observaient la scène au-dessus d'une bouche pincée.

– Êtes-vous à l'origine du saccage de Lincoln General la semaine dernière ? demanda Kate Randall.

L'air nerveux, les yeux rivés sur Larissa, l'homme fit non de la tête.

– De Nottingham Trent le mois précédent ?

Nouveau démenti.

– Vous me mentez ? l'interrogea Kate.

– Pourquoi vous mentirais-je ? répondit-il, au bord des larmes. Vous allez nous éliminer de toute façon.

– Exact, confirma Larissa avec un sourire mauvais.

La fillette éclata en sanglots. L'homme posa les mains sur ses épaules et lui chuchota des paroles réconfortantes.

Alpha dévisagea Larissa, qui roula des yeux. Puis il se leva et ôta son casque.

Dessous, le garçon n'avait pas plus de seize ou dix-sept ans mais son visage paraissait plus âgé, comme s'il avait vu et surtout accompli des choses très graves. Une vilaine cicatrice rose dépassait du col de son uniforme et courait le long du côté gauche de son cou pour s'arrêter à la mâchoire. Beau, il était d'un calme qui seyait plus à un adulte. Le regard perçant, il dévisageait Larissa avec tendresse.

– Personne n'éliminera personne ce soir, annonça Jamie Carpenter. Vous connaissez la nouvelle consigne. Passe-moi deux ceintures de rétention, Kate. Nous remettrons ces deux-là à Lazarus. Je ne pense pas qu'ils soient dangereux.

L'homme fondit en larmes.

– Nous avions tellement faim, expliqua-t-il. Je suis désolé. Je m'appelle Patrick Connors. Voici ma fille Maggie. Nous ne pensions pas à mal.

– Je comprends, répliqua Jamie qui prit les deux ceintures des mains de Kate et les leur jeta. Placez-vous ceci sous les aisselles et serrez bien.

Il s'agissait d'épaisses ceintures dotées de bretelles qui s'entrecroisaient et munies d'une charge explosive placée au niveau du cœur du prisonnier. Patrick et Maggie obéirent. Quand les harnais furent bouclés, Jamie sortit un tube noir équipé d'un petit cadran sur un côté et d'une gâchette de l'autre. Il tourna le cadran de deux crans vers la droite et des lumières rouges s'animèrent sur les charges explosives.

Jamie examina son équipe.

– Larissa, tu vas nous conduire hors d'ici. Monsieur, je vous demande de la suivre. Puis ce sera au tour de Kate, au tien, petite, et enfin, je fermerai la marche. Nous sortons par où nous sommes entrés. Nous ne nous arrêtons pas, nous ne parlons à personne. Ah, j'oubliais ! Yeux normaux, s'il vous plaît.

Il fit la moue quand les yeux de Larissa et Maggie reprirent leur couleur initiale. Ensuite, ils se rendirent au fourgon noir en file indienne dans l'ordre voulu par Jamie. Moins d'une minute plus tard, ils marchaient devant le sergent Pearson et l'agent Fleming, qui détournèrent le regard, puis refermaient la porte arrière du van.

À l'intérieur du véhicule en métal argent et en plastique noir, quatre sièges occupaient chaque côté du grand habitacle. Entre eux était fixée une série de supports moulés formant une demi-douzaine d'espaces inhabituels. Un grand écran LCD occupait le plafond ; le sol devant chaque siège était percé d'une série de fentes. Jamie ordonna aux deux prisonniers de s'installer à l'avant et de s'attacher. Ils obtempérèrent en silence. Ensuite, Kate appuya sur un bouton dans la cloison. Une barrière de lumière ultraviolette surgit d'une grosse ampoule par terre, les séparant des trois adolescents tout de noir vêtus. Patrick et Maggie éclatèrent en sanglots.

– Ne vous inquiétez pas, les rassura Jamie. Vous êtes en sécurité avec nous.

Il détacha les armes et les appareils accrochés à sa ceinture et les glissa dans les fentes aménagées devant son siège. Il plaça dans les compartiments adéquats le lanceur pneumatique T-21 flambant neuf, le Glock 18, le Heckler & Koch MP5, la torche et le pistolet laser court que Larissa avait utilisés dans la banque de sang. Il garda le détonateur à la main et le posa sur son genou quand il s'assit. Dès qu'il annonça qu'ils étaient prêts, le puissant moteur du véhicule – davantage un centre de commande mobile combiné à un tank qu'un simple fourgon – s'anima et fonça loin de l'hôpital, laissant le sergent Pearson et l'agent Fleming tremblants sur le trottoir.

– Et mainte…

– Tais-toi, gronda Pearson. On ne fait rien, on ne dit rien parce qu'il ne s'est rien passé. Absolument rien. Pigé ?

Fleming dévisagea son aîné un long moment, étudia son visage pâle, les rides autour de ses yeux inquiets, sa mâchoire tendue.

– Pigé. Rentrons chez nous.

Une heure plus tard, le fourgon noir traversait à toute allure une épaisse forêt. Direction : un lieu qui n'existait pas. Sa désignation officielle était « Installation militaire classifiée 303-F » mais tous les hommes et les femmes dans le secret le connaissaient sous un nom plus simple et plus court.

– Bienvenue à la Boucle, lança Jamie tandis que le fourgon s'arrêtait.

Patrick et Maggie Connors le regardèrent sans comprendre.

À l'extérieur résonna un léger grondement, comme le bruit métallique d'un portail qui roule. Puis le fourgon redémarra lentement.

– Placez votre véhicule au point mort.

La voix artificielle semblait venir de tous les côtés à la fois. Le chauffeur, que les passagers à l'arrière ne voyaient pas, obéit. Un tapis roulant remua sous le van et le fit avancer.

– Noms et désignations de tous les passagers, ordonna la voix artificielle.

– Carpenter, Jamie. NS303, 67-J.

– Kinley, Larissa. NS303, 77-J.

– Randall, Kate. NS303, 78-J.

Il y eut une longue pause.

– Des formes de vie surnaturelles ont été détectées à bord de ce véhicule, annonça la voix. Code d'autorisation, s'il vous plaît.

– Lazarus 914-73, s'empressa d'indiquer Jamie.

Nouvelle pause.

– Autorisation accordée. Circulez.

Le fourgon avança, prit de la vitesse. Moins de deux minutes plus tard, il s'arrêta. Jamie se leva de son siège et ouvrit la porte arrière. Kate appuya sur un bouton dans la paroi et la barrière à ultraviolets qui emprisonnait Patrick et Maggie disparut.

– Par ici, ordonna Jamie.

L'homme et sa fille descendirent lentement les marches. Ils entraient dans un monde sur lequel circulaient beaucoup de rumeurs et qui dépassait leur imagination.

Derrière le van, un énorme hangar semi-circulaire quasi vide s'ouvrait sur la nuit. Une rangée de 4 × 4 et de fourgons était garée le long d'un mur et un petit nombre de personnes en noir sillonnait le sol goudronné. Devant eux, patientaient un homme vêtu du même uniforme que celui de Jamie et de son équipe ainsi qu'un jeune Asiatique en blouse blanche de laboratoire.

Patrick n'en croyait pas ses yeux. Il eut quelques instants pour saisir l'énormité et l'étrangeté de son environnement : l'immense clôture incurvée au-delà de la piste, le labyrinthe de lasers rouges, le no man's land ultraviolet, la vaste canopée holographique d'arbres entre le ciel et leurs têtes. Puis on le poussa dans le bas du dos. Sa fille chercha sa main et il l'agrippa fermement pendant que Jamie les contournait et remettait le détonateur à l'homme en blouse. Celui-ci le remercia avant de s'adresser aux deux vampires effrayés et désorientés.

– Monsieur. Je me présente : docteur Yen. Voulez-vous bien me suivre ?

Patrick jeta un coup d'œil anxieux à Jamie.

– Tout va bien, affirma ce dernier sur un ton apaisant. Vous serez en sécurité avec lui.

Patrick regarda sa fille qui affichait un air déterminé. Elle hocha la tête imperceptiblement.

– D'accord, nous vous suivons.

Aussitôt, le médecin retourna dans le hangar. Une seconde plus tard, l'homme et sa fille le suivirent dans la pièce caverneuse puis derrière une large porte à double battant.

Jamie les regarda s'éloigner puis sourit à Larissa et à Kate. Derrière eux, l'officier chargé de la sécurité grimpa dans le fourgon et collecta leur équipement. Leurs armes seraient vérifiées, nettoyées et rangées dans leurs quartiers en moins d'une heure. Procédure habituelle. Jamie fit un signe de tête à l'agent avant de s'adresser à l'officier de permanence présent à leur arrivée.

– Fait pas chaud ce soir.

– Un froid de chien, monsieur.

– Comment va ma mère ?

– Bien, monsieur, répondit le jeune officier. Elle aimerait vous voir.

Jamie hocha la tête et pénétra dans le hangar. Il était soudain épuisé et ses petits quartiers du niveau B l'appelaient.

– L'amiral Seward a demandé un débriefing, monsieur, lui cria l'officier.

Il semblait s'excuser. Jamie soupira.

– En personne ?

– En personne, monsieur.

Jamie jura.

– Dites-lui que je serai là dans dix minutes.

Il se dirigea vers une porte au fond du hangar. Larissa et Kate le suivaient de près.

Les trois membres de l'équipe G-17 s'affalèrent contre les parois de l'ascenseur qui les descendait dans les niveaux inférieurs de la Boucle.

Au niveau B, Jamie souhaita bonne nuit aux deux filles et courut presque aux douches des hommes qui se trouvaient au milieu du couloir. Il resta un long moment sous le jet d'eau puissant afin d'empêcher les douleurs et les courbatures dues à sa fonction d'opérateur du Département 19 en service (très) actif de crier vengeance. Elles ne manquaient pas de le rappeler à l'ordre une fois que l'adrénaline de la mission était retombée.

Finalement, avec une grande réticence, il arrêta la douche et enfila un T-shirt et un pantalon de treillis. Il sentait presque sa couchette étroite sous lui, visualisait quasiment le moment où sa tête toucherait l'oreiller et ses yeux se fermeraient. Il prit son uniforme, ouvrit la porte du couloir et s'arrêta net. Larissa se tenait dans l'encadrement, les yeux rouges, les cheveux mouillés, le corps enroulé dans une serviette verte, un sourire coquin aux lèvres.

– Où est Kate ? demanda Jamie.

– Dans ses quartiers. Elle m'a dit de te dire à demain matin.

Quand il ouvrit la bouche pour répondre, Larissa la ferma avec la sienne. Ses lèvres contre celles de la jeune femme, Jamie découvrit qu'il n'était pas aussi fatigué qu'il le croyait.

2

LES TRIANGLES ONT DES BORDS ACÉRÉS

Larissa Kinley tendit un muscle que la vaste majorité de la population ne possède pas et sentit ses crocs descendre en silence de ses gencives puis se caler à la perfection sur ses incisives. Quand les pointes blanches émergèrent de sa lèvre supérieure, elle passa la langue dessus et appuya, sans jamais quitter des yeux son reflet dans le miroir de ses quartiers. La jeune femme s'arrêta au dernier moment, avant que la chair ne se déchire.

Elle détestait ses crocs qui la répugnaient au point de ne se confier à personne, pas même à Jamie. Pourtant, il l'aurait écoutée, aurait compati, essayé de prononcer les bonnes paroles. Mais il ignorait tout de sa condition de vampire et il était impossible à Larissa de lui expliquer ce qu'elle ressentait.

Elle les aurait volontiers arrachés avec des tenailles s'ils n'avaient pas repoussé lors de son prochain repas. Elle les aurait brisés avec la crosse de son Glock, usés au papier de verre, extraits à main nue si cela lui avait permis de s'en débarrasser.

Mais rien ne marcherait, elle le savait. Ses crocs faisaient partie d'elle, pour de bon.

Je suis coincée avec eux et je serai obligée de les regarder jusqu'à ma mort.

Son corps frissonna de colère, ses yeux rougeoyèrent. Elle se pencha vers le miroir et observa l'incarnat se diffuser et obscurcir son marron naturel. Plus foncé, le rouge tourbillonna et palpita jusqu'à lui remplir complètement les yeux. Ses pupilles dilatées ressemblaient à un trou noir sur le point de l'engouffrer. Larissa fit un pas en arrière, loin d'elle-même. Un petit ricanement jaillit du fond de sa gorge. Ses muscles vibraient sous la colère.

Larissa enfonça son poing dans le miroir si vite qu'un œil humain n'aurait pu le suivre. Le verre poli explosa, des éclats aiguisés volèrent de toutes parts. Deux morceaux se plantèrent dans la peau pâle de son cou. Elle les remarqua au moment où le sang suinta et l'odeur lui parvint aux narines. Elle éloigna sa main tremblante du miroir cassé et fixa le sang qui coulait de ses articulations. Elle retira les fragments de sa peau, savoura la douleur puis essuya le sang. Ensuite, avec culpabilité et tristesse, elle porta sa main à la bouche et suça le liquide tandis que son cerveau oscillait entre plaisir primaire et dégoût de soi.

Les coupures guérirent instantanément. Les bras le long du corps, elle scruta le miroir et attendit que le cramoisi de ses yeux s'estompe. Elle ne rattrapa pas sa serviette de bain qui tomba par terre. Depuis qu'elle avait accepté sans hésiter l'offre du commandant Paul Turner de se joindre au Département 19, les heures interminables d'entraînement avaient changé son corps qui s'était affiné et tonifié. Seulement, la grande majorité de sa force, de sa rapidité et de son endurance venait d'autre part.

Larissa traversa ses petits quartiers, ouvrit le casier au bout de son lit, sortit un maillot de corps et un short, s'habilla prestement et s'éleva dans les airs. Elle replia les jambes sous elle et flotta deux mètres au-dessus du sol, défiant les lois de la nature. Là, elle ferma les yeux et s'efforça de rester parfaitement immobile.

Ses pouvoirs se développaient à une vitesse qui l'effrayait.

L'accélération de ses capacités résultait, en partie, du simple fait de vieillir. Les utiliser tous les jours les faisait également croître. Désormais, elle pouvait rester des heures dans les airs et voler sur de longues distances sans se fatiguer. En vérité, elle ignorait combien de centaines de kilomètres elle était capable de parcourir car elle n'avait pas tenté de vol dépassant ses capacités depuis longtemps. Elle était aussi tellement forte qu'elle craignait de blesser un être cher sans s'en rendre compte. Elle ouvrit les yeux, lentement et regarda les nombreux creux et bosses dans le mur à côté de la porte – le résultat de disputes avec Jamie, de missions qui avaient mal tourné, de chamailleries avec Kate, des jours où le simple fait d'être elle-même était trop dur à supporter.

Elle avait retenu ses coups. La seule fois où elle avait cogné dans le mur de toutes ses forces, elle avait percé un trou dans l'épais béton et déclenché une alarme qui avait réveillé toute la Boucle. Le lendemain matin, elle avait dû s'expliquer à l'amiral Seward qui lui avait gentiment fait la leçon : la fougue de l'adolescence et la force surhumaine formaient une combinaison dangereuse.

Les yeux fermés, Larissa laissa son esprit vagabonder. Comme souvent, elle se remémora les mois qui avaient suivi sa conversion par Grey, le plus vieux vampire anglais, un homme qui s'était consacré publiquement à la paix tout en se nourrissant d'adolescentes en privé. Elle l'avait retrouvé à Walhalla, la communauté de vampires qu'il avait fondée et de laquelle il avait été expulsé à cause d'elle. Ce bannissement n'avait que très peu apaisé Larissa.

Les deux petites années qu'elle avait passées avec Alexandru Rusmanov demeuraient son secret le mieux gardé, le seul épisode de sa vie dont elle refusait de parler, même à Jamie. Il avait abordé le sujet pour la première fois pendant la pagaille successive à l'attaque de Lindisfarne, quand tous deux essayaient de mieux se connaître, lors de leur première « vraie » rencontre. Le personnage qu'elle lui avait montré alors qu'elle était prisonnière du Département 19 n'était pas loin de la véritable Larissa. Elle avait accentué certains traits, effacé d'autres tandis qu'elle cherchait désespérément à survivre dans la folie qui l'entourait. Elle avait ôté le masque quand Marie Carpenter avait été secourue. Depuis ce moment-là, sa vie n'était plus en danger. Jamie avait posé sa question de manière inoffensive mais il y avait une telle tension dans sa voix, une pointe d'excitation… Oui, son passé l'intriguait.

Et elle aurait aimé lui en parler, elle aussi.

L'attirance entre les deux jeunes gens était palpable et elle savait avec une absolue certitude que l'histoire de leur amitié serait très brève. Mais plus que tout, elle lui faisait confiance. Elle cherchait quelqu'un à qui raconter son histoire, quelqu'un qui ne la jugerait pas pour ses actes passés, qui l'aiderait peut-être à porter ce poids si lourd sur ses épaules.

Pour ces multiples raisons, elle lui avait demandé de ne plus la questionner à ce propos. Elle refusait d'envisager la possibilité qu'elle se soit trompée à son sujet, qu'elle soit abandonnée et déçue à nouveau. Pourtant, elle s'accrochait à l'espoir qu'il ignore sa consigne et lui pose à nouveau la question. Ce jour-là, elle serait prête.

Mais pas aujourd'hui. Pas plus que la troisième et la quatrième fois où il l'interrogea. Finalement, il reçut le message et n'insista plus. À chaque occasion, elle avait essayé de lui parler, d'ouvrir cette dernière porte et au diable les conséquences ! Impossible. La peur panique de le faire fuir, quand ils étaient à peine amis, avait cédé la place à une terreur paralysante à la pensée de le perdre maintenant qu'ils se fréquentaient. Elle comprenait à présent qu'elle avait raté sa chance, qu'elle aurait dû se confier dès le départ, qu'elle était piégée. Le souvenir de ces deux terribles années la rongeait, empoisonnait son sommeil et ses rêves et elle avait repoussé celui qui mourait d'envie de l'aider.

Il m'a vue quand son père a été tué, pensa-t-elle alors qu'elle flottait dans l'air frais de ses quartiers. *Il sait qu'Alexandru m'a demandé de le tuer la nuit où sa mère a été kidnappée. Et pourtant il est encore avec moi. Pourquoi ne puis-je pas lui raconter le reste ?*

Elle connaissait la réponse à ses questions.

Parce que c'est pire. Mille fois pire ! Parce que j'ignore si Kate et Jamie me regarderont de la même manière après. Parce qu'ils sont tout ce que j'ai.

Au calme dans ses quartiers, ses cheveux effleurant le plafond, Larissa ravala la colère qui l'assaillait soudain, faisait vibrer chacun de ses muscles et jaillir ses crocs malgré elle. Elle poussa un grognement signifiant une violence latente et se retint d'ajouter un nouveau trou à sa collection dans le mur.

Du calme ! Du calme ! Sans Alexandru, tu ne serais pas là, tu n'aurais jamais rencontré Jamie, Kate ; tu n'aurais jamais eu l'opportunité de faire amende honorable. Calme-toi, imbécile !

Ses crocs se rétractèrent, elle desserra lentement les poings. Dire qu'elle était tombée amoureuse d'un garçon qu'elle n'aurait jamais rencontré si elle n'avait pas été l'obéissante petite servante d'un maître désireux de tuer sa famille. C'était une source d'amusement constant pour Larissa qui avait un humour très noir.

Kate Randall referma son ordinateur portable, s'adossa à son fauteuil et fixa le mur au-dessus de son petit bureau dans ses quartiers. Après sa douche, elle avait enfilé un T-shirt et un short. Encore mouillés, ses cheveux blonds lui trempaient le cou et les épaules.

C'était son tour de rédiger le rapport de l'équipe G-17 mais elle ne parvenait pas à se concentrer. Elle était fatiguée, ce qui n'était pas inhabituel : des phases de sommeil interrompues sans arrêt accompagnaient le privilège d'être un opérateur du

Département 19. En réalité, un autre problème la travaillait, et il était devenu une source continuelle de contrariété.

Le couple que formaient Jamie et Larissa.

Kate était au courant pour leur relation depuis le début. Deux choses l'ennuyaient au point de vouloir leur hurler au visage : « JE SAIS ! » Primo, ils croyaient sincèrement qu'elle ne se doutait de rien. Secundo, ils ressentaient le besoin de l'écarter de leur histoire.

La première était une insulte à son intelligence et elle détestait qu'on la prenne pour une idiote – comme elle détestait être traitée avec condescendance. La seconde était pire. Ils pensaient – elle le savait avec une certitude absolue – qu'elle avait un faible pour Jamie.

Très consciente d'elle-même, Kate aurait admis, si on le lui avait demandé, que, pendant un court laps de temps, elle avait peut-être eu de tels sentiments pour Jamie. Peut-être.

Pendant la folie de Lindisfarne et des jours suivants – jours durant lesquels le cours de sa vie avait changé à jamais et elle avait dû prendre des décisions qu'elle reconsidérerait jusqu'à son dernier souffle – Jamie avait été là, à ses côtés. Il l'avait secourue à Lindisfarne, tandis que les corps de ses amis et voisins gisaient dans les rues de son enfance. Il avait sauvé de nombreuses vies en détruisant Alexandru Rusmanov. Ensuite, elle l'avait vu avec Frankenstein, sa maman et pendant un temps très court, elle avait peut-être été un peu amoureuse de lui.

Peut-être.

Puis ce sentiment était passé, vite. D'abord, il était évident qu'à leur réveil à la Boucle le matin après Lindisfarne, il en pinçait pour Larissa – qui ressentait la même chose pour lui.

Par ailleurs, à la lumière froide du jour, loin du sang, des hurlements et de l'horreur de la veille, l'aura qui l'entourait lors de son affrontement avec Alexandru s'était dissipée. Elle aimait Jamie. Les mois suivant l'attaque de sa maison, il était devenu l'un des deux meilleurs amis qu'elle ait jamais eus. Elle aurait fait n'importe quoi pour lui.

Par contre, elle n'était pas amoureuse de lui.

Voilà pourquoi leurs cachotteries la blessaient. Elle était sincèrement heureuse pour eux. Convaincue qu'ils cherchaient le bon moment, elle avait attendu pour le leur dire. Finalement, elle avait compris avec amertume qu'il n'y aurait pas de bon moment. Ils avaient décidé de garder le secret.

Tant pis, pensa-t-elle. *Demain, je leur dirai que je suis au courant. Que cela cesse !*

En outre, depuis Lindisfarne, elle avait ses propres problèmes à gérer, de vrais problèmes loin des mensonges des deux adolescents censés être ses meilleurs amis.

Après leur arrivée à la Boucle, après le merveilleux et émouvant moment où on lui avait annoncé que son père faisait partie des survivants ayant réussi à atteindre le continent à bord du bateau de pêche de John Tremain, Kate avait été escortée jusqu'au dortoir tranquille du niveau B. Là, elle avait plongé dans un profond sommeil sans rêves. Six heures plus tard, une opératrice vêtue du même uniforme noir que Jamie l'avait réveillée et lui avait ordonné de s'habiller puis de la suivre dans la salle des opérations de la Boucle.

À moitié endormie, elle avait obéi sans se plaindre, se frottant les yeux dans l'ascenseur qui les menait au niveau 0.

L'opératrice lui avait ouvert en grand la porte de la salle ovale.

Il n'y avait qu'une seule personne présente, un Latino d'une grande beauté, la quarantaine, dans l'uniforme noir désormais familier. Il était assis avec décontraction derrière un bureau vers l'entrée de la pièce.

– Mademoiselle Randall ?

Il arborait une expression neutre, sans malice ni menace, ni chaleur d'ailleurs. Pendant une seconde, l'étrangeté de la situation la frappa et elle eut soudain très peur.

Et s'ils m'enfermaient ici après tout ce que j'ai vu ? Et si je ne sortais jamais plus de cet endroit ? Que deviendra mon père ?

– Je suis le commandant Christian Gonzales, responsable intérimaire de la sécurité dans ce complexe. Assieds-toi, je te prie.

Kate traversa la grande pièce et prit une des chaises en plastique rangées autour des nombreuses tables longues.

– Bien dormi ? Tu as besoin de quelque chose ? demanda-t-il.

Elle fit non de la tête.

– Bien, très bien. Bon, Kate... Cela ne te dérange pas que je t'appelle Kate ?

Quand elle secoua à nouveau la tête, il sourit.

– Merci. Bien, Kate, nous avons un problème, toi et moi. Il faut que nous en discutions ensemble.

– Quel problème ? demanda-t-elle sur un ton nerveux.

– Tu n'aurais jamais dû voir ce que tu as vu. Les créatures qui ont attaqué ta maison hier soir, les hommes qui t'ont porté secours. Pour le restant de la population, aucun d'eux n'existe. Comme le bâtiment dans lequel tu te trouves en ce moment. Et nous ne souhaitons pas que cela change.

La peur paralysa Kate.

Je suis leur prisonnière. Jamais plus je ne rentrerai chez moi.

Son air désespéré le fit sourire.

– Nous ne te ferons aucun mal, Kate, la rassura-t-il. Nous sommes les gentils. Mais nous devons protéger nos arrières. Voilà pourquoi tu as une grande décision à prendre. Une très grande.

– Pardon ? bafouilla Kate. Quelle décision ?

Le commandant Gonzales lui tendit des feuilles.

– Ceci est le rapport préliminaire des événements de la nuit dernière. Il est fondé sur les déclarations de témoins oculaires, grades supérieurs de cette organisation compris. Il décrit les circonstances qui ont conduit à la destruction d'un des vampires les plus puissants au monde par un adolescent ne possédant que l'entraînement de base. Ton nom est mentionné plusieurs fois parmi ceux qui l'ont aidé. D'après ce rapport, tu as fait preuve d'un courage et d'une détermination remarquables lorsque tu as conduit M. Carpenter et ses collègues au monastère servant de base à Alexandru Rusmanov. Tu as continué à démontrer ces qualités quand vous avez été confrontés à une église pleine de vampires affamés commandés par l'une des créatures les plus démoniaques ayant foulé cette terre. Tu aurais détruit un vampire de tes propres mains. Est-ce vrai ?

Le souvenir de la nuit précédente jaillit dans l'esprit de Kate – les hurlements et le fracas des armes quand le petit groupe et la fille vampire avaient combattu vaillamment les monstres cinq fois plus nombreux qu'eux, le sang qui giclait, les chairs et les os arrachés, son dégoût quand le vampire s'en était pris à elle et la sensation de son ongle aiguisé traçant une ligne dans son cou. Puis elle se rappela ce rugissement primaire qui avait résonné dans sa tête quand elle avait mordu le bras du vampire et arraché sa peau tel un chien enragé, la chaleur de son sang qui l'avait recouverte quand elle avait plongé son pieu en métal dans son cœur, l'irrésistible allégresse que cela avait provoquée.

– C'est exact, répondit-elle. J'en ai détruit un.

Christian Gonzales lui adressa cette fois-ci un large sourire, d'un éclat étourdissant. Cette approbation manqua la faire rougir.

– Très bon travail. Tu as survécu sur une île envahie par des vampires, tu as joué un rôle crucial dans leur défaite. Voilà pourquoi tu as une décision à prendre aujourd'hui. Ta première option est la suivante : tu rentres chez toi avec un faux emploi du temps pour ces dernières vingt-quatre heures et tu ne révèles jamais à personne ce que tu as vu. Tu devras signer la loi relative aux secrets d'État, tu seras surveillée afin que nous soyons sûrs que tu la respectes. Dans le cas contraire, tu seras discréditée. Personne ne te croira et tu finiras dans un hôpital psychiatrique après une période d'évaluation. En résumé, tu pourras reprendre la vie que tu menais avant les événements de la nuit dernière et tu retrouveras ton père.

Des larmes brillèrent au coin des yeux de Kate quand il mentionna son père, un homme admirable et loyal qui devait vivre un enfer depuis la disparition de sa fille et le massacre perpétré dans son île.

– Que cela soit clair, poursuivit le commandant Gonzales. Il s'agit d'une offre extrêmement rare. En des circonstances normales, dès qu'un civil est exposé à l'existence d'êtres surnaturels, reprendre le cours de sa vie cesse d'être une option. Le risque est trop grand de laisser de telles informations circuler au grand jour et le civil est immédiatement placé en détention. Je n'essaie ni de t'effrayer, ni de te menacer, crois-moi. Je t'informe simplement de la procédure habituelle.

Kate s'efforça de ne pas montrer qu'elle se sentait à la fois effrayée et menacée.

– Et la seconde option ? s'enquit-elle avec autant de sang-froid que possible.

Un sourire éclaira à nouveau le visage du commandant.

– Tu restes parmi nous et tu nous aides à sauver le monde. Tu deviens une opératrice de cette organisation et tu travailles avec nous pour empêcher que le drame de Lindisfarne ne se reproduise ailleurs.

– Où est le piège ?

– Tu fais une croix sur ta vie d'autrefois. Tu ne pourras dire à personne qui tu es, pour qui tu travailles, ce que tu fais. Interdiction de contacter la moindre relation de ton passé, pas même ton père.

Kate manqua s'évanouir.

L'idée de ne plus revoir son père la bouleversait au point d'en avoir la nausée. Mais le beau commandant lui offrait une vie à l'opposé de celle qui l'attendait à Lindisfarne : elle hériterait du bateau de son père, pêcherait dans la même petite zone pendant quarante ans, se marierait peut-être à un garçon du coin, aurait un ou deux gamins, vivrait et mourrait sur l'île où elle était née.

Kate savait qu'elle n'aurait jamais pu laisser son père seul, déménager sur le continent et l'abandonner dans une maison vide remplie de souvenirs de sa famille. Elle s'était fait une raison depuis longtemps et voilà que cet homme lui offrait un moyen de changer son avenir, d'accomplir quelque chose d'important, d'excitant et de dangereux. Elle se rendrait dans un nombre infini d'endroits, rencontrerait des gens et des monstres. Mais, en échange, il lui demandait de payer un prix trop élevé.

– Que direz-vous à mon père ? Il doit penser qu'il m'est arrivé quelque chose ! Il faut lui dire que je vais bien.

– On l'informera que tu es un témoin primordial dans un incident terroriste majeur, que tu subis volontairement un interrogatoire. Dans quelques mois, quand l'affaire sera retombée, nous lui demanderons de signer la loi relative aux secrets d'État et nous lui apprendrons que tu as été recrutée au sein de la Sécurité. Il sera très fier de toi, je te le garantis.

Cette fois-ci, le commandant souriait franchement et Kate rougit malgré elle.

– De combien de temps est-ce que je dispose pour me décider ?

– Une heure, répliqua le commandant qui l'interrompit avant qu'elle ne proteste. Je suis désolé. Cela peut te sembler injuste mais le temps joue contre nous. Si tu décides de rentrer chez toi, nous devons te renvoyer pendant que la confusion règne encore sur Lindisfarne.

– Et si je décide de rester ?

– Alors nous devons nous mettre au travail.

Finalement, Kate fit attendre le commandant Gonzales dix minutes avant de l'informer qu'elle choisissait la seconde option. Il la félicita puis l'escorta le long d'un couloir courbe et gris jusqu'à une salle de briefing où patientaient Jamie Carpenter et la fille vampire, Larissa Kinley. À ce moment-là déjà, tandis qu'elle repensait au jour le plus important de sa vie, elle avait remarqué des regards en coin et des sourires timides entre eux.

Demain. Je leur parlerai demain.

On frappa à la porte de ses quartiers et, le pas léger, souriante, elle alla ouvrir, sachant qu'une seule personne pouvait lui rendre visite à pareille heure. Shaun Turner attendait dans le couloir. Son visage s'éclaira quand elle ouvrit. Il la poussa en arrière, les mains sur la taille, les lèvres sur les siennes. Une pensée lui traversa l'esprit quand ils basculèrent sur l'étroite couchette.

Au moins je suis douée pour garder les secrets. L'un d'eux en tout cas.

Devant la porte des quartiers de l'amiral Henry Seward au niveau A, Jamie écarta les cheveux de son front et enfonça le bas de son T-shirt dans son pantalon de treillis. Dès qu'il fut « présentable », il frappa.

– Entrez ! s'exclama une voix étouffée.

Jamie poussa la lourde porte et entra.

Assis à son bureau, le directeur du Département 19 posa le dossier sur lequel il travaillait sur une imposante pile de papiers et regarda Jamie avec un sourire chaleureux que le garçon lui rendit.

Unis par la douleur d'avoir perdu Frankenstein qui manquait à Seward autant qu'à Jamie, rapprochés par la culpabilité que ressentait le directeur suite à la mort de Julian Carpenter, ces deux-là étaient devenus proches ces derniers mois. Jamie n'avait jamais fait peser le blâme sur Seward. Par contre, il y avait dans le coin le plus noir et reculé de son âme endeuillée une place pour le traître, Thomas Morris, mort avant que Jamie ait pu lui faire payer son crime. La culpabilité du directeur était réelle, bien que mal placée. Toutefois, elle avait permis à Jamie d'apprendre à connaître l'homme que son père était vraiment.

Ils avaient passé de nombreuses soirées dans cette pièce. Le directeur racontait les aventures de Julian Carpenter ; Jamie buvait littéralement ses paroles avant de les transmettre à sa mère sans omettre de couper les épisodes trop violents. Les Carpenter avaient l'impression de fonder à nouveau une famille. Ils avaient renoué les liens usés après la mort de Julian, lorsque la mère et le fils ignoraient comment remplir le vide que le père avait laissé dans leurs vies.

Que sommes-nous devenus ? pensa Jamie qui réprima un sourire. *Mon travail consiste à chasser et détruire des vampires. Ma mère est un vampire. Elle vit dans une cellule des centaines de mètres sous terre et pourtant, nous ne nous sommes jamais si bien entendus.*

— Qu'y a-t-il de si drôle, Jamie ? lui demanda Seward.

Visiblement, il n'avait pas si bien caché son sourire.

– Rien, monsieur.

– Bon. Quel est ton rapport ?

– Rien de notable, monsieur. Des vampires père et fille dévalisant une banque de sang.

– Les avez-vous capturés ?

– Oui, monsieur. Nous les avons confiés au docteur Yen.

– Très bien. Lazarus a besoin d'un maximum de vampires en bon état.

– Je l'avais compris, monsieur.

– Des signes ?

– Oui, monsieur. Sur un mur à l'extérieur de l'hôpital. Les deux mots habituels.

L'amiral Seward griffonna sur un papier en jurant.

– Monsieur, poursuivit Jamie, pourquoi le projet Lazarus a-t-il besoin d'autant de prisonniers ? Que font-ils en bas ?

Le directeur posa son stylo et fixa le jeune opérateur.

– Lazarus est un projet classé secret, Jamie. Tu comprends le mot « secret » ?

– Oui, monsieur.

– Laisse-moi te rafraîchir la mémoire, veux-tu ? Tous ceux qui doivent savoir en quoi le projet consiste savent déjà en quoi le projet consiste. Est-ce clair, opérateur ?

– Très clair, monsieur.

– Bien. Briefing de la force spéciale Heure H prévu à 11 : 00 demain. Présence obligatoire.

– De nouvelles informations, monsieur ? s'enquit Jamie, plein d'espoir.

– Simplement la routine, Jamie. Tu peux disposer.

Jamie hocha la tête puis quitta le bureau du directeur. Tandis qu'il prenait le chemin de l'ascenseur et de son lit bienveillant, il repensa au discours prononcé par l'amiral Seward un mois plus tôt. Le directeur leur avait appris l'existence du projet Lazarus, la naissance d'une force spéciale surnommée « Heure H » qui avait changé le rapport qu'entretenaient tous les opérateurs avec leur travail.

Ce discours avait tout transformé.

3

L'ART DES AVEUX

VINGT-NEUF JOURS PLUS TÔT

– Tu sais de quoi il s'agit ? demanda Larissa.

Jamie et elle longeaient le couloir principal du niveau B et se rendaient aux ascenseurs. Une serviette sur les épaules, Larissa portait un T-shirt vert foncé et un short. Jamie en déduisit qu'elle s'était entraînée avec Terry sur le terrain de jeux – l'immense espace imbibé de sueur situé dans les entrailles de la Boucle que l'instructeur vétéran de Blacklight dirigeait d'une main de fer.

– Aucune idée, répliqua Jamie. J'ai reçu le même message que toi.

Il dormait quand sa tablette avait braillé et était presque aussi grognon que son amie.

– Ça va ! Pas besoin de me sauter à la gorge !

– Désolé, s'excusa-t-il en lui lançant un sourire fatigué, qu'elle lui rendit.

Les deux adolescents étaient exténués ; jamais ils n'avaient ressenti une telle fatigue avant d'intégrer Blacklight. On ne s'y habituait pas vraiment, même s'ils étaient désormais doués pour ne pas laisser l'épuisement interférer avec leur métier d'opérateur ou le petit rayon de soleil quotidien qui pouvait charitablement être appelé « vie sociale ». Un événement pointant à l'horizon alimentait leur mauvaise humeur, un événement contre lequel tous les T18 et les lumières ultraviolettes du monde ne pourraient rien.

Dans cinq jours, ce serait Noël.

Même à l'intérieur de la Boucle où s'affairaient hommes et femmes dévoués à leur mission secrète, il était impossible d'éviter cette saison festive. Les opérateurs vivant à l'extérieur de la base avec leur famille – comme le père de Jamie autrefois – racontaient au mess des officiers des histoires de sapins, de décorations et de cadeaux. Quant aux plus jeunes résidant sur place, ils jonglaient avec leurs jours de congés dans l'espoir de passer du temps avec leurs proches. Pour Jamie et Larissa, Noël exacerbait les différences entre eux et les autres, Kate comprise.

Ils étaient uniques. Le Service des Renseignements de Blacklight les avait fait sortir du système. Ils n'existaient plus dans le monde extérieur, ni sur papier ni aux yeux de la loi. Même si elle l'ignorait, la mère de Larissa n'aurait pas pu se rendre dans un bureau gouvernemental et prouver qu'elle avait eu une fille. Il n'existait plus aucun document officiel concernant son enfant. Une copie de son certificat de naissance aurait été considérée comme un faux.

Jamie se trouvait dans le même cas : il était le fils d'une créature qui n'existe pas officiellement. Kate faisait toujours partie du monde car elle était portée disparue après l'attaque de Lindisfarne ; son père la savait en vie, même s'il avait juré de garder le secret.

Prisonniers volontaires à l'intérieur du Département 19, Jamie et Larissa ne pouvaient pas vivre ailleurs, simplement parce qu'ils n'existaient pas. Jamie avait abordé le sujet un soir avec l'amiral Seward. Que se passerait-il le jour où il voudrait se marier et fonder une famille, avoir un semblant de vie normale ?

Dans l'ascenseur, ils appuyèrent sur le bouton 0. Le message qui apparut sur leur tablette avait été envoyé à chaque opérateur des listes actives et inactives. Tous étaient convoqués à un briefing dans la salle des opérations. L'amiral Seward avait débriefé Jamie moins de trois heures plus tôt, après le retour de l'équipe G-17 d'un appel de routine dans un lotissement au sud de Birmingham. Le directeur n'avait pas fait mention d'une réunion imminente. Seward était tellement occupé depuis Lindisfarne que Jamie n'était pas surpris, bien qu'un peu vexé. Il aimait croire que le directeur lui prêtait plus attention qu'à la majorité des bleus de la Boucle.

Jamie et Larissa émergèrent au niveau 0. La large salle ovale était presque pleine et ils trouvèrent de la place, debout, contre un mur incurvé derrière un océan d'opérateurs en noir. Jamie croisa le regard de Kate assise à l'autre bout.

L'amiral Seward se tenait sur une estrade et discutait à voix basse avec Cal Holmwood, le vice-directeur. Tous deux affichaient un air sombre, ce qui provoqua une grande nervosité chez Jamie. Tout avait été si confus depuis Lindisfarne, tandis que le Département essayait de s'adapter au lot de révélations qui avait suivi le sauvetage de la mère de Jamie : la trahison de Thomas Morris, la destruction d'Alexandru Rusmanov et la perte terrible du colonel Frankenstein.

– Seward a l'air sérieux, chuchota Larissa comme si elle avait lu dans les pensées de Jamie. Que se passe-t-il ?

– Aucune idée, répondit Jamie au moment où Holmwood descendait de l'estrade pour s'installer au premier rang. Je crois qu'on ne va pas tarder à le savoir.

L'amiral Seward s'avança vers le lutrin dont il agrippa les bords. Impassible, il examina la foule, s'éclaircit la gorge et prit la parole :

– Opérateurs du Département 19, l'heure est venue de jouer cartes sur table. Certaines choses vont être dures à entendre, mais je crois qu'il est nécessaire de les dire. Je sais que nombre d'entre vous se posent des questions sur les événements du 26 octobre, des questions dont certains m'ont fait part en personne. Je suis désolé mais, avant aujourd'hui, j'étais incapable de fournir des réponses. Des investigations et des enquêtes ont été effectuées et nous n'avons eu une vision d'ensemble que très récemment. Et c'est exactement ce que je vais vous décrire à présent.

Seward scruta son auditoire et sembla trouver ce qu'il cherchait sur le visage de ses collègues. Il hocha la tête avant de poursuivre.

– Je suis sûr que la majorité d'entre vous est au courant des événements qui ont eu lieu à Lindisfarne la nuit en question. Pour ceux qui ne le sont pas, j'ai déclassifié le rapport 6723/F qui vous fournira un compte-rendu détaillé. Très peu savent qu'en dépit du fait que la mission sur Lindisfarne a conduit à la destruction d'Alexandru Rusmanov, à la découverte de la traîtrise de Thomas Morris et à la perte du colonel Frankenstein, l'événement majeur de cette nuit a eu lieu à plus de trois mille kilomètres d'ici, à la base du CPS, le Commissariat à la Protection contre le Surnaturel russe, en Poliarny.

Jamie frissonna au fond de la salle.

– Dans les niveaux inférieurs du CPS se trouve une chambre forte numérotée 31. Jusqu'au 26 octobre, elle contenait l'artefact le plus secret au monde détenu par un département surnaturel. Elle contenait les restes de Vlad Tepes, plus connu sous le nom de comte Dracula.

La salle explosa.

La moitié des opérateurs assis se leva comme un seul homme ; des centaines de voix se firent soudain entendre. L'amiral Seward agita les mains pour calmer les cris et les hurlements avant de rugir à son tour. Le bruit s'atténua, laissant derrière lui une atmosphère gênée, voire hostile. Certains agents se rassirent, lentement, le visage marqué par la peur, la confusion mais aussi une grande colère.

– Je comprends que cette nouvelle soit un choc. En fait, la confrontation avec Dracula en 1892, laquelle a conduit directement à la fondation de ce département, ne s'est pas achevée par sa destruction. Vous l'auriez su si vous aviez lu le récit de Stoker. Mais nul n'en a ressenti le besoin. Dracula était dangereusement faible après son voyage à travers l'Europe, et les couteaux de Jonathan Harker et Quincey Morris ont répandu ses dernières gouttes de sang, entraînant sa chute. John Seward, Arthur Holmwood et Abraham Van Helsing l'ont cru mort. Ils étaient les premiers hommes à défier un vampire, sans parler de le vaincre. Mais Dracula sommeillait simplement, ils ne l'avaient pas détruit. Ils ne l'ont compris qu'au moment où le professeur Van Helsing a commencé ses études sur le surnaturel et découvert qu'un vampire pouvait être ramené à la vie en introduisant une quantité suffisante de sang dans ses restes endormis. Quand il a réalisé l'implication de ses travaux, Van Helsing est retourné en Transylvanie en compagnie d'un envoyé du tsar pour récupérer les restes et les mettre en sécurité. L'envoyé l'a trahi et les a emportés à Moscou. Ils sont demeurés aux mains des Russes jusqu'à ce fameux 26 octobre où Valeri Rusmanov s'en est emparé.

Seward fit une pause, prêt à subir une nouvelle interruption mais rien ne vint. Le choc était trop grand pour les hommes et les femmes du Département 19. Les propos de Seward entraînaient des implications trop terribles.

— Une investigation du Service des Renseignements a apporté des conclusions préliminaires. Il apparaît d'abord que Valeri cherchait les restes de son maître depuis le début du XXe siècle, peu après leur disparition en Russie. Ensuite, il est clair qu'il a pu les localiser et les extraire grâce aux informations que lui a fournies Thomas Morris dont la traîtrise n'a eu aucune limite. Tels étaient son empressement à assister Alexandru Rusmanov et leur rancune mutuelle envers la famille Carpenter.

Jamie rougit alors que plusieurs opérateurs se tournaient lentement vers lui. Il fixa le lutrin, refusant de croiser leurs regards et supplia Seward en silence de poursuivre.

– Nous ignorons actuellement où se trouve Valeri Rusmanov. La surveillance de ses associés et de ses propriétés connus n'a eu aucun résultat. Les interrogatoires de vampires bien placés n'ont pas porté de fruits non plus. En résumé, nous n'avons aucune idée de l'endroit où il se cache. Qui plus est, nous avons...

– Il compte le ramener à la vie ? l'interrompit un opérateur dont Jamie ne connaissait pas le nom. Valeri ? Il compte ramener Dracula ?

– Opérateur Carlisle ! répliqua Seward, l'air grave. Je suis désolé de vous apprendre que, selon le Service des Renseignements, il est très probable que ce soit déjà fait.

Cette fois-ci, l'intervention fut interrompue par une série de hurlements terribles. Une boule de panique se forma autour du cœur de Jamie. Jamais il n'avait assisté à une telle réaction de la part des employés de Blacklight, des hommes et des femmes que rien ne semblait ébranler ou terroriser. Là, la peur était palpable, épaisse et écœurante. Ce que le directeur venait d'annoncer d'une voix calme et franche, personne dans la pièce ne l'avait jamais envisagé et ne s'y était encore moins préparé.

C'était littéralement la pire nouvelle qu'il pouvait leur communiquer.

– Ça suffit ! hurla l'amiral Seward. Je sais à quel point ceci est sérieux. Vous avez le droit de savoir ce que nous allons affronter. J'ai décidé de le partager avec vous, ne me faites pas regretter ma décision.

On baissa les yeux et on parla à voix basse, l'air embarrassé tandis qu'un calme malaisé s'installa, éphémère, dans la salle des opérations. La plupart des opérateurs restèrent debout. Quand il s'aperçut qu'aucun n'avait l'intention de se rasseoir, l'amiral Seward poursuivit :

– Même s'il existe une chance minuscule que Valeri ait choisi de ne pas ressusciter son maître ou ait échoué dans sa tentative, la position officielle du Département désormais est la suivante : Dracula est à nouveau en vie. Nous ignorons précisément depuis combien de temps. Cependant, vu que le processus de résurrection nécessite une quantité phénoménale de sang frais dans lequel immerger les restes, nous présumons que la régénération a eu lieu dans les vingt-quatre heures qui ont suivi le vol des cendres, le 27 octobre ou peu après.

– Pourquoi ne l'avons-nous pas vu ? demanda l'opérateur Carlisle d'une voix tremblante. Pourquoi n'est-il pas venu ici pour nous tuer tous ?

– Il doit être très affaibli, répondit Jamie malgré lui, attirant l'attention sur sa personne. Après la résurrection.

– Correct, lieutenant Carpenter, s'exclama Seward. Le professeur Van Helsing a beaucoup écrit sur le temps de récupération des vampires ressuscités. Le Service scientifique a développé ces recherches récemment et en est venu à des conclusions accablantes. Plusieurs facteurs affectent le temps de récupération d'un vampire : l'âge de la créature au moment de sa mort et le laps de temps durant lequel elle reste sans vie. Ceci est loin d'être une science exacte mais nous avons créé une ligne temporelle exploitable nous conduisant à un point qui porte le nom de « Heure H ». À ce moment-là, nous croyons que Dracula – s'il a reçu des soins corrects – sera en pleine possession de ses moyens. C'est-à-dire dans cent vingt jours à partir d'aujourd'hui, soit le 19 avril, opérateurs.

– Nom de Dieu..., grommela Jacob Scott.

Le colonel australien grisonnant ne s'était pas levé de son siège lors de la deuxième explosion de colère. Même là, il affichait plus de détermination que de peur.

– Quatre mois ! Si nous ne l'attrapons pas avant l'Heure H, nous ne l'attraperons jamais. Exact ?

– Telle est notre hypothèse, Jacob, répondit Seward. Dracula représente une menace qu'aucune de nos simulations stratégiques ne peut stopper. Il est le premier vampire qui ait jamais vécu, le plus âgé et le plus puissant. Comme il est impossible de prédire ce qui arrivera si on lui permet de se relever, notre stratégie consiste à empêcher que cela ne se produise. Nous disposons de quatre mois pour trouver Valeri et Dracula et les détruire. Ensuite, ce sera peut-être impossible. Bien ! J'ai trois autres annonces à faire !

Des grognements confus s'élevèrent parmi les hommes en noir, mais Seward les ignora.

– D'abord, je vais créer et présider une force spéciale chargée de concevoir et de mettre en œuvre la stratégie du Département vis-à-vis de Dracula et de Valeri. Les éléments du groupe seront prévenus en temps et en heure. Ensuite, je vous annonce la formation d'un sous-département classé secret du Service scientifique. Nom de code : Projet Lazarus. Enfin, en rapport avec ce projet, la procédure standard implique de ne plus détruire les vampires. Il s'agira de les maîtriser si possible, de les ramener à la Boucle et de les remettre au projet Lazarus.

Certains opérateurs réagirent mollement. La patience de Seward avait atteint ses limites.

– Taisez-vous ! beugla-t-il. Ceux qui ne se sentent pas capables d'exécuter cette nouvelle procédure ou de gérer la situation sont libres de se mettre sur la liste des inactifs. Les autres devront assumer leurs responsabilités comme avant. Si vous avez des questions, venez me voir ou interrogez vos supérieurs. Rompez !

Seward descendit de l'estrade et sortit de la salle des opérations, suivi de près par Cal Holmwood et Paul Turner. Les opérateurs sous le choc se mirent à bavarder à voix basse, les yeux écarquillés. Larissa se tourna vers Jamie et hocha la tête.

– Bordel de merde, chuchota-t-elle.

– Ce n'est rien de le dire, répliqua Jamie.

4

DOULEURS CROISSANTES

Sur une chaise longue de la couleur du sang, dans le bureau de Valeri Rusmanov surplombant la vaste forêt des Landes, était allongé le premier vampire qui ait jamais foulé cette terre.

Moins de trois mois après sa résurrection, le comte Dracula ressemblait enfin à lui-même, l'homme qu'il avait brièvement été, le vampire qui avait vécu plus de quatre cents ans avant d'être condamné à un oubli de plus d'un siècle. Une crinière noire tombait sur ses épaules. Le front était dégagé, large et haut, et des épais sourcils noirs et broussailleux étaient perchés au-dessus d'yeux bleu pâle qui flanquaient un nez fin et étroit, telle la lame d'un scalpel. Une moustache noire couvrait la totalité de sa lèvre supérieure et encadrait une bouche mince et cruelle. Le comte portait une robe de chambre noire. Il fixait la porte en attendant que Valeri arrive avec le souper.

Il était faible. À en devenir fou.

Chaque absorption de sang frais que Valeri lui apportait consciencieusement le soir faisait revenir une petite partie de son pouvoir, mais il n'était que l'ombre de lui-même. Pendant plusieurs semaines après sa résurrection, il avait été incapable de bouger, le corps souple et malléable, comme de l'argile humide attendant de passer au four. Peu à peu, la peau et les os s'étaient solidifiés mais son terrible pouvoir d'autrefois – pouvoir qui anéantissait des villes entières, éliminait hommes et femmes par un simple regard – n'était qu'un souvenir.

Patience, je redeviendrai ce que j'étais. Patience, ce monde paiera pour ce qu'il m'a fait.

Mais pour l'instant, le Seigneur des Ténèbres, l'Empaleur, le Prince Cruel, craint d'une mer à l'autre par ses ennemis comme par son propre peuple, était aussi faible qu'un enfant alité.

Dracula souleva la tête, grognant à cause de l'effort, et regarda par la fenêtre du bureau de son sujet le plus fidèle l'immense forêt de pins par-delà le parc impeccablement entretenu du château. Deux désirs primitifs et anciens le tourmentaient : la faim et la vengeance. Il en voulait à ceux qui lui avaient volé un siècle de vie et l'avaient réduit à cet état pathétique.

Après sa résurrection, tandis que le vieux vampire commençait le lent et douloureux processus de guérison, Valeri lui avait petit à petit raconté les événements survenus pendant son absence, l'histoire du XXe siècle, au cours duquel l'humanité avait évolué au-delà de toute imagination, même celle des futuristes du XIXe siècle les plus optimistes. Dracula la trouva longue, embrouillée mais surtout ennuyeuse. Il n'était pas dans sa nature (que ce soit celle de l'homme ou du monstre) de se pencher sur les exploits des autres. Sa vision des choses était en fait extrêmement simple.

Le monde n'existait que pour son utilisation personnelle et avec sa permission. Celui que lui avait décrit Valeri ne ferait pas exception.

Il se moquait de l'expansion des villes, des évolutions technologiques que lui dépeignait Valeri en termes enfantins – ce qui le mettait dans une rage folle. Avions, voitures, voyages dans l'espace, télévision, téléphone, Internet… aucune de ces innovations ne l'intéressait. Ce monde nouveau deviendrait ce qu'il en ferait – il n'en doutait pas – pourvu qu'une chose n'ait pas changé au fil des décennies sans lui.

– Est-ce… qu'ils… saignent toujours ? l'avait interrompu Dracula, la voix inaudible sans l'ouïe surnaturelle de Valeri.

– Oui, maître, les hommes saignent toujours.

– Alors… je ne… veux pas… en entendre… davantage.

La porte du bureau s'ouvrit sur Valeri qui tirait une adolescente inanimée derrière lui. Elle avait la tête maculée de sang et ses pieds nus traînaient sur le parquet. L'odeur chatouilla les narines de Dracula ; ses yeux bleu pâle prirent une affreuse couleur rouge, celle de la folie.

– Un présent pour vous, mon maître, chuchota Valeri qui effectua une grande révérence.

– Merci, Valeri, répliqua le comte Dracula, la voix semblable au raclement d'une craie sur un tableau.

Valeri déposa la fille aux pieds de son maître et lui trancha la gorge avec un ongle. Dès que le sang coula, Dracula plaqua ses lèvres sur la plaie et aspira goulûment, tel un nourrisson au sein de sa mère. La victime dans les bras, Valeri tourna la tête. Il contempla le bureau dans lequel il n'avait pas mis les pieds depuis presque cinquante ans.

Château Dauncy était le refuge de son épouse, Ana. Le seul endroit capable de calmer sa folie, après Valeri bien sûr. À sa mort, quand on la lui avait arrachée, il avait ordonné qu'on condamne le vieux bâtiment. Il espérait que son chagrin demeure prisonnier de ces anciens murs. Son retour dans la propriété était bien plus douloureux qu'il ne l'avait pensé, mais il était nécessaire. En effet, nul ne savait qu'il possédait Dauncy, pas même Blacklight. Là, son maître recouvrerait la santé grâce à lui.

Le sang de la fille gicla dans la bouche de Dracula dont les forces s'accrurent. Cela ne durerait pas mais, jour après jour, gorgée de sang après gorgée de sang, il s'approchait du vrai Dracula et de sa vengeance.

Profitant de cette énergie temporaire, il s'adressa à Valeri d'une voix riche et grave, pleine de cette autorité qui avait commandé des armées et envoyé des centaines d'hommes à la mort.

– Où est ton frère ? Pourquoi Valentin ne t'assiste pas ? Tu ne devrais pas te charger de ce fardeau tout seul, mon vieil ami.

– Valentin est en Amérique, maître, répondit Valeri avec une grimace de dégoût. Nous ne nous soucions plus l'un de l'autre.

L'air soudain hargneux de Dracula fit peur à Valeri. La résurrection de son maître était le résultat d'une quête de plus de cent ans. Il était resté obstinément loyal quand Alexandru avait sombré dans la folie et Valentin tourné le dos à sa famille pour s'adonner à une vie de plaisirs indignes à New York.

Aujourd'hui, Valeri s'était assuré la position du favori à jamais. Il suivrait son maître avec docilité, joie et fierté. Mais pendant le siècle qui s'était écoulé, tandis que Dracula gisait sous la neige russe, Valeri avait oublié le sentiment de peur. Il frissonna dans l'air frais de son bureau.

– Va le voir, ordonna Dracula, à nouveau impassible. Dis-lui que son maître le veut auprès de lui. Dis-lui que nous avons du travail.

– D'accord, maître. Je pars sur-le-champ.

Dracula grogna de satisfaction.

– Bien, Valeri. Tu m'as toujours servi avec mérite. Jamais tu n'as questionné mes décisions. Quand ce monde sera mien, quand j'aurais amoncelé puis brûlé les corps des pathétiques créatures qui l'habitent, quand j'aurai fait table rase de mes ennemis, tu redeviendras mon bras droit.

– Vous m'honorez, maître.

– Laisse-moi.

Dracula le chassa d'un geste de la main, puis se rallongea dans sa chaise longue et fixa le plafond peint. Ses forces s'amenuisaient déjà mais il refusa de céder à la colère. Près de trois mois s'étaient écoulés depuis qu'il s'était éveillé dans l'hémoglobine bouillonnante de la fosse sous la chapelle des Rusmanov, nu, hurlant, tas de graisse coloré homogénéisé par la seule force de sa volonté. Il ignorait qui il était quand il renaquit violemment, jusqu'à ce que Valeri s'agenouille au bord de la cavité et prononce un seul mot.

« Maître ». Quand il m'a appelé maître, j'ai su qui j'étais.

Le voyage depuis ce début ensanglanté avait été long et difficile mais il s'améliorait au fil des jours. Dracula se montrerait patient… quelque temps. Il supporterait la douleur. Bien qu'une torture, son rétablissement n'était rien en comparaison de la nuit où sa deuxième vie avait commencé, plus de cinq cents ans auparavant.

5

RENAISSANCE

FORÊT DE TELEORMAN, PRÈS DE BUCAREST,
VALACHIE, 12 DÉCEMBRE 1476

Vlad Tepes fuyait le fracas de la bataille et les hurlements des hommes à travers la forêt sombre. Il s'était débarrassé de son armure royale mais il entendait encore les cris de ses poursuivants.

Cinq soldats turcs au moins, peut-être six, peut-être plus. Le prince de Valachie savait mieux que quiconque les horreurs qui l'attendaient s'il était capturé. Il redoubla d'efforts.

Je mourrai mais ils ne m'attraperont pas. Je ne me soumettrai à personne.

Les guerriers qui avaient avancé sur ses terres étaient cinq fois plus nombreux que ses hommes. Moins d'un an plus tôt, Étienne Bathory, prince de Transylvanie, avait aidé Vlad à reconquérir son trône. Ils étaient entrés ensemble en Transylvanie, et Basarab, le vieillard lâche et fou qui avait succédé à Radu, le frère de Vlad, avait fui sans se battre.

Mais Étienne avait refusé de rester et d'aider Vlad à consolider son troisième règne. Son départ – *sa trahison, oui, c'était une trahison* – l'avait rendu vulnérable. Au bout de quelques mois, on l'avait averti que les Turcs avançaient au nord. Quand il fut clair qu'aucune aide n'arriverait, il avait chevauché jusqu'aux plaines de Bucarest en compagnie de l'élite de ses gardes moldaves et un peu plus de quatre mille hommes.

Ils se sont battus comme s'ils étaient quarante mille. Et ils sont morts en hommes.

Du sang coulait sur l'avant-bras de Vlad suite au coup d'épée qui l'avait désarçonné, mais il n'avait pas mal. Au contraire, il ressentait un grand calme. Derrière lui, ses généraux, les frères Rusmanov, fuyaient ou gisaient sur la terre imbibée de sang. Dès qu'il fut évident que la bataille était perdue, que son bref règne était terminé, Vlad avait fui sans scrupules.

Je ne leur ai jamais promis l'immortalité. Ils m'ont suivi de leur plein gré et ont partagé volontiers le butin de la victoire.

Le soleil avait glissé derrière l'horizon à l'ouest et l'obscurité entravait la course de Vlad. Il s'arrêta au pied d'un énorme chêne blanc pour reprendre son souffle et entendre le pas de ses poursuivants.

Pas le moindre bruit. Quelle que fût la direction.

Soudain son plaisir sauvage d'avoir semé les soldats turcs fut remplacé par un certain malaise. Le tronc noueux devant lui paraissait ancien. Jamais il n'en avait vu d'aussi tordu. Pourtant il avait parcouru ces bois à cheval des milliers de fois depuis qu'il avait quitté son palais d'été pour la ville de Bucarest. Vlad examina la petite clairière et remarqua que tous les arbres se ressemblaient, structures immenses de bois mutilé à l'écorce fendue et grise. Poussaient aussi des plantes que Vlad ne reconnut pas : des gerbes de fleurs noires à barbillons, des lianes bleu nuit.

Quel est cet endroit ? Jamais je ne suis venu ici !

Les profondeurs, chuchota une voix.

Vlad tourna sur lui-même, la main sur l'épée. Mais sa courte lame avait disparu depuis longtemps, plongée dans le ventre d'un soldat turc.

Ton épée ne t'aidera pas en ces lieux, poursuivit la même voix.

Légère, presque joviale, elle semblait venir de l'intérieur de son crâne, de tous les côtés et de nulle part à la fois.

– Qui parle ? brama Vlad qui se rua au centre de la clairière. Montrez-vous !

Pas de réponse.

Un silence absolu régnait dans la forêt tandis que les dernières lueurs s'estompaient. La peur s'insinua dans l'estomac de Vlad tandis qu'il cherchait le chemin par lequel il était arrivé.

Pas de trace.

Il était perdu.

Il ne vit aucune branche cassée, aucune herbe écrasée, comme si nul homme n'était venu en ces lieux depuis cent ans. Vlad essaya de calmer son cœur qui s'emballait. Il se décidait à partir quand il entendit un bruit, le premier bruit depuis cette voix enjouée et grotesque.

Quelque chose grattait, rampait parmi les arbres séculaires... Un bruit lent, vieux et patient... Son sang se glaça. Vlad fit volte-face, les poings serrés. Tout à coup, la terreur lui comprima le cœur.

Les arbres bougeaient.

Lentement, deux vieux chênes blancs s'inclinèrent, leurs cimes se croisèrent pour former un passage circulaire conduisant dans… *les profondeurs*… la forêt obscure.

Approche, chuchota la voix. *Approche.*

Incrédule, Vlad scruta l'ouverture devant lui. Ce ne pouvait être réel, pensa-t-il. Il était devenu fou suite à la défaite, à la mort de ses généraux et de ses hommes. Oui, c'était cela, il avait des visions.

Ne sois pas idiot, siffla la voix.

Vlad hurla. Le ton léger avait disparu. On aurait dit la mort, vieille, *profonde*, sombre.

Approche tant que je t'invite. Tu n'as nulle part ailleurs où aller.

Vlad examina la clairière et constata que la voix disait la vérité. Les arbres s'étaient refermés autour de lui et formaient un mur de bois impénétrable.

Il était piégé.

De la bile douce-amère bouillonna au fond de sa gorge quand il comprit qu'il n'avait pas le choix. Tremblant de tout son corps, Vlad obligea ses jambes à pénétrer sous l'arche. Une obscurité absolue l'enveloppa. Il entendit les arbres remuer… Ils fermaient l'entrée derrière lui. Il fit un pas en avant…

Il n'y avait rien sous ses pieds.

Vlad perdit l'équilibre. Ne trouvant rien à quoi s'accrocher, il bascula en hurlant dans les profondeurs.

Il se réveilla au bout d'un laps de temps inconnu.

Sur un tapis d'herbe. Tandis que ses yeux bataillaient pour s'ouvrir, il aperçut le ciel au-dessus de lui. Des étoiles tourbillonnaient à une altitude incroyablement basse. Jamais il n'avait vu pareilles constellations. Un groupe d'étoiles rouge pâle formait une tête de taureau qui disparut lorsqu'un amoncellement de lumières vertes et iridescentes dessina un immense serpent enroulé sur lui-même dans le ciel noir.

Ces images donnèrent la nausée à Vlad qui baissa les yeux. Il s'assit sur l'herbe. Où se trouvait-il ? Que lui était-il arrivé ?

L'herbe d'un vert quasi noir, même sous le ciel étoilé, constituait un cercle de six mètres de diamètre peut-être. Tout autour, des statues antiques en pierre grise placées les unes contre les autres, sans le moindre interstice entre elles, le surveillaient. Il trouva grotesques ces hommes et ces femmes figés en pleine agonie, ces animaux en proie à la violence et à la mort, ces créatures démoniaques cornues, hérissées de pointes, couvertes d'écailles, arborant un air lubrique. Au-dessus d'elles, il ne semblait rien y avoir d'autre que le ciel noir d'encre. Pas de porte, pas de passage qui expliquerait comment il était arrivé dans cet horrible endroit.

J'ai dû tomber.

Soudain, la mémoire lui revint, telle une explosion. Il hurla quand il se souvint : la bataille, la forêt, les arbres millénaires qui bougeaient, l'horrible voix surnaturelle qui lui avait parlé. Il se leva péniblement. Devant lui se dressait un autel.

Un gros bloc rectangulaire sculpté grossièrement dans une pierre gris pâle sous deux statues enchevêtrées représentant une telle violence que Vlad, un homme qui avait infligé à ses ennemis des tortures dont on parlait à voix basse dans toute l'Europe, ne put les regarder. Il ne put déchiffrer les lettres gravées dans la pierre dont la surface portait les traces marron foncé du sang versé depuis longtemps.

La colère s'empara de Vlad qui courut vers l'autel. Il le frappa à deux mains en hurlant vers le ciel inconnu. Il n'était pas censé finir ses jours ici, seul, terrifié dans ce lieu de toutes les horreurs. Il avait commandé des armées, dévasté des villes et des pays entiers, côtoyé des rois et des empereurs. Il ragea contre l'obscurité, jura la mort à ce qui l'avait entraîné ici, maudit ses ennemis, promit qu'il se vengerait de tous ceux qui l'avaient lésé, offrit son âme si on lui permettait d'éliminer les traîtres à sa cause.

Rien ne se passa.

Au-dessus de lui, les étoiles pivotaient, naissaient et mouraient, comme si des millions d'années s'écoulaient en quelques secondes. Les statues silencieuses et impassibles le fixaient de leurs yeux vides.

Vlad s'affala contre l'autel, simple bloc de pierre. Le feu ne brûlait plus en lui.

Pourquoi suis-je ici ? Je suis peut-être fou.

Tu n'es pas fou, chuchota la voix de la clairière. *Tu es stupide.*

Vlad se retourna mais rien ne bougeait à l'intérieur du cercle silencieux de statues. La voix était cruelle et moqueuse. Pourquoi questionnait-elle son intelligence ? Son regard se posa sur les taches brunes de l'autel et soudain, tout devint clair. Il plongea les doigts de sa main droite dans la plaie de son bras et écarta la chair. Il grogna de douleur quand le sang épais coula le long de son bras et lui recouvrit la main. Il le leva bien haut.

Si je ne suis pas fou, seule la damnation m'attend alors.

Tu es damné depuis bien longtemps déjà, commenta la voix.

Vlad sut au fond de son cœur qu'elle avait raison. Il baissa la main. Des gouttelettes de sang rouge foncé éclaboussèrent l'autel.

Aussitôt, l'air s'emplit d'une étrange énergie qui crépita autour de la tête de Vlad, souleva ses longs cheveux noirs. Les poils de ses bras se dressèrent et il ressentit un pouvoir épais et graisseux dans ses dents et ses os. Les statues remuèrent sur leur piédestal, infligeant leurs tortures macabres avec lenteur. Devant lui, un liquide noir se mit à suinter de l'autel. Cette huile épaisse semblait absorber la lumière. Quand toute la surface en fut couverte, une bouche d'une grandeur impossible, remplie de dents de la taille et de la forme de dagues, s'ouvrit dans le liquide et lui sourit.

– Qu'êtes-vous ? demanda Vlad d'une voix chevrotante.

N'espère pas comprendre, répliqua la bouche sur un ton lisse, presque amical. *Et cela n'a pas d'importance. Seule importe la raison pour laquelle tu es là.*

– Que suis-je ?

Un monstre !

La bouche fit une horrible grimace.

Capable d'une cruauté qui a réussi à m'impressionner ! Un vautour. Un parasite. Un...

– Ça suffit ! s'écria Vlad aussi fort qu'il en était capable.

La bouche afficha un sourire encore plus large.

Et courageux, jusqu'à un certain point. Jusqu'à la bêtise parfois. Ou le danger.

– Pourquoi m'avez-vous emmené ici ?

Tu es venu tout seul. Tes cris de colère ont traversé les profondeurs. Je t'ai simplement éclairé le chemin.

– Pourquoi ? Pourquoi, bon sang ? Qu'attendez-vous de moi ?

Je souhaite te faire un cadeau. En échange, j'aimerais quelque chose qui ne t'a pas servi depuis longtemps.

– De quoi parlez-vous ?

Je veux ton âme, répondit la bouche, dents dehors. *Elle m'amusera pendant quelques millénaires. Je te paierai généreusement.*

Vlad fixa la surface brillante de l'autel. Son estomac se souleva devant la bouche souriante.

– Que m'offrirez-vous ? Quel prix suffira à acheter ce que vous me demandez ?

Je te propose la vengeance. Pense à ceux qui t'ont failli ou causé du tort. Je te donne la vie éternelle pour que tu puisses traquer tes ennemis jusqu'à la fin de leurs jours, sans vieillir, sans mourir. Je te donne le pouvoir de réduire ce monde à l'état de ruine. Tout cela, je te l'offre.

– Cela sent l'imposture. Cette offre est trop belle pour être vraie.

Tu as raison. Il ne peut y avoir de lumière sans obscurité, de récompense sans punition. Mais il n'y a aucune tromperie. Tu n'as pas demandé les termes.

– Je veux les connaître maintenant.

Très bien. Tu ne reverras jamais plus le soleil. Un seul regard et ce sera ta fin. Tu ne mangeras ni ne boiras plus comme les hommes. Seul le sang d'autres créatures te nourrira. Tu ne craindras ni la main de l'homme, ni les armes mortelles ; tu pourras partager ta nouvelle vie avec d'autres, comme il te plaira. Cependant, quand ton voyage prendra fin, ton âme m'appartiendra et l'Enfer t'attendra. Pour l'éternité.

– J'accepte.

Il prononça ces deux mots avant même de les avoir pensés. Accepter cette abomination le condamnerait à une vie dans l'ombre, en présence de la mort et du sang – ce qui ne le changerait pas beaucoup. L'alternative n'était pas envisageable. Son ancienne vie était terminée, il ne le savait que trop bien. Les Turcs le chasseraient jusqu'au bout de la terre ; il préférait la grandeur dans les ténèbres à la fuite dans la lumière.

Je n'en ai jamais douté. Mais je n'avais pas fini.

Le sourire s'élargit au point de déborder de l'autel et de laisser d'épaisses traînées noires sur l'herbe sombre.

– Qu'est-ce que cela signifie ? s'écria Vlad. Où est l'escroquerie ?

Il n'y en a pas. Tu as accepté mon offre sans écouter la dernière condition.

– Que me cachez-vous ? Je veux savoir, maintenant !

La bouche se figea pour devenir un trait dur. Quand elle reprit la parole, la voix ressemblait au bruit du sang qui se glace, de la douleur et du désespoir.

Tu n'as plus rien à marchander. Je te suggère de réfréner tes exigences.

Vlad se mit à trembler de rage. Il avait ce sentiment terriblement humiliant d'avoir été roulé dans la farine. La peur se déversait à nouveau dans son estomac, remontait le long de son dos. Il regarda l'autel avec répulsion.

– Je vous prie de m'excuser, s'obligea-t-il à dire. Je vous demande humblement quelle est la dernière clause du pacte.

C'est mieux, répliqua la bouche souriante. *La dernière clause est la suivante : le premier sang que tu boiras sera l'unique clé de ta perte. Ta première victime détiendra le seul moyen de mettre un terme à ta seconde vie.*

– Encore une imposture ! Vous m'aviez promis la vie éternelle !

Je ne t'ai rien promis. Je t'ai dit que je pouvais t'offrir la vie éternelle. Ce que tu en feras dépendra entièrement de toi. Si tu étais incapable de mourir, comment le contrat serait-il rempli ? Je t'ai donné plus que ce qu'aucun humain n'a jamais reçu de moi ; tu pourrais me remercier pour ma générosité.

– Quel genre de don est-ce quand je dois vous remettre mon âme sous plusieurs conditions et mises en garde ?

Je ne t'ai promis aucun don. Je ne t'offre rien de plus que le pacte que nous avons passé tous les deux.

– Alors je me rétracte !

Trop tard.

Avec un grand sourire, la bouche bondit en avant et enveloppa totalement Vlad. Le fluide noir était aussi froid et injuste que la fin du monde. Vlad hurla sans un bruit, longtemps, mais le liquide ne le lâcha pas avant d'en avoir terminé.

À ce moment-là, Vlad tomba à genoux, desséché. Ses yeux avaient viré, le laissant aveugle ; sa peau était aussi tannée que du parchemin. Il ne respirait plus bien qu'il fût encore vivant et capable de ressentir la douleur indescriptible infligée par la bouche. Quand il se dit qu'il ne pourrait plus la supporter, qu'il préférait mourir ou devenir fou, le liquide noir le recouvrit une seconde fois.

Au lieu d'avoir pitié de lui, de mettre un terme à son tourment, comme Vlad l'en priait, elle plongea en lui, disparut dans ses pores et soudain, un sentiment de puissance infinie s'empara de Vlad. Ses yeux reprirent leur place, sa peau se lissa et se colora, son cœur battit normalement. Lorsque Vlad se leva, ses jambes lui semblèrent fortes comme des troncs d'arbres. Il serra les poings et se sentit capable d'abattre une montagne. Un rugissement primitif jaillit de sa gorge puis il tomba, sur l'herbe, dans l'obscurité et les profondeurs.

Quand il revint à lui, il était allongé dans la forêt de Teleorman. Il ouvrit les yeux et reconnut aussitôt les chênes blancs qui s'élevaient au-dessus de lui vers le ciel étoilé, l'odeur de l'herbe sous son corps, la brise froide sur son visage. Pendant une longue seconde confuse, il se demanda s'il avait rêvé, si son esprit ravagé par l'épuisement, l'horreur et la défaite de son armée s'était rebellé contre lui, avait réveillé des terreurs impossibles des profondeurs de ses cauchemars. Puis il se leva lentement, sentit la puissance bouillonner sous sa peau et se rappela le pacte qu'il avait conclu avec la terrible bouche grimaçante.

Tu as tenu parole, diable. Moi, je ferai tout ce qui est en mon pouvoir pour ne pas tenir la mienne.

Il sourit à l'obscurité et sentit quelque chose bouger dans sa bouche : de nouvelles dents glissèrent de ses gencives et s'adaptèrent à la perfection sur ses incisives. Leur extrémité très aiguisée perça sa lèvre inférieure comme du vulgaire papier de soie. Quand le sang coula dans sa bouche, il tomba à genoux, en prise à une extase inimaginable, un plaisir oppressant. Il ne réussit qu'à fermer les yeux et à attendre que cela passe.

Un peu plus tard, il se releva et examina la forêt autour de lui. Il découvrit, en partie cachés par les ronces et les buissons sauvages, des socles de statues disposés en cercle et un monticule de pierres moussues qui ne semblait pas avoir été dérangé depuis des centaines, voire des milliers d'années.

C'est ici que j'étais. Mais l'endroit est vieux à présent. Ce n'était pas le cas lors de ma visite.

Il s'éloigna de la ruine et prit la direction du champ de bataille. Des cris occasionnels flottaient encore dans la nuit. Au loin, il aperçut une lueur orangée, les bûchers allumés par les Turcs pour incinérer leurs morts. Même s'il ignorait ce qu'il ferait une fois là-bas, il savait qu'il ne craignait plus ces envahisseurs et leurs armes. Il voulait connaître le sort de ses généraux, les trois frères dont il avait récompensé la loyauté en les abandonnant.

Dans une clairière, des villageois des plaines étaient rassemblés autour d'un feu de camp éclatant. Ils avaient fui leurs maisons à l'approche de l'armée turque. Il y avait peut-être quinze familles – hommes, femmes et enfants, se réchauffant, allaitant des bébés, faisant bouillir de l'eau dans des chaudrons en métal, cuisant de la viande à la broche. Quelques femmes chantaient une vieille mélodie qui avait attiré Vlad. Il fit le tour du campement, se faufila en silence parmi les arbres à la recherche d'une opportunité. Il avait faim et l'odeur de viande le faisait saliver.

– On ne bouge plus !

Vlad se tourna lentement en direction de la voix et se retrouva face à un homme d'âge moyen, à l'ombre d'un des chênes. Il portait la tenue robuste des paysans, un arc et ses flèches à l'épaule, et visait la poitrine de Vlad. Celui-ci leva les mains et fit un pas un avant. Le fermier recula.

– Stop ! Et parle que je sache si tu es ami ou ennemi.

– Ni l'un ni l'autre, rétorqua Vlad, grimaçant. Je suis autre chose.

L'homme abaissa à peine son arc.

– Tu n'es pas turc. Valache ? Réponds.

– Avant, oui.

Tout à coup, la faim le frappa telle la foudre et il s'agenouilla, tordu de douleur.

À l'image d'un ouragan, la faim ouvrit un abîme immense dans sa poitrine et son ventre. Il s'arracha la peau du torse avec ses ongles en essayant de l'ouvrir, de trouver un moyen de remplir ce gouffre apparu au plus profond de son être. La douleur lui fracassait le crâne, comme si on lui perçait les tempes à la chignole. Ses membres devinrent soudain aussi lourds que du plomb.

Le fermier jeta son arc et courut vers lui. Il le secouait par les épaules quand Vlad releva la tête. Le paysan eût une vision d'horreur à quelques centimètres de lui : des yeux rouges luisaient au milieu d'un visage déformé, des crocs blancs étincelaient sur sa lèvre supérieure. Au moment où l'homme ouvrait la bouche pour crier à l'aide, l'étranger planta ses crocs dans son cou et le cri mourut au fond de sa gorge.

Vlad agit à l'instinct, la douleur suscitée par la faim l'exhortant à penser de façon rationnelle. Ses nouvelles dents s'enfoncèrent dans la peau du paysan, percèrent la veine jugulaire et envoyèrent du sang dans sa bouche et sa gorge. Aussitôt, la douleur et la faim furent remplacées par une sensation divine. Il avala le sang qui giclait jusqu'à en être repu et retira ses crocs.

Les deux silhouettes tombèrent sur le sol froid.

La poitrine de Vlad se soulevait, puissante et vivante tandis que celle du fermier bougeait à peine. Le sang continuait à couler par le trou déchiqueté dans son cou. L'ancien prince de Valachie bondit sur ses pieds et, étrangement, flotta à quelques centimètres au-dessus du sol. Il pivota doucement puis éclata d'un rire terrible qui résonna parmi les arbres silencieux et s'envola au-dessus du feu de camp. Les hommes froncèrent les sourcils, leurs épouses se signèrent, des enfants fondirent en larmes.

Le rire s'estompa tandis que Vlad reprenait sa course vers le champ de bataille. Il flottait sans effort dans les sous-bois, tournoyant et descendant en piqué, tel un gamin ayant reçu un merveilleux jouet. Derrière lui, il ne restait qu'une tache de sang et la forme sombre du fermier dont le corps refroidissait au fur et à mesure que la vie le quittait.

6

CARPENTER ET FILS

Jamie longea le couloir du niveau de détention de la Boucle, en conflit avec lui-même comme à chaque fois qu'il rendait visite à sa mère.

Seule sa cellule était occupée. Les autres avaient été vidées trois semaines plus tôt. Munis de ceintures de rétention, leurs occupants avaient été conduits dans les profondeurs de Blacklight afin d'être remis au projet Lazarus. Les lumières ultraviolettes qui remplaçaient l'entrée des cellules rayonnaient dans l'air paisible.

Marie Carpenter habitait la dernière à gauche, celle que Larissa avait occupée pendant les trois jours chaotiques où Marie avait été kidnappée par Alexandru Rusmanov.

Jamie savait que les sens surhumains de sa mère l'avaient prévenue de son arrivée dès qu'il avait traversé le sas et pénétré dans le bâtiment de confinement. Il savait aussi qu'elle feindrait la surprise. Sa mère détestait plus que tout au monde attirer l'attention sur le fait qu'elle avait été transformée en vampire. Il atteignit la dernière partie en béton avant la cellule, prit une profonde inspiration puis s'avança devant la lumière ultraviolette.

Son premier réflexe, comme d'habitude, fut de rire. La cellule de sa mère ressemblait à un catalogue de déco intérieure.

Comme elle se trouvait en détention de son plein gré et était la mère d'un opérateur, elle avait eu le droit de demander des objets interdits aux autres vampires conduits dans ce bâtiment. Et elle en avait bien profité. Au milieu de sa cellule, sur le tapis ovale de son ancien salon de Brenchley, il y avait la table basse sur laquelle le père de Jamie posait les pieds le soir après le travail. La commode de l'ancienne chambre de Marie placée contre un mur comportait de nombreuses photos de son fils et de son défunt mari. Le canapé en cuir usé trônait au fond comme autrefois dans le salon et son lit aux draps lilas était recouvert de son éternelle couette.

Sa mère avait poliment, mais avec beaucoup de détermination, importé son ancienne vie dans ce cube de béton en sous-sol. Le sapin de Noël et ses lumières multicolores avait disparu, au grand soulagement de Jamie.

– Bonjour, maman. Comment ça va ? demanda-t-il en entrant dans la cellule.

Assise sur le canapé, le nez dans un livre de poche, Marie Carpenter leva la tête et fronça les yeux, comme surprise. Avec un grand sourire, elle se leva d'un bond puis alla à sa rencontre. Mère et fils s'étreignirent au milieu de la pièce carrée.

– Bonjour, mon cœur. Tu vas bien ? Tu es sorti aujourd'hui ?

Malgré l'uniforme qu'il portait et ses exploits, Jamie était encore un adolescent, surtout en présence de sa mère. Son accueil enthousiaste le fit rougir et sourire en même temps. Voilà pourquoi il avait volontairement plongé dans les profondeurs les plus sombres de l'horreur, pourquoi il s'était tenu au milieu de ce vieux bâtiment rempli de morts et avait affronté le monstre le plus dangereux du monde : pour tenir à nouveau sa mère dans ses bras et sentir l'amour qui irradiait d'elle. Dire qu'il avait compris qu'il avait besoin de cet amour le jour où on le lui avait enlevé…

– Je vais bien, maman. Et toi ?

Marie le serra une dernière fois contre elle puis recula d'un pas pour le regarder de la tête aux pieds. Son uniforme noir faisait sa fierté. Quand son regard tomba sur la cicatrice rose dans son cou, elle grimaça.

– Ça va, répondit-elle.

Son regard s'attarda sur le cou de son fils un moment, comme elle le faisait toujours. Puis elle baissa les yeux et s'obligea à sourire.

– Comment se porte Kate ?

Jamie se rembrunit.

Sa relation avec sa mère s'était considérablement améliorée depuis leur retour de Lindisfarne. La vérité sur Julian Carpenter, l'homme qu'il était vraiment, et sur les circonstances entourant sa mort les avait libérés. Le mélange confus de chagrin et de trahison qui les avait paralysés après son décès et la rancœur qu'entretenait Jamie à l'égard de sa mère s'étaient dissipés, les laissant libres de tout reconstruire. Julian leur manquait à tous les deux, de façon différente, et Jamie avait accepté le fait qu'il lui manquerait à tout jamais. Il gérait à peu près son chagrin désormais. Malheureusement, quelqu'un d'autre lui manquait quasi autant : Frankenstein.

Le dégel s'était produit lentement entre Jamie et Marie. Il y avait eu de nouvelles complications et le fait que Marie dût passer ses jours et ses nuits dans les profondeurs de la Boucle derrière un rideau ultraviolet n'était pas la moindre. Ils avaient trop de choses à se dire et les deux premières semaines, tandis qu'ils s'adaptaient à leur nouvelle vie, ils parvinrent à communiquer.

Jamie s'excusa pour son comportement depuis la mort de son père. En larmes, Marie l'écouta sans l'interrompre puis elle lui demanda pardon à son tour de ne pas avoir su faire face à la disparition de Julian, de ne pas avoir compris que Jamie avait encore besoin de son père. Finalement, leurs larmes furent aussi cathartiques que douloureuses. Toutefois, un aspect de leur relation rebâtie inquiétait Jamie.

Marie Carpenter adorait Kate.

Et détestait Larissa.

Il comprenait pourquoi. C'était Kate qui avait soutenu Marie quand la faim la tenaillait après Lindisfarne, Kate qui l'avait escortée à bord de l'hélicoptère, apaisée avec cette douceur si naturelle chez elle. De son côté, Larissa était un vampire, c'est-à-dire un monstre aux yeux de Marie, bien que Jamie soutînt le contraire.

Il savait qu'il perdait son temps. Kidnappée et martyrisée par le pire vampire au monde, Marie avait été consternée par les changements qui s'étaient opérés en elle. Mais il avait tout de même essayé. Il savait que le jour viendrait où il voudrait parler de sa relation avec Larissa et il ne voulait pas que sa première réaction soit du dégoût.

– Elle va bien, maman. Elle te passe le bonjour.

Larissa va bien elle aussi. Mieux que cela, en fait.

– C'est une brave fille, affirma Marie. Je l'ai su dès que je l'ai rencontrée.

Jamie ne répondit pas. Il alla jeter un coup d'œil aux photos que sa mère avait installées sur sa commode. Il se pencha pour mieux en regarder une, bordée d'un cadre en argent.

Enceinte de lui, sa mère était appuyée sur le capot d'une BMW bleu foncé, un grand sourire aux lèvres. Le soleil illuminait une rangée d'arbres au-delà de la voiture et projetait l'ombre de son père en bas de l'image.

Elle a l'air tellement heureuse, pensa Jamie qui se redressa et se retourna.

Sa mère lui avait parlé mais il ne l'avait pas écoutée.

– Pardon ?

– Je te disais que Henry était venu me voir aujourd'hui. Tu étais au courant ?

– Henry ? Qui est Henry ?

– Henry Seward ! répondit Marie comme si cela était évident.

– L'amiral Seward ? Mon supérieur ?

– En personne. Cela pose un problème ? s'inquiéta Marie.

Non, aucun. Il n'y a absolument rien d'étrange à ce que mon patron rende visite à ma mère dans sa cellule. Aucun problème.

– Je pense que non. Que voulait-il ?

– Rien. Il passait juste dire bonjour. Il vient environ une fois par semaine.

– Une fois par semaine ! Tu veux dire toutes les semaines ?

– Je t'ai contrarié, paniqua Marie.

La possibilité que son fils cesse de venir était toujours présente à son esprit et elle en avait une peur bleue.

– Peut-on parler d'autre chose ? proposa-t-elle.

Jamie tentait encore d'assimiler le concept de sa mère et l'amiral Seward faisant connaissance. Il abandonna quand il perçut de la nervosité dans sa voix.

– Bien sûr, maman. De quoi veux-tu parler ?

Soulagée, Marie flotta jusqu'à son lit. Tellement contente d'avoir évité une dispute avec son fils, elle ne se rendit pas compte qu'elle utilisait ses capacités vampiriques devant lui.

– Dis-moi où tu es allé ce soir. Je m'inquiète pour toi, dehors avec tous ces monstres.

Jamie alla s'asseoir sur le canapé défoncé et raconta sa journée à sa mère.

7

VALENTIN REÇOIT UN VISITEUR

CENTRAL PARK OUEST
ET 85^E RUE OUEST NEW YORK, ÉTATS-UNIS

Valentin Rusmanov se tenait devant la baie thermale de son bureau, au dernier étage de son hôtel particulier dans l'Upper West Side où il avait vécu depuis sa construction en 1895. Nul ne savait qu'il possédait cet imposant bâtiment – un des nombreux aspects de sa vie qu'il gardait secret.

Au cours du XXe siècle, sa longue existence avait nécessité certains arrangements, comme la création de sociétés écrans pour gérer ses capitaux afin d'éviter d'attirer l'attention. Son nom n'apparaissait sur aucun document relatif au bâtiment, et de l'extérieur celui-ci ressemblait à n'importe quelle demeure faisant face à Central Park.

Seulement elle n'était pas divisée en soixante-cinq résidences, comme le Dakota, plus au sud. Les sept spacieux étages contenaient des biens accumulés pendant plus de quatre siècles de richesse et de prestige. Valentin dormait au septième étage dont l'entrée était expressément interdite sans invitation. Son bureau se situait au coin nord-est et sa vue sur le parc était aussi spectaculaire que le reste de la résidence.

Valentin observait cette oasis de coins sombres et d'ombres, peuplée de joggeurs, d'amoureux mais aussi de junkies et de sans-abri, au milieu des lumières aveuglantes de Manhattan. Il ne ressentait ni aversion ni colère contre ces hommes ordinaires, il réservait ces sentiments à ses frères et à son ancien maître.

Il remua soudain le nez et, une seconde plus tard, afficha une grimace dégoûtée. Vite, il vola à travers la pièce et se posa avec grâce dans un fauteuil en cuir bleu, derrière son grand bureau en bois foncé. Tandis qu'il fixait la porte, on frappa poliment. Elle s'entrouvrit suffisamment pour que son majordome squelettique se faufile à l'intérieur.

Entré au service du vampire en 1901, Lamberton avait immédiatement démontré des capacités professionnelles impeccables et une volonté admirable d'ignorer les horreurs qui avaient souvent lieu sous le toit de son maître. Il avait servi Valentin pendant quarante ans en tant qu'humain et soixante-dix de plus en tant que vampire.

Sa conversion était son idée. Même si Valentin lui avait promis qu'on ne lui ferait aucun mal durant sa carrière, Lamberton avait dû confronter son maître au problème de l'âge.

Après en avoir discuté devant une demi-caisse de Château Latour 1921, Valentin avait admis à contrecœur qu'aucune autre solution ne se présentait. Il avait donc mordu Lamberton à la gorge avec la tendresse d'un amant, laissant s'écouler un minimum de sang. Ensuite, il avait fondu dans la nuit new-yorkaise et trouvé dans le port une jeune infirmière de l'Oklahoma sur le point de rejoindre les champs de bataille européens. Il l'avait ramenée chez lui et offerte à Lamberton quand la transformation fut complète et la faim pressante. Dès que sa première victime fut consommée, le majordome remercia son maître et retourna à ses occupations auxquelles il n'avait cessé de se consacrer admirablement depuis.

Alors que Lamberton patientait en silence sur le seuil, Valentin lui fit signe de parler. Le majordome prononça cinq mots que son maître avait espéré ne jamais entendre.

– Votre frère est ici, monsieur.

Valentin jura en valache ; ses yeux rougirent un instant. Puis il regarda Lamberton et poussa un long soupir.

– Qu'il entre…

La porte s'ouvrit en grand sur Valeri Rusmanov. Lamberton sortit à pas de loup. Le plus âgé des trois frères Rusmanov portait une tenue simple : tunique noire, pantalon en laine, bottes en cuir et houppelande grise. Il s'arrêta au milieu de la pièce dont il considéra l'opulence avec un grand dégoût.

Vieux fou ridicule, pensa Valentin derrière son bureau. *Tu te prends encore pour un général, à la tête de tes troupes sur un champ de bataille. Pathétique.*

Valentin ouvrit une boîte en bois superbement sculptée et prit une des cigarettes rouges couchées sur du velours. La cigarette contenait du tabac turc galonné de Bliss, le mélange capiteux d'héroïne et de sang dont il était légèrement dépendant depuis trente ans. Il appliqua la flamme d'une allumette contre le bout de la cigarette puis s'adossa à son fauteuil, tandis que Valeri, qui n'avait pas encore prononcé un mot, examinait sur une étagère un aquarium contenant trois ballons de basket flottant dans un liquide transparent.

– T'appelles ça comment ? demanda Valeri sur un ton bourru et inamical.

– Je ne l'appelle pas, répliqua Valentin en s'efforçant de rester poli. L'artiste l'a nommé *Three Ball 50/50 Tank*. C'est un Jeff Koons.

– De l'art ?

– On dirait.

Valeri fit un geste de répulsion puis traversa la pièce en trois grandes enjambées. Devant le bureau de Valentin, il fronça le nez.

– Tu fumes du Bliss ? cracha-t-il.

– Oui. Tu en veux ? demanda Valentin en ouvrant la boîte.

Valeri lui lança un regard glacial.

– Tu n'as vraiment aucune honte ?

Valentin sourit, tira une longue bouffée et souffla. Un nuage épais enveloppa la tête de Valeri avant de disparaître.

– Non, apparemment.

Les deux frères se dévisagèrent un long moment avant que Valeri ne reprenne la parole :

– Notre frère est mort, déclara-t-il sans la moindre émotion.

– Je sais. Depuis plus de trois mois.

– Tu ne sembles pas bouleversé par la nouvelle.

– Et toi ?

Valeri se redressa et lui lança un regard assassin.

– Alexandru et moi avions de nombreuses divergences. Mais il était de notre sang. Aujourd'hui, il n'est plus là.

– Exact, il n'est plus là. Nous si. La vie n'est-elle pas merveilleuse ?

Valeri émit un grognement rauque que Valentin prit pour un rire.

– Tu appelles cela « vivre » ? Être entouré de larbins et de lèche-bottes, dans cette bâtisse décadente ?

– Oui, répliqua Valentin.

Et pour la première fois, il prit un ton acerbe :

– Je me rappelle aussi le nombre de tes domestiques en Valachie, Valeri. À certaines époques, on les comptait par centaines.

Valeri se raidit.

– J'étais un autre homme en ce temps-là.

Tu étais un homme, simplement. Voilà la différence.

Valentin se leva et retourna vers la fenêtre donnant sur le parc. Il fit signe à Valeri de le rejoindre et au bout de plusieurs secondes, un air réticent sur son visage ridé, ce dernier s'avança.

– Tu es déjà venu à New York ?

– Jamais, grimaça l'aîné des Rusmanov. Il y a quinze minutes, je n'avais jamais mis les pieds dans cet endroit sordide et j'aurais préféré que cela demeure ainsi.

– Je m'en doute. Tu aimes les étendues sombres et immenses, la cambrousse de notre jeunesse. Tu es un être de tradition, Valeri. Je ne te critique pas, c'est la réalité des faits. Moi ? Ce sont les lumières vives, les rues bondées, le bruit, l'agitation de la ville qui me plaisent. Un écrivain américain a écrit ceci un jour : « On appartient à New York instantanément, on lui appartient autant en cinq minutes qu'en cinq ans. » J'habite ici depuis plus d'un siècle.

– Pourquoi me racontes-tu cela, Valentin ?

Le plus jeune vampire soupira et regarda son frère avec un air compatissant.

– Tu as toujours tout pris au pied de la lettre. Peu importe. Je présume que tu m'apportes un message de ton maître.

– *Notre* maître, rectifia Valeri d'une voix glaciale.

– Bien entendu. *Notre* maître. Excuse-moi.

Mais Valentin n'avait pas l'air désolé le moins du monde. Le demi-sourire sur ses lèvres provoqua la colère de son aîné, qui la dissimula néanmoins.

– Il veut que tu rentres, Valentin. Ta vie lui appartient, depuis toujours. Il faut que tu retournes auprès de lui.

– Ma vie ne lui appartient pas ! Tu m'entends ?

Du rouge suinta au coin des yeux de Valeri.

– Je ne suis pas d'accord et je suis persuadé que notre maître ne l'est pas non plus.

La violence était palpable dans l'air, quand Valeri afficha un grand sourire et leva les mains en signe d'apaisement.

– Il suffit, mon frère. Je n'ai pas le temps de jouer. Je pars, avec ou sans toi. Refuses-tu de répondre à l'appel de notre maître à qui tu dois cette cage dorée que tu appelles une vie ? Ou lui rendras-tu honneur, comme tu as juré que tu le ferais, et accompliras-tu ton devoir, maintenant qu'il est revenu à nous ?

Valentin lui adressa un sourire bien à lui.

– Bien évidemment. J'ai besoin de deux jours pour mettre mes affaires en ordre puis je rentrerai à la maison, comme un bon petit toutou.

– Tes affaires ne sont que futilités. Tu m'accompagnes ce soir.

– Laisse-moi te rappeler deux choses : un, tu es mon invité. Deux, tu ne m'as jamais fait peur en plus de cinq cents ans.

L'air dangereux, Valeri s'approcha d'un pas.

– Vraiment ? lui chuchota-t-il.

– Vraiment, répondit Valentin. Ce qui te laisse deux options. Tu me laisses régler mes « futilités » à ma guise, après quoi je rentrerai à la maison, comme promis. Ou bien tu m'expulses de cette demeure par la force et, en conséquence, il faudra que l'un de nous explique à notre maître pourquoi il a détruit l'autre. Que choisis-tu, mon frère ?

90 JOURS AVANT L'HEURE H

8

LA COUR DES GRANDS

Jamie se frotta les yeux avec les paumes, souleva sa couverture et s'assit au bord du matelas.

Il avait foncé dans ses quartiers après avoir quitté le niveau de détention, à la fois soulagé et coupable. Il se sentait toujours mal après avoir vu sa mère, si grande était son impuissance. Comme elle ne vivait que pour ses visites, il ne pouvait pas l'en priver. Quand Alexandru l'avait capturée, il avait eu peur de ne plus jamais la revoir, de ne pas pouvoir se réconcilier avec elle et s'excuser d'avoir été un mauvais fils.

Elle a besoin de moi. C'est tout ce qui compte. Et je ne vais pas la laisser tomber.

Le réveil électrique sur sa table de chevet indiquait 08 : 55. Jamie leva les bras. Ses muscles claquèrent et frémirent. Il secoua la tête pour s'éclaircir les idées, mais il pensait encore à sa mère. Il prit sa serviette et se rendit aux douches du niveau B. Peut-être que le martèlement de l'eau lui viderait l'esprit et lui accorderait quelques minutes de paix ?

Séché et habillé, Jamie s'assit à son bureau et repensa au premier rendez-vous de la force spéciale Heure H. Il parcourut en entier le rapport terne et ennuyeux. Quand il s'aperçut qu'il regardait les formes des lettres et ne comprenait pas un mot de ce qu'il lisait, il poussa le dossier. Un coup d'œil à sa montre : il devait se rendre à la salle des opérations.

Cette perspective ne l'enthousiasmait pas plus que cela. La fierté qu'il avait ressentie quand l'amiral Seward l'avait convoqué dans son bureau pour lui annoncer son affectation dans le corps le plus secret du Département avait été de courte durée. Le directeur l'impliquait à cause de son expérience avec Alexandru Rusmanov et n'attendait aucune initiative de sa part, au contraire. Seward l'avait aussi prévenu que sa présence ne serait pas populaire auprès des opérateurs les plus expérimentés et ce n'était rien de le dire.

Jamie fut le deuxième à arriver à la réunion.

Le commandant Paul Turner leva les yeux quand il franchit la porte puis replongea dans ses feuilles étalées devant lui. Jamie décida de ne pas lui dire bonjour. Le responsable de la sécurité qui avait succédé au défunt Thomas Morris faisait partie du petit groupe d'opérateurs arrivé sur Lindisfarne après que Jamie eut détruit Alexandru Rusmanov. Bien qu'ils soient intervenus trop tard pour les aider, empêcher la perte de Frankenstein ou la transformation de sa mère, Jamie les remercierait toujours d'avoir essayé. Il tenait sa langue pour une raison simple : Paul Turner lui fichait une peur bleue.

Il ne semblait jamais rien y avoir derrière les yeux du commandant, aucune émotion, aucune empathie. Depuis

Lindisfarne, Jamie avait été étonné d'apprendre que Turner était marié à Caroline Seward, la sœur de l'amiral. Ils avaient un fils nommé Shaun, lui-même opérateur pour Blacklight. Jamie parvenait à peine à le croire. En effet, Turner ressemblait plus à un robot qu'à un père et mari aimant.

Je l'imagine mal à table avec sa femme, lui demandant comment s'est passée sa journée, donnant des conseils en aparté à son fils !

Jamie s'assit en face de Turner et attendit en silence que le reste de la force spéciale Heure H arrive. Moins d'une minute plus tard, le défilé des opérateurs commença.

Henry Seward s'assit au bout de la table, fit un petit signe à l'intention de Jamie puis chuchota à l'oreille de Turner.

Entrèrent deux opérateurs que Jamie avait rencontrés pour la première fois lors de la réunion précédente. La trentaine, ils représentaient le Service scientifique et celui des Renseignements de Blacklight. Aucun ne jeta un coup d'œil dans sa direction. Ils s'étaient clairement opposés à son intégration et ne paraissaient pas avoir changé d'avis. Jamie espérait que la colère qui bouillonnait en lui ne se lisait pas sur son visage. La porte s'ouvrit ensuite sur Jack Williams. Enfin un ami !

Également descendant des fondateurs de Blacklight, Jack s'assit à côté de lui. Malgré ses huit années de plus et ses quatre ans en tant qu'opérateur, il était devenu l'un de ses amis les plus proches dans le Département. On le considérait comme le meilleur des jeunes agents, un homme destiné à un grand avenir. Mais il avait aussi l'étrange capacité de faire rire Jamie et il lui avait redonné de l'espoir en dépit des ténèbres qui les entouraient.

Quand il était directeur, son père, Robert Williams, opérateur vétéran qui servait Blacklight depuis les années 1970, petit-fils par alliance de Quincey Harker – une légende –, avait transformé le Département en l'organisation high-tech ultrasecrète qu'elle était aujourd'hui. Patrick, le plus jeune frère de Jack, était aussi opérateur. Quand le premier était grande gueule et sûr de lui, le second était d'une timidité maladive.

La porte s'ouvrit une dernière fois sur le colonel Cal Holmwood, vice-directeur de Blacklight et un des opérateurs les plus décorés. L'homme pilotait le *Mina II*, le jet supersonique du Département 19, la nuit où ils avaient perdu Frankenstein, entraîné au bas des falaises escarpées de Lindisfarne par un loup-garou qui voulait tuer Jamie. Il avait ramené les survivants à la Boucle à la fin de cette terrible nuit. Il était en grande conversation avec l'homme qui fascinait Jamie plus que quiconque dans tout le Département.

Le professeur Richard Talbot, directeur du projet Lazarus, était remarquablement grand et maigre, tel un phasme géant enveloppé dans une blouse de laboratoire d'un blanc immaculé. Il avait une soixantaine d'années, le visage ridé et buriné, le crâne chauve et rond, flanqué de deux bandes de cheveux gris au-dessus des oreilles. Le professeur souriait pendant que Cal Holmwood lui parlait. Alors que chacun regagnait un côté de la grande table, il croisa le regard de Jamie et lui adressa un grand sourire. Le jeune homme le lui rendit malgré lui.

Le projet Lazarus était une énigme, même au sein d'une organisation aussi secrète que le Département 19.

Il avait été officiellement mentionné à une occasion, lors du discours de l'amiral Seward sur Dracula. Son objectif était inconnu et personne n'avait le droit d'accéder à ses laboratoires situés au niveau F, excepté une poignée d'opérateurs de grade supérieur. On voyait rarement le personnel du projet, leurs quartiers étant à l'intérieur du périmètre de sécurité, et ils se rendaient très peu au mess. Personne ne savait leur nombre exact. Médecins, scientifiques, personnel administratif : tous étaient cachés derrière le rideau de fer du secret.

En conséquence, quand le professeur Talbot était apparu à la réunion inaugurale de l'Heure H et s'était présenté au groupe, une soudaine excitation avait envahi la salle. Talbot était un mystère dont le travail était classé top secret ; pourtant, l'homme était désarmant, amical et charmant. À la fin de la réunion, il avait rattrapé Jamie qui regagnait l'ascenseur au bout du couloir du niveau 0.

– Monsieur Carpenter, l'interpella-t-il de sa voix grave et chaude. J'ai lu le rapport de Lindisfarne. Je suis vraiment désolé.

Jamie fut stupéfait que cet homme, qui ne rendait des comptes qu'à l'amiral, s'adresse à lui.

– Merci, bafouilla-t-il. Nous avons passé une sale nuit.

L'euphémisme de l'année !

– J'imagine. Mais ton exploit doit te donner du courage. La destruction d'Alexandru a sauvé des centaines de vies. Cela ne te console pas en ce moment, mais en temps venu tu comprendras que tu as accompli quelque chose de remarquable. Si je peux faire quoi que ce soit pour t'aider, n'hésite pas !

– D'accord, bredouilla Jamie. Merci.

Le sourire aux lèvres, Talbot s'éloigna rapidement. Derrière lui, aussi immobile qu'une statue, Jamie se demandait s'il n'avait pas rêvé cette rencontre.

Depuis cette brève conversation, Jamie était fasciné par le professeur Talbot. Larissa, la seule personne à qui il en avait parlé, utilisait un autre adjectif.

Obsédé, pensa Jamie. *Elle prétend que je suis obsédé par lui.*

Il comprenait pourquoi. La semaine suivant la première réunion Heure H, il avait demandé à presque tous les opérateurs ce qu'ils savaient sur le professeur et le projet. Étrangement, les uns refusaient d'aborder le sujet quand les autres émettaient des théories insensées.

– Ils clonent des opérateurs, avait affirmé un opérateur de bonne foi. Ils comptent ramener Van Helsing, Quincey Harker et les autres. Ils vont déclarer la guerre aux vampires.

Jamie avait ricané mais il avait continué de poser ses questions sans se décourager. Certains parlaient d'un projet d'armement : on recherchait de nouvelles manières de détruire l'ennemi. Un membre du Service scientifique jura qu'ils construisaient un émetteur à micro-ondes réglé sur une fréquence électromagnétique n'existant que dans le cerveau des vampires. Un jour, ils appuieraient sur un bouton et tous les vampires seraient détruits instantanément. Jamie interrogea des dizaines d'hommes et de femmes et reçut des dizaines de réponses différentes. Il en tira une seule conclusion rationnelle :

Personne n'a la moindre idée de ce qu'il se passe en bas.

– Force spéciale Heure H convoquée le 19 janvier, annonça l'amiral Seward.

Son secrétaire personnel, un petit homme replet du nom de Marlow, s'était posté à une distance déférente derrière le directeur et prenait des notes. Ses doigts boudinés volaient en silence sur les touches de son portable.

– Deuxième réunion. Tous les membres sont présents.

Le directeur regarda les sept hommes assis autour de la table.

– Messieurs, les données opérationnelles depuis la dernière réunion sont les suivantes. L'activité vampirique demeure élevée, mais stable, comme les rencontres et les incidents impliquant des civils qui nécessitent notre intervention. Les registres de patrouille indiquent que le graffiti dont nous avons parlé la semaine dernière apparaît en nombre croissant.

Seward fit signe à Marlow qui tapa sur son ordinateur. L'écran haute définition qui couvrait tout le mur derrière le directeur s'alluma. Plusieurs photos apparurent. Les deux mêmes mots, en dizaines de couleurs et d'écritures différentes, étaient tagués sur des murs, des routes, des ponts…

IL
ARRIVE

Jamie en eut des frissons. Ces deux mots représentaient la plus grande peur du Département, le moment que la force spéciale devait empêcher de se produire.

L'Heure H.

Les vampires savaient ce qui se tramait, tout comme Blacklight. Les graffiti en étaient la preuve. Plus que cela, ils semblaient s'adresser directement au Département 19, car les opérateurs les retrouvaient sur les scènes de crime où eux seuls intervenaient.

Tel un défi.

Non, ils ne nous défient pas, pensa Jamie. *Ils se moquent de nous. Ils ne nous pensent pas capables d'empêcher l'avènement de Dracula. Et s'ils avaient raison ?*

– Qu'est-ce que nos contacts chez les vampires en disent ? demanda Cal Holmwood.

– Rien, répondit Paul Turner. En fait, la plupart d'entre eux ont disparu et les autres ne veulent pas parler. Ils savent ce qui se prépare.

– On devrait tous les trucider, lança un opérateur du Service des Renseignements. Ils ne nous servent à rien s'ils se taisent.

– Exact, monsieur Brennan, lui accorda Turner. Mais ils nous serviront encore moins une fois morts. Les choses changent.

– Je ne comprends pas, insista Brennan. Si Dracula revient, si c'est aussi terrible que tout le monde le pense, ils perdront tout eux aussi. Pourquoi ne nous aident-ils pas ?

– À leur avis, nous ne triompherons pas de Dracula. Et quoi qu'il arrive, nous aider ne les rendra pas populaires pour autant.

L'opérateur se retint d'en dire davantage.

– Bien, poursuivit l'amiral Seward. J'ai discuté avec le CPS ce matin ; ils m'ont assuré qu'ils faisaient leur possible et…

– Leur possible ? s'exclama Jamie sans réfléchir. Maintenant qu'ils ont perdu les restes ?

Sept paires d'yeux se braquèrent sur lui. Jamie déglutit avant de reprendre :

– Désolé. C'est tellement frustrant. Personne ne savait qu'ils les possédaient. On aurait pu s'assurer qu'ils étaient en sécurité.

– J'étais au courant, intervint Seward calmement. Comme les autres directeurs. Qu'aurions-nous dû faire ?

Jamie le dévisagea un long moment avant de baisser les yeux.

– Je ne sais pas, monsieur. Désolé, monsieur.

– Je n'apprécie pas non plus, lieutenant Carpenter. À l'évidence, nous avons des leçons à tirer de cette affaire. Mais nous devons jouer la main qu'on nous a donnée, du mieux possible. Bon, j'aimerais que nous passions à autre chose, si personne n'a...

– Rien ne me plaît dans cette histoire, l'interrompit l'opérateur Brennan qui regardait Jamie de travers. Je ne comprends toujours pas pourquoi un gamin qui n'a même pas l'âge de porter l'uniforme a son mot à dire simplement parce qu'il s'appelle Carpenter.

Jamie rougit de colère. Alors qu'il ouvrait la bouche pour répondre, que Seward faisait de même, le professeur Talbot les surprit en intervenant :

– Monsieur Brennan, avez-vous déjà vu un vampire de niveau prioritaire A1 ?

– Qu'est-ce que cela...

– Ce jeune homme, continua Talbot en fixant Jamie, n'en a pas seulement vu un, il l'a affronté et détruit. Si on le compare à tous les vampires que vous avez vus, opérateur Brennan, Alexandru Rusmanov appartenait à une autre espèce et M. Carpenter a anéanti cet ouragan, cette catastrophe naturelle incarnée. Il est le seul être vivant à avoir exterminé un NPA1. Voilà pourquoi il se trouve ici. Ce qu'est Alexandru par rapport à un vampire normal, Dracula le sera par rapport à Alexandru si on le laisse se relever. Moi, je veux que M. Carpenter soit à nos côtés si cela devait arriver. Ai-je été clair ?

Jamie n'en croyait pas ses oreilles. Il ne s'attendait pas que le membre le plus mystérieux du Département prenne sa défense.

Parfois j'oublie Alexandru. Il avait kidnappé ma mère. C'était simple à mes yeux. J'oublie l'importance que cela a pour les autres.

– Je n'aurais pas dit mieux, commenta l'amiral Seward. D'autres questions ? D'autres observations ? Non ? Merci mon Dieu !

Il se leva et tout le monde l'imita.

– Un dernier rappel : tout ce qui a été dit ici ne doit pas quitter cette pièce. La moindre violation de cette simple instruction vous enverrait en cour martiale. Je compte sur vous, messieurs. Rompez.

9

CELUI QUI REMUE CIEL ET TERRE

STAVELEY, DERBYSHIRE

Matt Browning recula sa chaise de bureau et se frotta les yeux avec les paumes. Il avait passé quasi trente heures d'affilée devant son ordinateur et il s'était tué les yeux.

Il sortit de sa chambre, jeta un coup d'œil dans celle de sa petite sœur – elle dormait paisiblement –, puis il descendit dans la cuisine. Quand il passa devant la porte du salon, il entendit son père insulter la télé. Dans la petite salle à manger adjacente, sa mère téléphonait à sa sœur.

Matt se versa un verre d'eau dans la cuisine et s'adossa au comptoir. En deux mois de recherches, depuis son retour à la maison, il se dit que personne au monde n'en avait appris autant que lui sur les vampires.

Assis à l'arrière de la voiture aux vitres teintées qui le ramenait, Matt savait que les premiers instants de son retour seraient cruciaux. S'il voulait que ses parents croient, comme le médecin de la base, qu'il ne se souvenait de rien, il devrait la jouer fine.

Le docteur était tellement content de son rétablissement qu'il ne s'attarda pas sur son apparente amnésie. Il était persuadé que son patient sortirait du coma avec d'importantes séquelles cérébrales, ce qui donna le courage à Matt de lui mentir. Il choisit une date, soit quatre jours avant l'incident dans le jardin de ses parents, et clama qu'il ne se souvenait de rien depuis. Il feignit la frustration, s'inquiéta pour l'état de sa mémoire, pleura de désarroi et de peur, tandis que le médecin lui tenait la main et le réconfortait.

Il y eut un bref et terrifiant moment où l'infirmière suggéra un passage au détecteur de mensonges pour vérifier si Matt mentait sans le vouloir. Le docteur lui avait passé un savon : ce garçon en avait assez supporté. Refroidie, la femme s'était excusée et Matt avait pu respirer.

Il attendit plusieurs minutes sur le seuil de la porte de ses parents, la lettre du Département à la main, le temps de peaufiner son numéro. Puis il sonna et son père ouvrit. Au final, il bredouillait ses excuses quand son père l'interrompit en le serrant très fort dans ses bras.

Puis Greg Browning l'avait transporté dans la cuisine, posé par terre avant de s'effondrer sur une chaise en plastique cabossée. Les yeux écarquillés, il se tenait la poitrine, et pendant une longue minute Matt crut que son père avait une attaque. Enfin, un gros sanglot s'échappa de la bouche de Greg Browning et la tension se dissipa. En larmes, il attrapa le téléphone et sans quitter Matt des yeux, de peur que son fils ne disparaisse à nouveau, il composa un numéro d'une main tremblante. Une voix lui répondit et le visage de Greg se transforma en un mélange difforme de larmes et de morve tandis qu'il apprenait à sa femme le retour de leur enfant.

Celle-ci arriva le lendemain matin par le premier train. Bien qu'ils n'en disent rien, Matt en conclut que ses parents s'étaient disputés et que sa mère s'était réfugiée chez sa sœur à Sheffield. La petite sœur de Matt dans les bras, elle hurla son prénom quand elle le vit puis se mit à pleurer.

Ce soir-là fut la seule et unique fois où ils discutèrent de la fameuse nuit. Matt n'eut aucun mal à s'en tenir à son histoire. Soulagés qu'il soit rentré, ses parents n'envisagèrent pas une seconde qu'il leur mente. Pour finir, le père de Matt lui tendit en silence la lettre qu'il leur avait apportée.

– Tu devrais lire ça…

M. et Mme Browning,

L'incident au cours duquel votre fils a été blessé est une question de sécurité nationale de la plus haute importance. Par conséquent, vous ne devez en discuter avec âme qui vive. Un tel acte serait considéré comme une haute trahison et une action appropriée serait engagée contre vous. L'acceptation de cette lettre constitue l'acceptation de cette instruction.

Votre fils a reçu tous les soins médicaux appropriés et sa convalescence est en bonne voie. S'il développait quelque problème de santé, nous vous prions d'informer le personnel médical qu'il a souffert d'une infection du myocarde due à une hémorragie soudaine et rapide. Ne discutez avec personne des circonstances qui ont entouré sa blessure.

Matt rendit la lettre à son père et leur annonça qu'il allait se coucher. Dès le lendemain matin, ses parents commencèrent le long processus d'oubli.

Il ne leur en voulut pas vraiment. La fille, l'hélicoptère et les hommes armés en uniforme noir ne cadraient pas avec la petite vie que ses parents s'étaient façonnée dans leur coin tranquille du monde. Il supposa qu'ils savaient, de manière abstraite, qu'au-delà de leur banlieue, le danger existait. Eh bien qu'il reste là-bas ! Eux se contentaient de leur football, de leurs magazines people et de leurs émissions de télé-réalité. Les filles ne guérissaient pas sous leurs yeux, ne tranchaient pas la gorge de leur fils au fond du jardin et les soldats ne leur affirmaient pas que rien ne s'était passé. Matt comprenait leur position et tant mieux pour eux.

En revanche, l'histoire ne s'achevait pas là pour lui.

Le cerveau de Matt bouillonnait d'idées nouvelles, gravitait avec avidité vers tout ce qu'il ignorait. Il était consumé par une soif de connaissances, au sens très large du terme. L'adjectif « intelligent » ne suffisait pas à qualifier un esprit aussi puissant ; techniquement, on pouvait le classer dans la catégorie « génie ». Il cachait ses capacités intellectuelles à sa famille aussi bien qu'aux tyrans de l'école et il rêvait du jour où son intellect serait plus admiré que brimé.

L'automne précédent, sans que ses parents le sachent, il avait envoyé sa candidature à l'université de Cambridge et reçu une offre inconditionnelle pour s'y rendre après un entretien téléphonique qu'il avait également gardé secret. Il devait commencer ses études un an plus tard et c'était la seule raison pour laquelle il se levait le matin. Jusqu'à ce qu'une fille atterrisse dans leur jardin, qu'il se réveille dans un lit d'hôpital, la gorge bandée et la tête remplie de vampires.

Il était désormais consumé par un désir ardent de comprendre ce qu'il lui était arrivé, comme si sa vision entière de l'univers lui avait été révélée par le judas d'une porte – porte qui s'était grande ouverte devant lui et lui avait appris à quel point son monde était minuscule.

Dans une encyclopédie, il avait découvert les origines de la mythologie vampirique, les théories culturelles et sociales en cours depuis que Bram Stoker avait cristallisé les légendes et les contes d'Europe orientale. Il avait lu des théories scientifiques, proféministes, le vampire comme métaphore du sida, des théories déconstructionnistes, freudiennes, jungiennes... Un professeur américain prétendait que les vampires représentaient l'antisémitisme naissant dans le monde occidental.

Il s'était émerveillé devant la structure épistolaire de *Dracula*, avait retenu son souffle quand Van Helsing avait tué avec son pieu la pauvre et maudite Lucy Westenra, tandis que la folie de Renfield donnait des indices sur l'endroit où se trouvait le Comte. Son pouls s'accéléra quand les héros chassèrent Dracula dans les montagnes de Transylvanie, se sentit triomphant quand le cœur non mort du monstre fut poignardé et eut beaucoup de peine quand Quincey Morris se sacrifia pour sauver ses amis.

Il avait consulté des centaines de sites Web d'adolescentes sur le sujet ; de nombreux blogueurs étaient persuadés d'être des vampires : ils buvaient du sang, ne mangeaient rien, soumettaient hommes et animaux à leur volonté, se transformaient à l'occasion en chauve-souris ou en loup. Au bout du compte, les auteurs de ces blogs souffraient d'une grande solitude ou d'une grave maladie mentale.

Après des heures et des heures à surfer, il n'avait rien trouvé qui ressemblât à l'incident de son jardin ou à l'endroit où il avait passé un mois de sa vie.

Matt déposa son verre vide sur l'égouttoir. Physiquement, il était épuisé, mais comme d'habitude son cerveau ne cessait de ronronner. Quelque part, il y avait ce qu'il cherchait ; il suffisait de le trouver. Un peu de sommeil, et il reprendrait le lendemain.

Il remonta dans sa chambre. L'écran de son ordinateur luisait dans le noir. Il tendait le bras pour l'éteindre quand il remarqua un message en bas à droite. Il cliqua sur l'enveloppe qui s'étendit sur tout l'écran et lut son contenu.

Envoyé par : Anonyme
À : 23 : 52 GMT$
Sujet : http://23455.998.0904.3240.com
EH87989KMD090$

Le cœur de Matt bondit dans sa poitrine. Il cliqua vite sur RÉPONDRE, mais l'expéditeur n'était plus connecté. Il cliqua sur le lien et la page de son moteur de recherches apparut. Il chargea une page blanche avec quatre lignes de texte et une boîte grise flanquée d'un bouton SUBMIT. Il lut le texte en tremblotant.

ATTENTION : si vous êtes arrivé sur cette page par erreur, cliquez sur le bouton RETOUR immédiatement. Si vous avez été dirigé sur cette page, N'ENTREZ PAS votre mot de passe. Quittez cette page sur-le-champ, entrez l'URL dans un service IP masqué puis tapez votre mot de passe.

Matt trépignait.

Il s'agissait de sa piste la plus prometteuse depuis deux mois entiers de recherches. Une page qui vous ordonnait de cacher votre position avant d'entrer, de partir si vous n'aviez pas été invité.

Pourquoi nous demanderaient-ils de dissimuler notre adresse IP à moins de posséder des informations ultra confidentielles ?

Matt ferma donc la fenêtre, en ouvrit une autre et tapa l'URL d'un site vous autorisant à surfer sur le Net sous une fausse adresse IP. Il l'avait utilisé par le passé pour regarder des émissions de télé diffusées uniquement aux États-Unis. Une minute plus tard, il se faisait passer pour un internaute de Charlotte en Caroline du Nord. Il copia le lien du message sur la page de recherches et cliqua sur ENTRÉE. La même page blanche d'avertissement apparut. Cette fois-ci, il tapa la série de lettres et de chiffres qui lui avaient été envoyés, cliqua sur SUBMIT et attendit que la page se charge. Matt étouffa un cri dans sa chambre éteinte.

Le site qui s'ouvrit devant ses yeux ne comportait pas de titre, ne perdait pas son temps en décor ou en technologie fantaisie mais son objectif ne laissait aucun doute : pour ses créateurs, les vampires existaient, surtout en Grande-Bretagne.

En haut de la page se trouvaient un message d'accueil et un avertissement :

Bienvenue. Si vous êtes ici, c'est que vous devez l'être.

Nous vous recommandons de varier le service IP masqué que vous utilisez et d'effacer votre historique à chaque visite. Il n'est pas exagéré de dire qu'ils nous surveillent – à vous de minimiser votre éclat sur leur radar. Cliquez ici pour en savoir plus sur Echelon et comment vous en servir.

Matt allait cliquer sur le lien quand il aperçut le bandeau principal. Il en frissonna. Sous l'accueil se trouvait le menu, un simple texte noir sur fond blanc, comme le reste de la page.

HISTOIRE VUES COUVERTURES
HOMMES EN NOIR
ETYMOLOGIE PROTECTION

En dessous, un court article était illustré par une photographie.

LES HOMMES EN NOIR IMMORTALISÉS ?

S'agit-il là de la première preuve de l'existence des hommes en noir ? Elle nous a été envoyée par un correspondant anonyme, le même jour où nous avons reçu plusieurs témoignages d'activité vampirique au nord-ouest de Londres. Remarquez les visières violettes, les uniformes et le véhicule sans plaque minéralogique.

Matt manqua pleurer devant la photo.

Floue, elle semblait avoir été prise au téléobjectif par une personne pressée, qui ne voulait pas être surprise un appareil à la main. On y voyait une rue de banlieue banale, aux rangées de maisons identiques, avec leurs voitures japonaises et allemandes, leurs jardins impeccables. Il avait plu car un torrent d'eau se déversait dans un égout.

En plein milieu, un fourgon noir aux portes arrière ouvertes était garé devant une allée, pile sous un lampadaire. Matt plissa les yeux ; l'auteur de l'article avait raison : il ne distingua pas de plaque minéralogique. Trois silhouettes se tenaient près de la portière ouverte. La vue de deux d'entre elles lui fit pousser un soupir de soulagement.

Ils sont vrais ! Je n'ai pas rêvé.

Ces deux-là portaient des tenues noires dont le tissu mat ne reflétait pas la lumière orangée et on ne pouvait pas rater la tache violette à la place de leurs visages.

Des visières. Des visières violettes !

Les deux silhouettes noires en poussaient une troisième, maigre, en jean et T-shirt blanc, à l'intérieur du fourgon. Cette dernière ne semblait pas se débattre. Matt se pencha en avant et n'en crut pas ses yeux. L'un des hommes en noir tenait dans sa main droite un objet rectangulaire qu'il appuyait entre les omoplates de la troisième personne. Matt fit défiler la page vers le bas mais il n'y avait pas d'autre photo. Il abandonna sa souris, s'adossa à son fauteuil et enfouit son visage dans ses mains.

C'était réellement arrivé. Des gens savaient.

Il n'avait ni perdu la tête ni rêvé durant son coma. Peu importait ce que ses parents choisissaient de croire, il avait raison.

Le garçon qui lui avait parlé après sa sortie du coma était réel. Et voilà qu'il faisait le premier pas sur le sentier d'un monde plus grand.

Matt cliqua sur **VUES** et lut. Page après page, les expériences décrites étaient tellement similaires à la sienne qu'il en fut contrarié : sa mésaventure devenait moins unique. Il ravala son dépit et continua sa lecture.

Les détails des récits comme les lieux différaient, mais à chaque fois on retrouvait les mêmes constantes et tous se terminaient de la même manière : les témoins ne devaient dire à personne ce qu'ils avaient vu. Matt frissonna en se rappelant les dernières paroles des hommes en noir à son père :

Il ne s'est absolument rien produit. Compris ?

En bas de la page, Matt cliqua sur **LISTE** et défilèrent des mots délibérément provocateurs : bombe, complot, cellule, djihad, terreur, martyre, suicide, Afghanistan, Al-Qaïda. D'autres mots apparemment incongrus étaient parsemés parmi eux, à moins d'avoir vu ce que Matt avait vu : violet, noir, visière, uniforme, dents, voler, morsure, gorge, sang…

Vampire.

Le mot était écrit là, noir sur blanc. Matt le prononça à voix haute, le fit rouler sur sa langue, comme à l'infirmerie quand le médecin le laissait seul.

– Vampire. Vampire.

Un grand sourire illumina son visage. L'épuisement qui menaçait de le terrasser cinq minutes plus tôt s'était envolé. Il se sentait plein d'énergie, comme s'il avait mis les doigts dans une prise. Il avait la chair de poule ; son cerveau bouillonnait de questions et d'idées nouvelles.

Une en particulier.

Il s'installa confortablement dans son fauteuil pour lire la suite du site, connaissant déjà au fond de lui l'étape suivante.

10

NUIT BLANCHE

SUD DE GUDENDORF, BASSE-SAXE, ALLEMAGNE ONZE SEMAINES PLUS TÔT

Greta Schuler descendit sur la pointe des pieds l'escalier de la ferme familiale, en prenant soin d'éviter l'avant-avant-dernière marche, celle qui craquait tout le temps. Elle avait eu un sommeil agité, rempli de mauvais rêves et, pendant une minute, elle s'était demandé si elle avait imaginé ce bruit. Puis il avait résonné à nouveau, comme un roulement grave dans le champ du nord. Elle s'était assise dans son lit et avait tiré ses couvertures sur elle.

Il faisait froid dans sa chambre, elle soufflait de la buée. Elle attendit que le bruit se fasse entendre à nouveau. Rien. Elle se leva, marcha pieds nus sur le parquet froid de sa chambre, enfila ses bottes et son épais manteau de laine puis sortit pour enquêter. Pendant une seconde ou deux, elle envisagea de réveiller ses parents mais se ravisa. Les journées à la ferme étaient longues et fatigantes ; ils avaient besoin de repos. En outre, Greta avait presque douze ans. Née à la campagne, elle ne comptait plus les chiens errants, renards et loups qu'elle avait fait fuir.

Au pied de l'escalier, elle prit le fusil de son père dans le porte-parapluies, la torche noire cabossée accrochée au mur et lentement, centimètre par centimètre, elle tira vers elle la poignée en bronze de la lourde porte d'entrée. Celle-ci craqua très fort avant de s'ouvrir. Un courant d'air froid siffla entre la porte et son cadre. Greta en frémit. Elle s'emmitoufla dans son manteau et sortit.

Sur le seuil, elle cassa le fusil paternel et vérifia qu'il était chargé. Quand elle vit les disques de bronze et les tubes rouges, elle le referma puis examina la cour de ferme devant elle. Argentée sous les rais de la pleine lune, la neige recouvrait tout. L'astre éclairait aussi une longue traînée sombre qui traversait la cour, depuis les bois épais qui bordaient le chemin en gravier qui menait à la grande route jusqu'au portail en bois du champ du nord à côté de la ferme. Greta chassa la peur qui lui remuait l'estomac, alluma la lampe et avança.

Elle retint un cri quand le faisceau jaune illumina la traînée, d'un rouge sombre et brillant. De la vapeur pâle s'élevait dans le ciel et Greta comprit tout de suite.

Du sang. Beaucoup de sang. Fraîchement versé.

Cette fois-ci, elle eut vraiment peur. Cependant, elle ne retourna pas à l'intérieur pour réveiller ses parents. Elle était la fille de son père, têtue et méchamment indépendante. Elle ne demanderait de l'aide qu'en cas d'absolue nécessité. Elle aurait préféré mourir qu'admettre sa peur. Elle s'éloigna donc de la porte. Ses bottes crissaient dans la neige épaisse tandis qu'elle se dirigeait vers le champ du nord.

Alors qu'elle avançait, la torche vacillante devant elle, elle constata que le portail était ouvert, la neige à sa base remuée et tachée de sang. L'odeur du liquide fumant dans le froid lui donna envie de vomir quand elle se pencha pour examiner la chaîne aux maillons tordus et cassés. Tout en levant sa torche, elle sentit son cœur battre à toute allure. Elle s'efforça de ne pas penser à la force nécessaire pour plier de l'acier comme s'il s'agissait de carton.

Sa torche éclaira une grande silhouette au bout du champ. Elle passa le portail en prenant soin de ne pas marcher dans la neige rouge et se dirigea vers elle. À mi-chemin, elle distingua enfin la masse sombre.

Le bétail s'était regroupé dans le coin le plus éloigné, telles des sardines en boîte. Greta, qui était habituée aux animaux depuis qu'elle savait marcher, n'avait jamais rien vu de tel. Les bêtes ne cessaient de piétiner dans la nuit froide, la tête levée, les yeux ronds et blancs. Alors qu'elle s'approchait, le troupeau poussa un long grondement. Elle stoppa net.

Ils me mettent en garde. Quelque chose leur a flanqué une peur bleue.

Greta retourna sur ses pas et regarda la longue traînée de sang qui disparaissait dans les bois noirs. Elle tremblait de froid mais aussi de peur. À pas hésitants, elle suivit la substance vermillon. À trois mètres de l'orée du bois, le courage lui manqua et elle s'arrêta.

Soudain, un grognement si rauque et si grave qu'il vibra dans les os de ses jambes jaillit des profondeurs. Son souffle se figea dans ses poumons. Le fusil tomba doucement à ses pieds, quand quelque chose remua dans les branches. Deux yeux jaunes apparurent dans l'obscurité ; ils flottaient bien au-dessus de sa tête, à au moins deux mètres du sol. Lentement, ils s'avancèrent vers elle et une silhouette émergea entre les arbres.

Devant Greta se dressait le plus gros loup qu'elle ait jamais vu.

Il faisait la taille du Range Rover de son père et un liquide pourpre coulait de sa gueule. Il avait un cou épais, une four-rure vert-de-gris, les flancs et le dos difformes, les pattes tor-dues et des cicatrices zébraient tout son corps. Derrière sa tête maculée de sang deux formes anguleuses et brillantes étaient plantées dans sa peau.

Du métal !

Le loup poussa un nouveau grognement accompagné d'une bouffée d'air chaud et de l'odeur cuivrée du sang. Greta eut un haut-le-cœur. Le loup la regardait d'un air redoutable mais aussi étrangement triste. Le coin de ses grands yeux jaunes était tourné vers le bas ; ses lèvres remontées sur ses dents aiguisées semblaient grimacer de douleur.

Tu ne peux ni le semer ni le battre. Il doit comprendre que tu n'es pas une menace : c'est ta seule chance.

La fillette prit une profonde inspiration et le regarda droit dans les yeux.

– Bonjour, bredouilla-t-elle. Je m'appelle Greta.

Le loup eut un mouvement de recul, comme piqué par un frelon. Puis il balança la tête en arrière et poussa un hur-lement assourdissant, un cri de douleur et de détresse à en déchirer les tympans. Derrière Greta, la lumière s'alluma dans la chambre de ses parents et le bruit de lourdes bottes dans l'escalier en bois résonna jusque dans la cour. Greta ne vit pas la lumière, n'entendit pas les bottes. Paralysée, elle fixait la monstrueuse créature devant elle. Tandis que le hurlement mourait, le loup ouvrit à nouveau la gueule et émit un son que Greta reconnut. Elle écarquilla les yeux et fit malgré elle un pas vers lui, les bras tendus en signe de paix.

Le grondement d'un fusil retentit dans la nuit et la neige explosa sous les pattes du loup. Greta hurla, l'animal se sauva dans les bois si vite qu'elle douta de l'avoir réellement rencontré. Puis elle vit l'épaisse traînée de sang où il se tenait et elle réalisa. Elle entendit des cris derrière elle, des pas de course et, soudain, ses yeux roulèrent dans leurs orbites et elle s'effondra. En plein sprint, Peter Schuler jeta son fusil, glissa au ras de la neige, tendit les bras et rattrapa sa fille avant qu'elle ne touche le sol.

Dans la cuisine à l'arrière de la ferme, le père de Greta était assis à la table en bois usée qui dominait la pièce. Il sirotait un café bien noir que sa femme lui avait préparé après avoir recouché leur fille. Elle le regardait en silence, appuyée contre le poêle sous la fenêtre, impassible.

Debout dans la cuisine, silencieux eux aussi, trois de leurs ouvriers observaient Peter qui les avait réveillés dès son retour à la maison. Ils étaient venus sans se plaindre et, à présent, ils buvaient leur café, le fusil cassé sur leur avant-bras, tandis que leur employeur ruminait sa colère.

Jamais il n'avait ressenti une telle furie.

Il essayait de rationaliser les événements de la nuit. Peter avait passé sa vie entière dans cette ferme qui lui appartenait maintenant, avait succédé à son père Hans décédé d'un cancer, épousé sa femme et élevé là sa fille. Il pensait connaître les animaux domestiques et sauvages aussi bien que n'importe qui, mieux que la plupart. Et voilà que ce loup toisait sa fille, son exaspérante, arrogante et superbe fille. Il se tenait au-dessus d'elle, toutes dents dehors ; son ombre l'avalait et pour la première fois de sa vie, Peter eut envie de tuer.

Le loup avait terrorisé Greta. Peter l'avait portée jusqu'à la maison, criant à sa femme de descendre des couvertures, quand elle s'était soudain raidie dans ses bras et avait hurlé si fort qu'il manqua la lâcher. Dès que son cri se fut éteint, elle sanglota sur son épaule, tremblante de tout son corps. Elle frissonnait encore quand sa femme l'enveloppa dans des couvertures. Elle marmonnait des idioties : le loup était en métal, il parlait, il lui avait dit : « À l'aide », tandis qu'elle se tenait sous sa gueule ensanglantée, attendant qu'il l'égorge.

– On fait quoi, patron ? demanda Franck, le chef des ouvriers, un ours mal léché.

– Prenez vos manteaux, répliqua Peter, et une minute plus tard les quatre hommes traversaient la ferme, fusil sur l'épaule.

Peter les conduisit à l'orée de la forêt à l'endroit où le loup avait menacé Greta puis il prit une grande inspiration et suivit la traînée de sang dans les bois. Lars et Sebastian, deux frères qui travaillaient chez les Schuler depuis leurs quatorze ans, lui emboîtaient le pas et Franck fermait la marche.

La neige crissait sous les lourdes bottes tandis qu'ils traquaient le loup dans la forêt. L'animal n'était pas compliqué à suivre : il avait laissé des empreintes de pattes de la taille d'une assiette, un long couloir de buissons aplatis et de branches cassées. Finalement, les fermiers parvinrent dans une clairière et n'en crurent pas leurs yeux. Le petit espace circulaire ressemblait à l'intérieur d'un abattoir.

Au milieu, les restes identifiables d'une bête de Schuler éparpillés dans la neige. Une corne gisait dans une mare de sang et d'abats ; un sabot et un épais morceau de peau avaient été jetés sur le côté. Les quatre hommes étaient des durs à cuire, mais la violence qui avait eu lieu dans cette clairière les ébranla.

– Tirez à vue, ordonna Peter Schuler à voix basse.

Les hommes soulevèrent leur fusil d'une main tremblante et suivirent les énormes empreintes dans les profondeurs sombres de la forêt.

Une heure plus tard, alors que l'aube se dessinait à l'horizon, quatre hommes grelottants émergèrent sur la route qui conduisait au sud, vers Brême. Les traces avaient continué en ligne droite et s'étaient arrêtées là, à un mètre devant eux. La neige et la terre gelée avaient été retournées, soulevées, jetées, comme si un groupe d'hommes s'étaient battus à cet endroit. Au-delà, de nouvelles empreintes s'éloignaient, parallèles à la route.

– Mon Dieu, chuchota Lars, qui se signa.

Devant eux s'en allaient d'énormes empreintes de pieds humains.

– Je ne comprends pas, marmonna Sebastian.

– Chut ! siffla Peter. La ferme des Langer est pile derrière cette côte. On y va.

Au bout de cinq minutes de marche rapide, le toit gris de Kurt Langer, le plus vieil ami de Peter, et de sa famille apparut.

Pourvu qu'il ne soit pas trop tard. Pitié !

Ils accélérèrent le pas et, soudain, le cœur de Peter s'arrêta. À une trentaine de mètres d'eux, les empreintes pénétraient sur la propriété des Langer qui devaient se lever à cette heure-ci. Il cria à ses hommes de le suivre et ils dévalèrent ensemble la pente, en glissant sur la neige épaisse. Il agrippa le montant du portail et examina le sol.

Il découvrit deux paires d'empreintes parallèles prenant des directions opposées. Une se rendait dans la cour des Langer, la seconde – le pas lourd de bottes de neige – retournait à la route.

Trop tard, trop tard, trop tard.

Peter ouvrit le portail en grand et fonça jusqu'à la porte d'entrée, fusil en joue. Il allait hurler le nom des Langer, persuadé qu'il ne recevrait aucune réponse, quand il stoppa net.

À sa gauche, il aperçut, courant entre une branche basse d'un chêne à l'orée de la ferme et un crochet en bronze inséré dans le mur de la maison, un épais fil à linge en nylon. Plusieurs habits lourds flottaient dans l'air vif du matin : jupes en tissu écossais, caleçons longs, chaussettes et sous-vêtements isothermes. Seulement la ligne était à moitié vide et en dessous, éparpillées dans la neige, il y avait une poignée de pinces en bois. Les empreintes de pieds sous le fil à linge se rendaient ensuite à l'arrière de la maison. De là partaient des empreintes de bottes, en direction de la route.

Une main se posa sur l'épaule de Peter, qui sursauta. Ce n'était que Franck, le fusil le long du corps.

– Viens voir ça, patron, lui demanda-t-il en désignant la route avec le pouce.

Les quatre hommes se rassemblèrent au bord du goudron. À leurs pieds, les dernières empreintes apparaissaient distinctement dans la neige, ainsi que celles de lourds pneus hiver.

Une voiture. 4 × 4. Sûrement un pick-up comme le mien à la maison.

Les traces formaient un demi-cercle là où le conducteur s'était arrêté avant de reprendre la route. Ensuite, plus d'empreintes de pieds, quelle que soit la direction.

– J'appelle Karl, décréta Lars. Il passe nous prendre et on le suit.

– Pas la peine, décida Peter. Il est parti. Quoi que c'était, il est parti. Téléphone à Karl pour qu'il nous ramène. J'appellerai Kurt plus tard et je lui raconterai ce qu'il s'est passé. On rentre.

Une heure plus au sud, un pick-up rouge cabossé cahotait tranquillement sur l'autoroute. Le conducteur – un type au visage rond et rougeaud vêtu d'une épaisse veste en laine et d'une vieille casquette à rabats sur les oreilles – regardait la route devant lui, un bout de cigare coincé entre les dents. Sur le siège passager à côté de lui, il avait posé un Thermos de café allongé à l'eau-de-vie qu'il sirotait de temps à autre.

Derrière lui, sur le plateau, tremblant sous une pile de peaux d'animaux que le conducteur comptait vendre au marché, son visage endormi tel un masque difforme de douleur et de désarroi, était couché le monstre Frankenstein.

11

L'ESSENTIEL

Jamie allait ouvrir la porte de ses quartiers quand la console à sa ceinture bipa trois fois, signal qu'un message l'attendait depuis trente minutes.

Il ne cessait de penser à ce qu'il venait de voir et d'apprendre, aux implications que cela avait.

Incroyable que Talbot m'ait laissé voir ça !

Jamie avait éteint son biper pendant la réunion de la force spéciale Heure H. Les vingt minutes suivantes avaient été simplement incroyables. Jamais il ne pourrait en parler à quelqu'un, pas même à Larissa. Poussant un juron sonore dans le couloir désert, il détacha de son mousqueton l'appareil qu'il venait de rallumer et lut le court message :

G-17/OP_EXT_NP2/LIVE_BRIEFING/BR2/1130

Le style abrégé du Département était un code qu'il maîtrisait instinctivement, désormais.

Le premier groupe de lettres et de chiffres désignait son équipe, G-17 ; le deuxième indiquait une opération extérieure de niveau prioritaire 2. Le troisième s'expliquait de lui-même : on leur fournirait les détails avant la mission et non dans le fourgon. Les derniers signifiaient l'emplacement de la réunion et son horaire. Jamie regarda sa montre. 11 : 28. Nouveau juron. Il courut jusqu'aux portes chromées de l'ascenseur.

Au niveau 0, il fonça dans le couloir. D'un côté, on accédait par les lourdes portes rayées de jaune et de noir à l'immense hangar qui servait de zone d'embarcation à toutes les opérations de Blacklight. De l'autre côté, remplissant la seconde moitié du grand niveau circulaire, on trouvait les Services Communication et Surveillance.

La salle des opérations se situait au milieu du couloir et donc au centre du niveau 0. Au-delà, telles les couches d'un oignon, il y avait les bureaux, les parcs de serveurs et les stocks, accessibles par des portes sécurisées.

Jamie appliqua son badge contre le capteur à droite d'une porte marquée « salles de briefing », ouvrit et courut dans le couloir. Il s'arrêta en glissant devant la deuxième et entra le plus calmement possible.

On aurait dit une salle de classe dotée d'un immense écran HD. Jamie se figea : derrière le lutrin se tenait le commandant Paul Turner.

Super ! Il sait que je me trouvais à la réunion Heure H et que je ne peux pas le dire devant les autres.

Un sourire menaça de poindre sur ses lèvres.

Il ignore où je suis allé ensuite !

– Merci de te joindre à nous, Carpenter. J'espère que nous ne t'avons pas interrompu dans tes activités. Je ne doute pas qu'elles étaient extrêmement importantes.

Vous n'en avez pas idée !

On ricana à sa gauche et il rougit jusqu'aux oreilles. Il se tourna vers la personne qui se moquait de lui. Ce n'était ni Kate ni Larissa, les seules qu'il s'attendait à voir dans la pièce. En fait, cinq opérateurs le dévisageaient et non deux.

Kate et Larissa étaient assises derrière un bureau. La première le regardait avec sévérité, la seconde avec un petit air malicieux. Deux tables plus loin, à une distance délibérée, trois autres opérateurs l'observaient. Jamie en reconnut deux. Le troisième était une fille d'une vingtaine d'années dont il avait beaucoup entendu parler mais qu'il n'avait jamais rencontrée. Son grand sourire la désignait coupable.

Les trois opérateurs formaient l'équipe opérationnelle F-7, commandée par son ami, le lieutenant Jack Williams. Jamie répondit à son sourire par une grimace gênée.

Mais qu'est-ce que vous fabriquez ici, tous les trois ?

À côté de Jack, Shaun Turner fixait Jamie avec de grands yeux gris aussi inexpressifs que ceux de son père. Plus grand que Jamie et Jack, il avait la carrure et la force naturelle d'un rugbyman. Placide sur sa chaise, il attendait que Jamie prenne la parole.

La fille, que Jamie connaissait d'après les descriptions ardentes et enflammées de Jack, s'appelait Angela Darcy. Il prit le temps de la regarder et, en effet, elle était très belle. Ses cheveux blonds, plus foncés que ceux de Kate, étaient presque dorés. Ses traits anguleux semblaient avoir été dessinés par un artiste de grand talent. D'après Jack, les services secrets l'avaient recrutée à Oxford alors qu'elle était en première année et elle avait servi avec distinction dans les coins les plus reculés, les plus instables et les plus dangereux du globe. Apparemment, elle parlait six langues et était experte en assassinats et meurtres commandités par l'État perpétrés si près de la cible qu'il était quasi impossible de ne pas être éclaboussé de sang.

Jamie était sûr que Jack était amoureux d'elle… autant qu'il en avait peur. Là, elle arborait un grand sourire amical et Jamie fut content d'avoir rougi à cause de son ricanement. Son seul sourire aurait eu le même effet sur lui et cela aurait été plus difficile à expliquer à Larissa.

Derrière lui, quelqu'un se racla la gorge et il réalisa qu'il n'avait pas répondu au commandant Turner. Il se retourna et constata que l'ancien officier des forces spéciales aériennes le fixait avec une patience déconcertante.

– Désolé, monsieur, mentit-il. Un imprévu en bas. Cela ne se reproduira plus, monsieur.

– Difficile à croire, répliqua Turner. Mais je suppose que je devrais m'en contenter… Assis, Carpenter.

Penaud, Jamie se dirigea vers Larissa et Kate, tira une chaise et s'avachit entre elles. Pendant que Paul Turner posait les pages de son briefing sur le lutrin, Jamie lança un coup d'œil à Angela qui lui adressa un sourire compatissant. Jamie bouillonnait devant tant d'injustice.

– Opérateurs, annonça Paul Turner. Ceci est l'Opération Terre Promise, une mission de reconnaissance et d'élimination menée par deux équipes. Elle est relativement simple mais je vous prie de vous concentrer. Je refuse de m'interrompre pour répondre à des questions idiotes. C'est compris ? Bien.

Turner appuya sur sa console portable dans sa main et l'écran mural s'anima au-dessus de sa tête. Il afficha l'image satellite d'un grand porte-conteneurs. Les vaguelettes blanches à l'arrière indiquaient que le navire avançait.

– Ceci est l'*Aristeia*. Un cargo de deux cent vingt-huit mètres de long et de trente-deux mètres de large, capable de transporter trois mille conteneurs de taille standard. De construction grecque, il bat pavillon bahamien.

– On dirait qu'il ne transporte pas plus de soixante conteneurs, remarqua Angela.

Turner la gratifia d'une sorte de sourire et tapa sur sa console. L'image grossit jusqu'à ce que le cargo emplisse l'écran.

– Exact. Il transporte soixante-huit conteneurs sur un pont bâti pour en accueillir quarante-quatre fois plus. Il est parti de Shanghai il y a dix-huit jours. Il faudrait qu'il convoie des tonnes de diamants pour compenser le coût du carburant.

– Où se trouve-t-il en ce moment ? s'enquit Larissa.

– À environ quatre-vingts milles de la côte nord-est de notre pays. Il arrivera à l'embouchure du fleuve Tyne dans environ sept heures.

– Quel rapport avec nous ? demanda Shaun Turner.

– Il n'y a eu qu'un seul contact radio avec l'*Aristeia* depuis qu'il a quitté le port. Quand il a passé le canal de Suez. Rien avant, rien après. Il a traversé la Méditerranée la semaine dernière et toutes les tentatives de contact par les Italiens, les Espagnols, les Portugais ont échoué.

– Des pirates ? suggéra Kate.

Angela renifla ; Larissa lui décocha un regard rempli de haine.

– Non, répliqua le commandant Turner. Du moins, nous ne le pensons pas. Il n'y a jamais eu de cas de navire pirate traversant volontairement la Méditerranée ou le Canal. Il serait actuellement sur les côtes de Somalie où les pirates amarreraient et poseraient leurs conditions. Ce navire a dû traverser les eaux somaliennes pour passer Suez.

– Des terroristes ? proposa Jack Williams. Transportant une bombe ?

– Les analyses par satellite indiquent que non. Pourquoi utiliser un cargo pour attaquer ? Nous pouvons le couler au milieu de l'océan. De telles embarcations ne sont pas réputées pour leur maniabilité.

– C'est quoi, alors ? demanda sèchement Jamie qui en avait assez de ce petit jeu de devinettes.

Paul Turner lui lança un regard réprobateur avant d'enchaîner :

– Le Service de Surveillance a supervisé les tentatives de contact et quand le cargo est entré dans les eaux britanniques, nous l'avons mis sous contrôle satellite. Voici l'infrarouge.

L'image devint floue puis afficha un arc-en-ciel étincelant. L'eau glacée autour du bateau noircit, la coque et le pont de l'*Aristeia* prirent une couleur bleu-vert. Le rouge foncé à l'arrière du cargo indiquait l'emplacement des énormes moteurs Diesel. Les conteneurs rectangulaires orange pâle étaient parsemés de petites taches jaunes en mouvement.

– Bon sang ! s'exclama Jack Williams. Il y a au moins deux cents personnes là-dedans !

– Deux cent vingt-sept, confirma le commandant. Regardez le pont.

L'énorme pont en forme de croissant haut de quatre étages était jaune pâle. La chaleur émanant de sept points lumineux était rouge vif.

– Des vampires, annonça Shaun Turner sur un ton neutre. Sept vampires et deux cent vingt-sept hommes. C'est quoi, ce truc ?

– Une prison flottante, répondit Angela.

– Pourquoi les retient-on prisonniers ? s'enquit Larissa.

– Ils vont être livrés à ceux qui les ont achetés, expliqua Angela. J'en ai déjà vu, mais pas à cette échelle. On dirait ces gangs chinois qui vendent des ouvriers d'Extrême-Orient. Ils les transportent jusqu'en Méditerranée puis ils continuent en camion. Ma main à couper que quelqu'un attend ce navire au nord.

Larissa se tourna vers Paul Turner, qui hocha la tête.

– L'opérateur Darcy a raison. Nous pensons que les passagers de ce cargo seront livrés à un ou des vampires dès qu'il accostera. Ce qu'il se passera ensuite ? Nous l'ignorons. Mais étant donné que le plus ancien vampire au monde, qui reste pour l'instant introuvable, a très probablement besoin d'un apport régulier de sang, nous avons décidé de nous y intéresser.

– Ces gens seraient envoyés auprès de Dracula et Valeri ? l'interrogea Kate.

– Possible.

– Qu'attendez-vous de nous ? demanda Jamie avec fermeté.

Larissa le regarda, sa mâchoire fixe, ses yeux bleus calmes. Elle était incroyablement fière de lui. Il l'attirait comme jamais auparavant. Elle émit un léger grognement que seul Jamie, assis à côté d'elle, entendit. Il se retourna et entrevit une étincelle rouge dans le coin de ses yeux. Il sourit, sachant très bien ce que cela signifiait.

On ne partira peut-être pas tout de suite, espéra-t-il. *On attendra sûrement la tombée de la nuit.*

La pensée des longues prochaines heures et de leur possible contenu agrandit son sourire. Il pivota et essaya de se concentrer sur le briefing de Paul Turner.

– Vous partez sur-le-champ, affirma le commandant et le cœur de Jamie flancha. Nous avons inspecté la zone et trouvé un seul endroit où un cargo peut accoster illégalement : le vieux chantier naval de Swan Hunter à Wallsend. Les chantiers avoisinants sont en cours de fermeture à l'instant où nous parlons et les gardes-côtes ont reçu l'ordre de laisser entrer le bateau dans le fleuve. Je vous veux en position de surveillance avant la tombée de la nuit. Nous intercepterons le navire à quai. Nous voulons savoir en priorité où ces gens sont emmenés et pourquoi. Les prisonniers sont notre deuxième priorité. La nouvelle consigne ne s'applique pas durant cette opération. Compris ?

Nous ne capturons pas les vampires ! réalisa Jamie envahi par une bouffée de plaisir animal. *Nous pouvons les détruire.*

– Oui, monsieur ! répondirent Jamie et Jack en même temps.

– Bien. Il y a plus de deux cents hommes et femmes sur ce cargo. Tous seront affaiblis et probablement terrifiés. S'ils paniquent, ce qui sera sûrement le cas, s'ils courent dans vos lignes de tir, ordonnez-leur de se coucher. La limite des dommages collatéraux pour cette mission est de neuf. C'est clair ?

– Pas pour moi, intervint Jamie.

– Nous ne voulons pas plus de neuf civils morts durant cette opération ! approfondit Turner. Il s'agit du niveau acceptable de pertes.

– Mon équipe ne travaille pas en pertes acceptables, déclara Jack Williams.

– La mienne non plus, enchérit Jamie.

– Vraiment ? demanda le commandant Turner, l'air glacial. Eh bien moi, si. L'amiral Seward aussi. Et pour cette mission, les vôtres sont de neuf. Compris ?

– Je ne pense pas...

– Taisez-vous ! cria le commandant Turner et la salle se tut immédiatement. Ceci est une mission de niveau 2 ; les Renseignements estiment qu'elle est en rapport avec la plus haute priorité du Département. Vous n'aimez pas parler de dommages collatéraux, très bien. Mais vous aurez ce chiffre en tête quand vous serez sur le terrain. Parce qu'il y a une différence entre une médaille et six mois sur le banc de touche, surtout lors d'une mission comme celle-ci, une mission que vous allez réussir, avec deux équipes seulement.

– Pourquoi en envoyer deux ? demanda Shaun Turner. Nous travaillons seuls d'habitude, monsieur.

L'insolence transpirait dans ses paroles mais son père lui décocha un regard si menaçant qu'il baissa les yeux. Nul ne vit les joues de Kate rougir quand Shaun se résigna.

– Si cela était possible, répondit le commandant Turner, nous enverrions quatre équipes. Si j'en avais trois à ma disposition, j'en enverrais trois. Mais je n'ai que vous deux.

Voilà pourquoi vous partez ensemble. Parce que nos effectifs sont réduits au minimum.

– Sept vampires ? remarqua Jack Williams. Nous n'avons pas besoin d'être six pour leur régler leur compte.

– Ce serait la même chose s'il s'agissait d'un nouveau vampire au milieu d'un champ, lieutenant Williams. Vous avez des ordres, vous avez votre briefing, les données de surveillance ont été transférées sur votre console et maintenant, je suis fatigué de vous parler. Rompez !

Pendant un instant, personne ne bougea. Soudain, Turner contourna l'estrade et se rendit au milieu de la pièce en deux grandes enjambées.

– J'ai dit : « Rompez ! »

Et cette fois-ci, tous se dépêchèrent de sortir.

Six heures et demie plus tard, les équipes opérationnelles F-7 et G-17 étaient accroupies dans l'ombre d'une usine grise sur les rives du fleuve Tyne.

Les grues, éléments caractéristiques du paysage, avaient été démantelées et vendues à un chantier naval indien deux ans plus tôt. L'immense chantier où des milliers d'hommes avaient travaillé pour construire entre autres le légendaire RMS *Mauretania* à l'aube du XXᵉ siècle était silencieux. Les bâtiments couverts de graffitis commençaient à rouiller. Les routes n'étaient plus que nids-de-poule où poussaient les mauvaises herbes, comme si la nature réclamait cette terre qui abritait autrefois le meilleur de l'innovation et de l'ingéniosité humaines.

Un brouillard épais venait de la mer du Nord. Quand Jamie regardait le chantier abandonné, il ne voyait pas la rive opposée.

– On ne va pas s'amuser si le brouillard tombe sur le quai, remarqua-t-il. Les vampires pourraient être soixante-dix qu'on ne les verrait pas.

Jack Williams hocha la tête. Les six opérateurs avaient fini la reconnaissance du vieux chantier et conclu qu'il était assez isolé pour leur mission. Toutefois, il était loin d'être tranquille avec Hadrian Road, la rue principale à moins de deux cents mètres au nord et ses clôtures délabrées. Ils n'avaient pas le temps de réparer le grillage et, de toute manière, aucun vampire n'irait si loin.

– Larissa, Kate et moi allons là-bas, continua Jamie qui désignait des conteneurs rouillés au bord du quai en béton, à quinze mètres du fleuve. Jack, emmène ton équipe derrière ce mur, là ! Ils sont obligés de passer entre nous. Comme ça, ils seront pris en embuscade des deux côtés. O.K. ?

Il se tourna, prêt à partir en courant, quand Larissa l'attrapa par le bras. F-7 ne bougeait pas et Jack Williams le regardait, l'air désolé.

– Un problème ? demanda Jamie.

– Je reçois mes ordres de Jack, déclara Shaun Turner, la mine belliqueuse. Pas de toi. Rien de personnel.

La colère enfla en Jamie.

Rien de personnel ! Fous-toi de moi. Me détesterait-il sans me connaître, comme son père ?

– Vraiment ? s'emporta Kate. Tu crois que c'est le moment de jouer ?

Shaun rougit mais ne céda pas.

– Jack est d'un rang supérieur à Jamie, expliqua Angela qui eut la décence de prendre un ton gêné. En termes d'expérience. C'est lui qui a l'avantage.

Larissa grogna, ses yeux rougirent.

– N'importe…

– Angela a raison, l'interrompit Jamie. Que doit-on faire, Jack ?

Larissa prit un air meurtri mais Jamie lui décocha un petit sourire lui indiquant de ne pas en faire une montagne. Quand elle lui sourit, son cœur s'enflamma davantage pour elle.

Jack Williams lui lança un bref regard de gratitude.

– Positions décrites par Jamie. Petit rappel : il nous faut au moins un vampire vivant pour pouvoir le questionner. La nouvelle consigne ne s'applique pas, ce dont nous nous réjouissons tous, mais ne nous emballons pas. Aucun vampire mort ne nous dira où se trouve Dracula ! Allez, on bouge.

Accroupies, les six silhouettes noires étaient sur le point de se ruer à leur poste quand l'atmosphère changea autour d'elles. L'air parut plus épais, comme si un poids énorme altérait la pression. Au même moment, ils entendirent un bruit mat ainsi que des clapotis. Ils scrutèrent le fleuve, le brouillard tourbillonnait tandis que la vaste proue courbe de l'*Aristeia* apparaissait, les aveuglait avec ses feux de mouillage. L'immense cargo ralentissait de plus en plus.

– Maintenant ! ordonna Jack.

Tous se précipitèrent où Jamie avait indiqué. Soudain, Larissa leva la tête, se tourna vers le nord. Son ouïe surnaturelle avait capté quelque chose dans l'air humide.

– Quoi ? lui demanda Jamie.

Il se tenait dos au conteneur le plus proche du quai. Le pont du navire faisait la longueur d'un stade de foot, la coque ressemblait à un impressionnant mur d'acier, la tour de contrôle avait la taille d'un immeuble de bureaux. Un silence inquiétant régnait : pas de voix, pas d'activité sur le pont... juste le ronronnement régulier des moteurs.

– Des camions, répliqua Larissa. Trois viennent vers nous.

– Une idée de ce qu'ils contiennent ?

– Des vampires, répondit Larissa. Beaucoup de vampires.

12

À L'INTÉRIEUR DU VIDE

CHEZ JÉRÉMY, ROUTIER 24/24,
NORD DE COLOGNE, ALLEMAGNE SEPT SEMAINES PLUS TÔT

Frankenstein fut réveillé en sursaut quand le pick-up s'arrêta. Il ouvrit les yeux et regarda Andreas, le gamin squelettique accro au speed qui l'avait pris en stop à Dortmund la veille au coucher du soleil.

– Je ne vais pas plus loin.

Andreas gigotait tout le temps, se rongeait les ongles jusqu'à saigner, mais il avait partagé son Thermos de soupe et son pain noir avec Frankenstein quand il s'était arrêté faire le plein d'essence et pour cela, comme pour le transport, le monstre lui en était reconnaissant.

– O.K., répondit le géant. Merci de m'avoir emmené si loin.

Il sortit une main vert-de-gris de sous la couverture mitée que la gentille dame du refuge pour sans-abri lui avait donnée et la tendit à Andreas, qui la serra. Puis il s'enveloppa dans la couverture, attrapa le sac en plastique qui contenait tous ses biens et sortit dans la nuit glaciale.

Frankenstein s'était réveillé quatre semaines plus tôt, dans les entrailles d'un bateau de pêche, sans la moindre idée de son identité. Quand le capitaine, un vieux marin buriné incrusté de sel prénommé Jens, lui avait demandé son nom, il avait été incapable de répondre. Les questions suivantes – où il vivait, s'il avait des amis, de la famille, comment il se faisait qu'il dérivait en mer du Nord, l'auriculaire de la main gauche en moins, une blessure au cou qui aurait dû le tuer – déclenchèrent la même réponse : un air d'effarement et de panique. Couché sur le sol de la cabine (il était trop grand pour dormir dans une couchette), il avait essayé de raviver des souvenirs, n'importe quoi, un endroit où il s'était rendu, une conversation, une personne mais un vide béant occupait le centre de son esprit.

Il était affaibli par l'hypothermie qui l'aurait tué si l'équipage du *Furchtlos* ne l'avait pas trouvé, empêtré dans leurs filets alors qu'ils les remontaient. Il ne s'était pas noyé grâce à ces filets équipés de bouées orange à intervalles réguliers qui lui avaient permis de flotter. De plus, son uniforme du Département 19, en matériau régulateur de température, avait agi comme une combinaison de plongée et l'avait protégé du froid.

Alors qu'il discutait avec l'équipage devant un copieux repas, il découvrit qu'il parlait allemand, anglais, français et russe. Il ne se souvenait pas s'être rendu dans ces pays. Il s'entretint longtemps avec Hans, le second, un vétéran ayant plus de quarante ans de pêche au compteur. Tandis qu'il écoutait ses histoires, ses aventures de jeunesse, Frankenstein avait de vagues réminiscences qui lui échappaient aussitôt.

Arrivés au port de Cuxhaven, les marins l'avaient débarqué avec un pull et une salopette trop petits pour lui. Mais il apprécia leur bonté et leur confiance. Il s'attendait quasi à voir la police et les gardes-côtes sur le quai. Mais les seuls à accueillir les pêcheurs furent leurs épouses, soulagées de les voir sains et saufs. Après une vie passée en mer, ces hommes avaient rencontré assez de phénomènes étranges alors pourquoi pas un colosse vert-de-gris dérivant tel un gros cabillaud ?

Frankenstein avait longé le quai sans savoir où il se trouvait ni où continuer sa route pour assembler le puzzle de sa vie.

Il était complètement perdu.

À la nuit tombée, alors que le vent froid transportait de lourds flocons de neige, il avait rejoint un groupe de sans-abri sous un pont dans la banlieue de Cuxhaven. Ils ne lui avaient ni souhaité la bienvenue ni offert de partager leur repas, mais ils ne l'avaient pas chassé non plus et avaient fini par l'autoriser à s'approcher de leur brasero. Le lendemain, il avait poursuivi vers le sud, loin de la mer, et atteint le petit hameau de Gudendorf au coucher du soleil. Au-dessus de lui brillait la pleine lune, enflée, d'un jaune malade.

Soudain, une douleur atroce lui avait transpercé le corps et fait tomber à genoux. Il avait l'impression d'avoir la peau en feu, les os remplacés par du métal en fusion. Il hurla à la lune tandis que son corps se brisait. Avec des craquements horribles, ses os se cassèrent et se reformèrent différemment. Son sang bouillonna dans ses veines pendant que d'épais poils gris poussaient sur sa peau d'un jaune luisant. Son visage s'étendit, s'allongea ; des dents aiguisées jaillirent de ses gencives et il tomba à quatre pattes, incapable de crier. Le bruit qui sortit de sa bouche béante fut un hurlement aigu et assourdissant.

Tandis que la lune miroitait au-dessus de lui et que sa transformation s'achevait, il se mit à courir. Il vacillait sur ses quatre membres neufs. Peu à peu, il accéléra et les derniers vestiges du Frankenstein rationnel succombèrent à l'animal qui rugissait dans son sang. Il courut à travers l'épaisse forêt enneigée jusqu'à une odeur riche de peur bestiale.

Le lendemain matin, pour la deuxième fois en à peine une semaine, Frankenstein se réveilla dans un endroit inconnu, sans le moindre souvenir. Et cette fois-ci, il gisait nu à côté d'une route passagère.

Par chance, la route était déserte, tandis que l'aube éraflait l'horizon. Alors qu'il examinait les alentours, la froideur de l'hiver allemand mordit sa peau nue. Il fallait qu'il se trouve un abri, vite. Sur le sol, la neige avait fondu, comme s'il avait dégagé une grande chaleur pendant son sommeil. Une substance collante le recouvrait et quand il se frotta le visage, ses mains se zébrèrent de rouge.

Frankenstein chancela. Lorsque le vent violent le gifla, il parvint à mettre la substance rouge de côté dans son esprit et à se concentrer sur sa survie. Il titubait le long de la route lorsqu'il aperçut de la fumée derrière un talus.

La ferme qui tournait le dos à la route donnait sur des champs gelés et sur une forêt. Frankenstein essaya d'ouvrir le portillon mais ses doigts glacés refusèrent de lui obéir. Il bascula par-dessus, son corps hurlant de douleur quand il tomba dans la neige dure. Le pas hésitant, il se dirigea vers la maison, prêt à risquer le courroux de son propriétaire mais sachant qu'il devait se protéger du froid. Tout à coup, il découvrit un fil à linge accroché entre la ferme et un arbre. Les pieds engourdis, sa peau d'habitude vert-de-gris était d'un violet intense, il arracha les vêtements qui pendaient. Les pinces se dispersèrent sur le sol.

Frankenstein fut pris en stop par un pick-up se rendant à Dortmund. Il monta à l'arrière et s'enfouit sous une pile de peaux de mouton. Ensuite, il passa deux petites semaines dans un refuge pour sans-abri sur Kleppingstraße avant de reprendre la route à travers l'Allemagne, à la recherche du moindre indice qui lui permettrait de recouvrer la mémoire.

Sur le parking où Andreas l'avait laissé étaient garées des rangées et des rangées de semi-remorques. Quand le pick-up fut absorbé par le flux de lumières rouges sur l'autoroute, Frankenstein se faufila parmi le labyrinthe de camions et gagna le restaurant à côté de la station-service.

Chez Jérémy était un endroit simple, d'une propreté douteuse. Jérémy et sa femme Martha servaient des assiettes copieuses et bon marché aux dizaines et dizaines de chauffeurs qui se rendaient dans le Sud – Paris, Bordeaux, Espagne, Portugal… La plupart tournaient au café et aux amphétamines ; ils ne voulaient rien de plus qu'un plat chaud pour leur caler l'estomac.

La nourriture n'intéressait pas Frankenstein, ni même le répit temporaire offert par le café. Il cherchait un moyen de continuer son voyage mais il n'avait pas d'argent à proposer aux chauffeurs, ni drogues, ni alcool, ni pornographie à troquer. Il était aussi peu probable de trouver un type à qui de la compagnie manquait. Ces gars-là choisissaient en général cette vie de nomade pour fuir le genre humain.

– Tu es un voleur ?

La voix douce voletait doucement dans la nuit. Elle ne contenait pas d'accusation, mais de la curiosité. Frankenstein se retourna ; sa propriétaire se tenait dans l'ombre de deux énormes poids lourds.

La minuscule fillette ne devait pas avoir plus de huit ans. Elle portait un jean, un T-shirt, des chaussures de sécurité et tenait un camion en modèle réduit à la main – la fille d'un chauffeur, probablement.

– Je ne suis pas un voleur, répondit Frankenstein à voix basse. Et toi ?

La fillette aux sourcils froncés sourit malgré elle. Quelle idée saugrenue ! Vite, elle se reprit et se renfrogna.

– Bien sûr que non. C'est le camion de mon papa.

Elle toucha le pneu du camion à sa droite. Il était plus grand qu'elle.

– Où est-il ? demanda Frankenstein. Tu ne devrais pas être toute seule ici. Il fait froid.

La fille lui montra le restaurant.

– Papa joue aux cartes. L'horloge dit qu'il doit s'arrêter de rouler mais il n'est pas fatigué.

– Il sait que tu es dehors toute seule ?

– Non, répliqua-t-elle fièrement. Je me suis échappée. Personne ne m'a vue.

– Tu ne devrais pas. C'est dangereux.

– Pourquoi ? Je ne suis pas en sécurité avec toi ?

Frankenstein toisa la petite silhouette à côté du pneu immense.

– Tu es en sécurité. Mais je dois tout de même te ramener auprès de ton père. Suis-moi.

Il tendit une grosse main tachetée que la fillette prit dans la sienne. Elle lui sourit tandis qu'ils se rendaient au café.

– Comment tu t'appelles ? lui demanda-t-elle quand il s'arrêta à la lisière du parking pour vérifier si rien ne venait se garer devant les pompes.

– Klaus, répondit-il en la conduisant vers la cour éclairée.

– C'est un joli prénom.

– Merci.

– Mon papa s'appelle Michael.

– Et toi ? Comment t'appelles-tu ?

– Lena Neumann.

– Très joli.

– Tu es gentil, répliqua Lena. Je t'aime bien. Tu vas vers le sud ? Je te parie que papa te laissera monter avec nous.

Frankenstein allait répondre quand un grand bruit couvrit le ronronnement des moteurs. Il jeta un coup d'œil au routier et perçut du mouvement à l'intérieur. Tout à coup, la porte moustiquaire s'ouvrit en grand. Il y eut comme un coup de fusil quand elle heurta son cadre métallique.

Un homme trapu, une casquette de base-ball vissée sur sa tête ronde, apparut sous la lumière fluorescente du routier.

– Lena ! aboya-t-il. Où es-tu, ma chérie ? Lena !

L'homme bondit du seuil et traversa la cour en courant. Il les verrait dès qu'il parviendrait à l'ombre du store de la station-service. Derrière lui, un groupe d'hommes et de femmes le suivit en criant le prénom de Lena.

– C'est mon papa ! s'exclama la fillette. Il me cherche ! On partira dès qu'il nous aura trouvés.

Un pressentiment envahit Frankenstein. Quand il regarda la main de la fillette dans la sienne, la scène sembla se dérouler au ralenti – le visage replet du père qui passa sous l'auvent et s'écarta des spots aveuglants éclairant l'entrée, ses joues pâles, ses yeux écarquillés, ses lèvres tremblantes esquissant un O paniqué. Les autres clients étaient tous des chauffeurs ; certains portaient des pieds-de-biche. Frankenstein examina à nouveau sa main, celle de Lena et comprit ce qui allait se produire, mais aussi qu'il était trop tard pour agir.

– Papa ! s'écria Lena.

Et le groupe vira à gauche, telle une nuée d'oiseaux. Le père de Lena s'arrêta en glissant devant eux et considéra le spectacle face à lui.

– Lena ! haleta-t-il. Tu vas bien ? Il t'a fait du mal ?

– Ne sois pas bête, papa. C'est mon ami Klaus.

Les hommes se regroupèrent derrière le père, outils à la main, regards bouillonnants de colère.

– Ton ami ? répéta Michael Neumann. Très bien. Mais tu vas venir avec moi maintenant. D'accord ?

Frankenstein lâcha la main de la fillette qui courut gaiement vers son père et lui enlaça la jambe. Il lui caressa les cheveux sans quitter Frankenstein des yeux.

– Tu devrais pas t'en aller comme ça, lui dit-il sur un ton calme et réconfortant. Combien de fois te l'ai-je répété ? Je suis mort de peur quand je sais pas où t'es. T'aimes pas quand papa a peur, hein ?

Lena leva la tête vers lui, l'air très inquiet.

150

– Je suis désolée, papa. Promis, je ne recommencerai plus.

– Ce n'est pas grave. Maintenant, je veux que tu accompagnes Angela à l'intérieur et que tu m'attendes là-bas. O.K. ? J'arrive dans une minute. Ensuite on pourra partir, d'accord ?

Lena hocha la tête. Une jeune femme en tenue blanche de serveuse s'avança. Elle dévisagea le monstre avec un air dégoûté et prit Lena par la main. La fillette fit signe à Frankenstein en partant. Il la salua aussi.

Quand la porte claqua pour la deuxième fois, le groupe de camionneurs s'approcha lentement de Frankenstein qui dut reculer dans l'espace étroit entre deux semi-remorques.

– Que faisais-tu avec ma petite fille ? gronda Michael Neumann. Réponds, espèce de salaud !

Rien de ce qu'il pourrait dire ne changerait la suite des événements, Frankenstein le savait, mais il tenta néanmoins sa chance.

– Je te la ramenais. Elle jouait à se cacher et je lui ai dit que ce n'était pas prudent. Je la ramenais.

– Il ment, Michael ! s'exclama un colosse dont la veste de cuir craquait aux coutures. Je te parie ce que tu veux. Il sait qu'on l'a pris la main dans le sac.

– Je dis la vérité, insista Frankenstein. Elle s'est échappée pendant que tu jouais aux cartes. Elle m'a vu à côté du camion et m'a demandé si j'étais un voleur. Je ne mens pas.

– Que comptais-tu faire à ma fille, hein ? chuchota Michael. Que lui aurais-tu fait si on t'en n'avait pas empêché ?

Empêcher de quoi ? pensa Frankenstein, de plus en plus en colère. *Si j'étais ce genre de personne justement, je serais déjà à trente kilomètres d'ici avec ta fille et tu ne la reverrais jamais. Parce que tu jouais aux cartes au lieu de la surveiller. Parce que tu...*

Tout à coup, un levier s'abattit sur sa nuque et Frankenstein tomba à genoux. Un routier l'avait pris à revers.

– Il est à terre, les gars ! hurla le type. Montrons-lui comment on traite les individus dans son genre.

Les camionneurs se ruèrent sur lui, arme au poing, Michael Neumann en tête. La rage explosa en Frankenstein qui bondit sur ses pieds, son énorme silhouette noire de jais dans l'ombre entre les camions. Il attrapa un des chauffeurs par le colback. L'homme cessa de gronder quand la main énorme du monstre le serra à la gorge. Soudain, Frankenstein le souleva puis le lança de toutes ses forces contre une remorque. Le routier s'écrasa contre la fine paroi en métal qui se cabossa, avant de glisser sur le sol, la tête en sang.

Le reste de la troupe s'arrêta net, effaré. Ce n'était pas ce qu'ils avaient prévu, c'est-à-dire donner une bonne leçon à cet étranger avant de poursuivre leur partie de cartes.

– Suivez-moi ! s'écria Michael, moins sûr de lui, une clé dynamométrique à la main.

L'ombre immense de Frankenstein qui le recouvrit le stoppa dans son élan. Il regarda le terrifiant visage et le courage le déserta, en même temps que ses collègues. Ses amis regagnèrent le restaurant telle une nuée d'oiseaux en criant à la serveuse d'appeler la police.

Lorsque Frankenstein lui arracha l'outil des mains, le père de Lena n'opposa aucune résistance, comme hypnotisé par le géant.

Frankenstein baissa la tête pour être au même niveau que l'homme. Son souffle sortait de sa bouche et de ses narines en gros nuages blancs et du sang coulait de son cou, à l'endroit où le pied-de-biche l'avait blessé.

– La prochaine fois, accorde plus d'attention à ta fille qu'à tes cartes. Tu m'entends ?

Tremblant, Michael Neumann hocha la tête.

– Bien, commenta Frankenstein qui lâcha la clé.

L'objet cliqueta aux pieds de Michael, non loin de l'homme inconscient. Neumann partit en courant sans se retourner.

Frankenstein rôdait aux abords du parking, à la recherche d'une issue. Son cœur battait fort, son sang bouillonnait au souvenir du craquement émis par le corps du routier contre le camion et de cette violence facile. Il avait simplement attaqué, poussé par l'instinct, sans réfléchir.

En toute normalité.

Quand la peur sera retombée, ils appelleront les autorités. Et alors, peu importera s'ils ont attaqué un homme innocent. Quand ils me verront, ils me jugeront coupable.

Il atteignit l'extrémité d'une longue rangée de semi-remorques et fut soudain baigné de lumière. Tel un sapin de Noël immense monté sur quinze paires de roues, un gigantesque camion couvert de centaines d'ampoules colorées s'apprêtait à partir. Frankenstein leva les yeux et quelque chose s'ouvrit dans son esprit.

Au-dessus du pare-brise, un mot s'affichait en points rouges :

PARIS

Un enchevêtrement nauséabond de souvenirs jaillit dans l'esprit du monstre – des images, des voix, des sensations et des lieux qu'il ne parvenait pas à identifier. Mais ce mot lui était familier. Enfin !

Du mouvement dans la cabine attira son attention. Il s'accroupit vite à côté du grand radiateur tandis que le conducteur s'installait derrière son volant. Quelques instants plus tard, tout le corps de Frankenstein vibra quand l'énorme moteur Diesel s'anima dans un rugissement.

Maintenant ! C'est le moment ou jamais.

Toujours accroupi, il longea le camion en courant. Il n'avait pas le temps d'entrer en douce dans la remorque. Le poids lourd s'éloignerait avant qu'il n'ait ouvert les poignées. Sous le conteneur, trois grosses capsules de stockage étaient posées sur des barres en acier. Elles devaient contenir des pièces détachées et des outils. Entre elles se trouvait un espace en forme de cercueil, à un mètre et demi environ du bitume.

Frankenstein plongea dans le trou et atterrit lourdement sur les barres croisées. Il se hissa dans l'espace, se cala contre une capsule arrondie et appuya les jambes contre une deuxième. Les émanations de gazole lui emplirent les narines quand le chauffeur prit de la vitesse et entama son voyage vers le sud et Paris.

13

QUI EN RANGS SERRÉS ASPIRENT À VIVRE LIBRES[1]

– On a de la visite, annonça Jamie aux autres opérateurs dans le micro incorporé à son casque.

– Comment le sais-tu ? l'interrogea Jack, comme s'il lui parlait directement à l'oreille.

– Larissa.

Il n'avait pas besoin d'explications supplémentaires. Les sens du vampire étaient des centaines de fois plus sensibles que ceux de l'homme. Le reste de l'équipe aurait entendu les camions trop tard.

Jack jura.

– Ils arriveront quand ?

– Dans moins d'une minute, répondit Larissa. Trois camions. Nombre de vampires inconnu. Au moins dix.

1. Extrait du *Nouveau Colosse* d'Emma Lazarus (1883) gravé sur le piédestral de la statue de la Liberté. (N.d.T)

– Prêt Un, déclara Jack. Personne ne bouge avant mon signal, O.K.

Les membres de l'équipe G-17 abaissèrent aussitôt leurs visières, sortirent leurs T18 de leurs étuis. « Prêt Un » était le code pour un contact imminent avec le surnaturel. L'utilisation de la force était alors autorisée.

Quatre bruits lourds résonnèrent sur le quai. Derrière le conteneur, Jamie tendit le cou pour voir. Des cordes épaisses avaient été jetées du pont. Là-haut, une silhouette passa dans le brouillard. Puis le vrombissement des moteurs secoua le sol sous leurs pieds et trois camions noirs surgirent au nord.

Ils roulaient en file indienne, au ralenti. Cachés derrière les conteneurs et le haut mur en béton, les opérateurs les virent passer. Leur peinture s'écaillait et les véhicules étaient couverts de boue et de poussière. Par contre, ils avaient des pneus neufs, le logo du fabricant en blanc immaculé, et leur moteur ronronnait. Jamie n'aperçut personne à l'intérieur car les vitres étaient barbouillées et l'habitacle bien trop haut par rapport à eux.

Les camions s'arrêtèrent au bord du quai. Jamie retint son souffle quand la portière du premier s'entrouvrit et une silhouette en sortit. Elle alla déverrouiller les portes à l'arrière.

Derrière Jamie, sur la route principale, il y eut un bruit mat – un animal certainement. Aussitôt, la silhouette tourna la tête et Jamie vit ses yeux couleur charbon ardent.

Pendant un long moment, rien ne bougea. Puis le vampire, un homme d'une bonne trentaine d'années apparemment, retourna à sa tâche. Il jeta le cadenas par terre et ouvrit grandes les portes, exposant un rectangle noir de jais. Peu après, une foule de vampires emplit cet espace vide et descendit.

Ils se rassemblèrent à l'arrière du véhicule, riant et criant, se taquinant et furent bientôt rejoints par les passagers des deux autres camions. Plusieurs allumèrent une cigarette avant de se mettre au travail. Huit s'occupèrent des amarres qu'ils attachèrent aux gros crochets en métal sur le quai. Puis ils tirèrent le cargo près du bord dans une démonstration banale de force surnaturelle. Sur le pont jaillit un cri de joie auquel les vampires au sol firent écho.

– J'en compte plus de dix-huit, murmura Jack Williams.

– Plus sept à bord. Ça fait au moins vingt-cinq.

– On ne bouge pas. Voyons ce qu'ils mijotent.

Une porte métallique s'ouvrit dans un craquement sur le pont supérieur. Quelques secondes plus tard, les sept vampires qu'ils avaient vus sur l'image satellite apparurent derrière le garde-corps ; pendant quelques minutes, ils échangèrent des saluts et des insultes avec leurs comparses aux yeux rouges en contrebas jusqu'à ce que le vampire qui avait ouvert le premier camion, le responsable apparemment, allume une autre cigarette et leur ordonne de la fermer. Après quelques grognements et sifflets, les deux groupes obéirent.

– Qu'on en termine ! cria le chef. On rigolera après. Ouvrez les conteneurs et voyons ce que vous nous avez apporté.

Des vampires au sol s'envolèrent pour donner un coup de main sur le pont. L'un d'eux fit descendre une longue passerelle qui rencontra le sol dans un bruit métallique terrible.

Quand les portes s'ouvrirent en grinçant, des bruits atroces s'en échappèrent – des cris de peur et de misère, des hurlements de douleur et de terreur, un chœur de sanglots, de complaintes prononcées dans une langue que les opérateurs ne comprenaient pas. Lentement, dans le brouillard, une petite silhouette apparut en haut de la passerelle. Elle avança d'un pas nerveux et tremblant. Quand elle traversa le faisceau lumineux qui balayait le cargo, Kate retint son souffle.

L'éblouissante lumière blanche baigna le petit visage blême d'une Asiatique de cinq ou six ans. Elle portait une robe avec un imprimé à fleurs qui n'était plus blanche mais grise. Dans sa petite main, elle tenait une poupée sale à qui il manquait un bras et les deux jambes. Les pieds nus et crasseux, elle bascula en arrière et s'assit lourdement sur la planche en métal. Perdue, elle regarda autour d'elle et éclata en sanglots.

Une deuxième silhouette accourut vers elle. Sous la lumière, les opérateurs distinguèrent une petite femme asiatique, aussi pâle et sale que la fillette. Elle tomba à genoux à côté de l'enfant en larmes et tenta de l'apaiser.

Au sol, un vampire rit aux éclats et, soudain, Jamie ressentit une colère intense qui lui rappela le jour où il avait vu le visage terrifié de sa mère à côté d'Alexandru Rusmanov dans le monastère de Lindisfarne.

— Allons les chercher, grogna-t-il.

— Négatif, répliqua aussitôt Jack Williams. On attend que tout le monde soit descendu du bateau.

Jamie grinça des dents et fit l'effort de ne pas répondre. Larissa posa la main sur son bras. Ce soutien invisible pour les autres atténua sa rage, un instant. Il se concentra sur le cargo et le flux régulier d'hommes et de femmes, émaciés, sales, le regard terrorisé, qui descendaient la passerelle.

Quand la femme et la fillette atteignirent le quai, un vampire s'empara de la fillette qui hurla de peur et tenta de s'accrocher à la femme. Des rires fusèrent, ce qui attisa la colère déjà terrible de Jamie.

– Laissez-les, ordonna le responsable. Cela n'a pas d'importance si elles restent ensemble. Ils vont tous au même endroit. On charge !

Le vampire râla mais obéit. En prenant la femme par l'épaule, il enfonça ses ongles dans sa chair, mais elle ne pleura pas. Elle le fixa avec un regard de mépris absolu.

Bonne réaction, pensa Jamie. *Tiens le coup encore quelques minutes.*

Derrière elles, la masse crasseuse d'humains meurtris finit de débarquer et s'éparpilla sur le quai, cernée par les vampires. Les prisonniers en haillons, affaiblis et désorientés, ne protestaient pas.

– C'est idiot, commenta Kate. Cela aurait été plus facile s'ils étaient encore à bord. Là, ils vont se trouver au milieu des tirs.

– On garde notre position, insista Jack.

– Elle a raison, intervint Angela. On doit y aller.

– Angela, je te préviens…

– Tu me préviendras plus tard ! l'interrompit Angela qui passa à l'action.

Angela Darcy s'éloigna en silence du mur qui cachait l'équipe F-7 et posa son T18 contre son épaule, comme s'il s'agissait du geste le plus naturel au monde. La fluidité avec laquelle elle marchait lui donnait une allure féline. De l'autre côté du quai, Jamie se sentit presque coupable.

Elle visa le vampire qui s'était moqué de la fillette et qui ordonnait à présent à la femme de monter dans le camion.

Celle-ci refusait, secouait la tête de droite et de gauche, crachait des torrents d'insultes en mandarin, supposa Jamie. Le vampire, la mine réjouie, se délectait probablement à l'idée de la violenter prochainement.

Angela appuya sur la détente de son T18 ; un grand *bang !* et du gaz s'échappa dans la nuit calme. Le vampire hilare tournait la tête vers l'origine du bruit quand le pieu métallique s'enfonça dans sa poitrine, creusant un trou de la taille d'un pamplemousse. Il écarquilla les yeux avant d'exploser. Son sang éclaboussa l'arrière du camion, la femme et la fillette.

L'odeur de sang frais parvint aux narines des autres vampires dont les yeux rougirent. La Chinoise au visage maculé de sang fixait l'espace vide laissé par le vampire. La fillette ôta un filet rouge et mouillé de ses cheveux, l'examina et hurla à pleins poumons. En un instant, les vampires les encerclèrent en sifflant. Ceux qui déchargeaient les conteneurs arrivèrent en volant. Le responsable se fraya un chemin à coups d'épaule et saisit la femme par le bras.

– Qu'as-tu fait ? aboya-t-il. Qu'as-tu…

Sa question fut interrompue par le pieu du T18 de Jamie qui s'enfonça dans sa gorge. Le groupe aspergé de son sang recula en poussant des hurlements effarés. Jamie n'avait pas raté son coup. Il devait ramener le chef vivant pour le faire parler, mais il serait plus facile de s'occuper des autres vampires si leur leader ne pouvait plus leur donner d'ordres pour le moment.

– Bordel, vous deux ! grogna Jack Williams. On fonce. Je répète, on fonce.

Les opérateurs avancèrent de chaque côté des vampires qui paniquèrent. Le responsable, qui s'était effondré et continuait de se vider de son sang, agitait les bras et gargouillait des paroles incompréhensibles. Les vampires l'ignorèrent et se ruèrent sur les silhouettes qui approchaient.

Sans perdre de temps, Kate s'accroupit, sortit son pistolet mitrailleur MP5 et balaya les assaillants au niveau du genou, comme on le lui avait appris à l'entraînement. Les balles leur arrachèrent les jambes. Trois d'entre eux s'effondrèrent en hurlant de douleur.

Trois autres bondirent dans les airs où Larissa les attendait, les yeux aussi rouges que de la lave, les crocs avides de les rencontrer. Elle les intercepta à trois mètres au-dessus du sol ; des arcs de sang giclèrent dans la nuit étoilée tandis qu'elle se posait avec la grâce d'un chat.

Sur le quai, Shaun Turner sortit sa torche à ultraviolets et ratissa les vampires qui affluaient vers son équipe. Quand la lumière mauve leur toucha la peau, cinq vampires prirent feu et abandonnèrent toute attaque pour se jeter dans l'eau froide du fleuve.

Ils n'y arrivèrent jamais.

Angela se détacha de son équipe et fonça sur eux, MP5 à l'épaule. Les balles se fichèrent dans leurs dos et jambes. Tandis qu'ils rampaient jusqu'au bord de l'eau, criant et se tordant de douleur, Angela tirait avec calme et précision. Finalement, ils s'immobilisèrent, le corps dévoré par les flammes violettes, dégageant une répugnante odeur de viande grillée.

Shaun Turner la regarda une demi-seconde, un grand sourire aux lèvres. Puis Jack Williams et lui se jetèrent sur quatre nouveaux vampires. Ils attaquèrent avec une minutie mortelle, quasi à l'instinct. Réalisant qu'ils n'étaient pas assez nombreux, les vampires se battirent avec l'énergie du désespoir. Ils bondissaient, crachaient, griffaient et mordaient dans le vide, tandis que Jack et Shaun enfonçaient leur pieu en eux, comme un couteau dans du beurre.

Shaun s'en prit à un vampire en T-shirt de foot d'une trentaine d'années, le crâne rasé, les bras couverts de tatouages bleus. Il planta son pieu avec une méchante précision. La pointe métallique brisa le sternum du vampire, trempant le bras de Shaun de sang chaud, avant de transpercer le cœur qui battait à toute vitesse. Lorsque le vampire explosa tel un ballon, ses entrailles éclaboussèrent la visière et le casque de Shaun.

Au moment où il les essuyait, Jack passait le bras sous le cou d'un autre ennemi et lui enfonçait son pieu dans le dos. Il explosa dans un liquide putride et Jack tituba en arrière tandis que la chose qu'il tenait fermement contre lui cessait d'exister.

Derrière lui, un vampire grogna d'impatience. Il tendit les bras vers Jack, les crocs luisant dans la lumière réfléchie du bateau. Shaun, dont le cerveau était capable d'une incroyable précision au moins égale à celle de son père, n'hésita pas : il dégaina son Glock 17 et tira depuis la hanche, tel un bandit du Far West. Les balles plongèrent au-dessus des sourcils du vampire qui s'écroula sur le béton froid, les yeux roulant dans leurs orbites. Quand par réflexe il porta les mains à la tête, il ne toucha rien vu que son cerveau gisait sur le sol. Jack reprit son équilibre, fit volte-face et enfouit son pieu dans la poitrine du vampire. Un bond et il échappa à l'explosion.

Shaun regarda son supérieur avec une grande fierté. Jack et lui avaient combattu si souvent ensemble, dans les coins les plus sombres du monde, et Shaun ne rêvait de personne d'autre à ses côtés. Soudain, il ressentit un courant d'air dans son dos.

Il plongea en avant tout en pivotant et découvrit, à quelques dizaines de centimètres de lui, le visage déformé par la haine d'un vampire. L'homme d'une cinquantaine d'années portait un costume foncé et une cravate. Bizarrement, Shaun eut le temps de lui trouver une ressemblance avec le maître d'internat qu'il détestait au lycée. Il posa la main sur son Glock 17, sachant qu'il n'aurait pas le temps d'intercepter le vampire.

– Couche-toi !

C'était la voix d'Angela, calme dans son oreille. En même temps, il entendit un bang terrible qu'il aurait reconnu n'importe où. Il se jeta à genoux et se laissa tomber sur le quai en béton.

Le vampire sembla déconcerté par l'apparente capitulation de son ennemi. Tout à coup, le pieu projeté par le T18 d'Angela lui transperça le torse, juste au-dessus de Shaun et le vampire explosa. Une colonne de sang jaillit et retomba pile sur Shaun. Le pieu retourna dans son canon en vrombissant. Angela apparut au-dessus de lui, souleva sa visière et lui décocha un sourire malicieux :

– Vilain garçon ! s'exclama-t-elle tout en l'aidant à se lever. Il va falloir te prendre en main, Shaun. Je ne serai pas toujours là pour te sauver la mise !

– Va te faire voir, marmonna-t-il avec un grand sourire.

Jack Williams les rejoignit, enfiévré par le combat.

– J'ai achevé tes torches, annonça-t-il. Allons aider l'équipe de Jamie.

Angela jeta un coup d'œil au quai.

– Je crois qu'ils s'en sortent très bien sans nous, constata-t-elle, la mine réjouie.

Kate s'élança tout en dégainant son pieu. Jamie la couvrait, MP5 dans une main, pieu dans l'autre. Ils se ruaient sur les trois vampires aux rotules explosées par Kate. Ils plantèrent leur pieu dans leur cœur sans la moindre hésitation. Puis ils se dirigèrent vers Larissa.

Trois autres vampires en sang tombèrent du ciel ; leurs blessures semblaient avoir été faites par un animal sauvage. Kate s'arrêta :

– Continue ! Je nettoie !

Jamie hocha la tête et piqua un sprint en direction de Larissa qui s'était posée et réfugiée derrière le camion le plus proche. Derrière lui, il entendit trois gargouillis puis Kate apparut à leurs côtés, pantelante, l'uniforme taché de sang.

– Il en reste combien ? demanda-t-il.

Larissa souleva sa visière, huma l'air. Ses yeux prirent la couleur du sang ; ses crocs brillèrent, triangles blancs sous sa lèvre supérieure.

– Cinq, répondit-elle. Celui que tu as attaqué avec ton T18 est toujours en vie, à peine. Les autres sont entre les camions. Leurs odeurs sont trop rapprochées, je ne peux pas les distinguer.

Ne t'inquiète pas, pensa Jamie. *Quatre vampires effrayés. Ce sera facile.*

Un bruit enfla en direction du cargo. Jamie jeta un coup d'œil par-delà le camion. La femme qui était descendue en deuxième se trouvait en bas de la passerelle, entourée de quelques personnes émaciées. Elle tenait la fillette d'une main et agitait l'autre avec frénésie. Une femme âgée apparut sur le pont puis, fébrilement, elle amorça la descente de la passerelle. Derrière elle, une foule suivit, le métal craquant sous le poids.

Il perçut du mouvement du coin de l'œil et retourna auprès de Kate et Larissa.

– Il y en a au moins un de l'autre côté de ce camion, chuchota-t-il. Kate, par-derrière. Larissa, par-dessus. On va le coincer.

Les filles acquiescèrent. Kate se déplaça en silence pendant que Larissa flotta avec aisance dans les airs. Le vampire qui se cachait entre les deux camions tremblait de peur. Il gigotait, les narines écartées, cherchant à regarder dans toutes les directions à la fois. Quand Kate surgit, il siffla de terreur et pivota pour se trouver nez à nez avec Jamie. L'air terrorisé, il leva les yeux vers sa seule issue possible.

– Salut ! susurra Larissa, assise sur le toit du camion, les yeux rougeoyants.

Le vampire poussa un hurlement de désespoir et se jeta sur Kate. Là, les pieux des deux T18 réduisirent son torse en pulpe et il explosa. Larissa descendait quand, soudain, elle accéléra et doubla Jamie, un grognement de plaisir émanant de sa gorge. Attiré par le sang frais, un des trois derniers vampires fonçait vers eux ; une faim primaire se lisait sur son visage.

Larissa passa à côté de lui telle une flèche, sans ralentir et lui arracha la tête sans le moindre effort. Le corps sans tête tituba quelque peu avant de tomber en avant, pile devant Jamie qui lui enfonça son pieu dans le cœur, l'air dégoûté. Le visage éclata dans la main de Larissa tel un ballon de baudruche rempli d'eau. La jeune femme poussa un soupir de contrariété.

– Laisse-moi le temps de la lâcher la prochaine fois. J'avais quasi achevé cette mission sans recevoir une seule goutte de sang.

Son rire fit chavirer le cœur de Jamie.

Jamais il n'aurait avoué à sa petite amie – *c'est ce qu'elle est maintenant ? Ma petite amie ?* – que son pouvoir incroyable lui faisait parfois peur. Par ailleurs, elle s'amusait de choses que lui, bien qu'aguerri, trouvait effroyables. Il savait que ce n'était pas vraiment elle, mais le vampire en elle. Trempée de sang, luttant pour sa vie, elle était submergée par son côté vampirique. Quand ce serait terminé, elle redeviendrait Larissa, il le savait.

Du moins, il l'espérait.

Derrière lui, un vampire grogna, mais Jamie ne se pressa pas pour se retourner. Il faisait une confiance aveugle à Kate. Le temps qu'il pivote, le vampire chancelait contre le camion, un trou énorme dans la poitrine. Kate pivota quand il éclata, projetant du sang et des viscères contre le dos de son armure.

Trois de moins. Plus qu'un.

L'équipe G-17 se regroupa devant le deuxième camion et se rendit à pas lents jusqu'au troisième. Ils faisaient attention, sans plus. Un seul vampire n'était pas de taille à se mesurer avec eux et ils le savaient. Tout à coup, le dernier vampire sortit de sa cachette, jeta un coup d'œil aux trois silhouettes et prit la fuite.

Il n'avait pas parcouru dix mètres qu'il entra en collision avec la foule qui émergeait du cargo.

Le premier coup fut asséné par un grand Asiatique armé d'un extincteur. Frappé au crâne, le vampire tomba par terre. Du sang gicla ; sa bouche formait des mots sans qu'un son ne sorte. Il semblait demander pitié.

Ils n'en eurent pas.

Quand ce fut terminé, les prisonniers s'effondrèrent, la tête dans les mains, serrant dans leurs bras des êtres chers. Presque tous pleuraient. La femme qui tenait la fillette ne s'assit pas. Elle n'avait pas pris part à la destruction du vampire mais n'avait rien fait non plus pour l'empêcher. Elle regarda les six silhouettes noires, au visage caché derrière une visière et prononça deux mots hésitants :

– Merci. Beaucoup.

– De rien, répondit Jack Williams qui désigna le sol. Restez ici. Les secours arrivent. Restez ici.

La femme hocha la tête et s'accroupit tout en berçant la fillette contre elle.

Jack éloigna les deux équipes réunies et les regroupa en cercle. Il souleva sa visière.

– On a fait du sacré bon travail aujourd'hui ! Propre comme j'aime et leur chef est en vie. Bon travail, vraiment. Prévenez la police du Northumberland. Dites-leur que nous avons deux cents réfugiés sur les berges de la Tyne. Maintenant, ramenons notre survivant au Département et découvrons ce qu'il sait. Shaun, appelle l'hélico.

Shaun Turner acquiesça et décrocha sa radio de sa ceinture. Tandis qu'ils retournaient au camion, il tapa un code et prévint le pilote. Un bruit gronda instantanément dans les airs tandis que l'appareil qui les avait conduits au nord apparaissait à cinq cents mètres de là, de l'autre côté d'Hadrian Road.

Le responsable des vampires se trouvait à l'arrière du camion. Recroquevillé sur lui-même, la tête baissée, les pieds dans une énorme flaque de sang, la peau pâle, il respirait très lentement.

– Il comate, expliqua Larissa. Il sera endormi quand nous arriverons à la Boucle. Il a perdu trop de sang.

– Ils le réanimeront au labo, affirma Jack. Ce sera plus facile pour le transporter.

Shaun fit un pas en avant et s'accroupit devant le prisonnier.

– Où emmeniez-vous ces gens ?

Le vampire remua légèrement les épaules, suggérant qu'il comprenait sa question mais il ne répondit pas. Shaun tendit la main pour soulever le menton du blessé quand Kate paniqua. Elle s'avança et prononça son nom au moment où son gant le touchait. Shaun lui lança un regard contrarié lorsqu'elle retint son bras. Tout à coup, le vampire leva la tête, ses yeux flamboyèrent et usant de ses dernières forces, il se jeta en avant, tel un chien agonisant.

Sa bouche se ferma sur le bras de Kate.

Les crocs pénétrèrent dans sa chair. Tandis qu'elle regardait le vampire avec une sorte de détachement étonné, il lui déchiqueta le bras. Il cracha le morceau en lambeaux sur le sol bétonné puis bascula en arrière, les yeux roulant dans leurs orbites.

14

CE N'EST QU'UN AU REVOIR

PARIS, FRANCE
QUATRE SEMAINES PLUS TÔT

Assis sur un banc devant Notre-Dame de Paris, Frankenstein observait les croyants qui sortaient de la messe de dix-huit heures. C'était le soir de Noël et la vieille cathédrale était presque comble.

Il avait pris l'habitude de s'y rendre à la même heure tous les soirs, tandis que les derniers rayons du soleil jouaient sur les anciens remparts et les gargouilles. En temps normal, une multitude de touristes admiraient le monument, appareil photo autour du cou, guide à la main, tandis que des ados circulaient à vélo ou en skate sur le parvis. Ce soir, la place avait été désertée pendant la messe.

Aujourd'hui, Frankenstein avait décidé de ne pas entrer. La profondeur des sentiments de ces chrétiens bravant le froid le fascinait. En effet, après avoir passé quasiment trois semaines à Paris – ville qui avait allumé une minuscule étincelle dans son esprit depuis le début de sa deuxième existence vide – il ne ressentait rien.

Absolument rien.

À son arrivée à Paris, Frankenstein souffrait le martyre. Après avoir été comprimé pendant un jour et demi dans les entrailles du camion, il avait réussi à se carapater incognito pendant que le chauffeur faisait une halte au Marché d'intérêt national, l'immense marché alimentaire dans la banlieue sud de Rungis. Frankenstein avait demandé à un cafetier la direction du centre de la capitale et continué à pied vers le nord. En chemin, la déception l'avait gagné.

Il ne reconnaissait rien.

Bâtiments, rues, panneaux, noms de restaurants… pas le moindre endroit ne déclenchait une réaction dans son cerveau. Était-il réellement venu dans ce pays auparavant ?

Au bord de la Seine, il ne se passa rien alors qu'il attendait une épiphanie, que les serrures dans sa tête se déverrouillent, lui permettent de prendre possession de ses souvenirs.

Pas une seule fois.

Pendant presque trois semaines, il avait erré dans les rues de Paris. Il était aussi désorienté qu'au début, voire plus. Comme le regard insistant des touristes et des Parisiens le mettait mal à l'aise, il se réfugia dans les coins sombres des musées et des églises.

La nuit, il arpentait les rues de Pigalle et du Marais, regardait les groupes hilares qui sortaient des cafés et des bars, les dealers et les prostituées qui effectuaient leurs transactions dans les ruelles étroites.

Frankenstein n'avait pas la moindre idée de ce qu'il allait faire avec cette nouvelle vie. À plusieurs reprises, il voulut y mettre un terme. Depuis un pont au-dessus du fleuve, il avait regardé les eaux sombres en imaginant sa chute par-dessus la rambarde – un instant de panique peut-être, une seconde ou deux dans le vide, puis l'oubli glacial qui lui laverait la gorge et lui emplirait les poumons.

Refusant de voler, trop fier pour mendier, il survécut grâce à la soupe claire offerte par des jeunes gens enthousiastes à côté de la gare du Nord, tous les soirs. Il faisait patiemment la queue derrière des ivrognes, des camés et des malades mentaux, pendant qu'une petite voix au fond de lui lui murmurait de ne pas perdre son temps :

Tu prolonges ta misère. Rien de plus.

Frankenstein se leva du banc, ignorant le regard appuyé des touristes et le doigt pointé de leurs enfants. Il traversa la Seine au niveau de la rue de la Cité, prit à droite puis à gauche la rue Vieille-du-Temple. Il marchait vite, tête baissée, emmitouflé dans son manteau d'occasion mangé par les mites, quand une voix l'interpella à l'autre bout de la rue. L'homme cria un nom qui lui fendit le crâne en deux.

– Henry Victor ?

Comme sur le parking en Allemagne, un barrage céda dans son esprit et un torrent d'informations indéchiffrables se déversa en lui. Il tituba, la tête remplie d'images et de sons perdus de sa vie. Ils étaient embrouillés, abstraits, mais un instant il manqua pleurer. L'homme d'hier n'était peut-être pas égaré pour toujours.

Seulement, ils disparurent aussi rapidement qu'ils étaient venus ; un homme béat se tenait devant lui.

– Henry Victor ! C'est bien toi ?

L'inconnu était grand même si Frankenstein le surplombait. Il portait un costume bleu marine élégamment coupé, une chemise crème au col ouvert. Il avait un visage étroit, des cheveux blonds avec la raie au milieu et il regardait le monstre avec une incrédulité absolue.

– Je vous connais ? demanda Frankenstein, lentement.

L'homme se renfrogna et recula d'un demi-pas.

– C'est moi, Latour ! Je sais que cela fait presque un siècle qu'on ne s'est pas vus… Moi qui me croyais inoubliable !

Frankenstein examina l'homme. Il devait avoir une quarantaine d'années, peut-être moins.

– Un siècle ? Comment est-ce possible ?

Latour plissa les yeux et, pendant un instant, Frankenstein crut voir du rouge au coin de ses yeux, puis plus rien. Très vite, la cordialité réapparut sur son visage.

– Tu ne te souviens pas du tout de moi ?

– Ce ne sont pas vos affaires, mais non, je ne me souviens pas de mon passé avant ces dix dernières semaines, répliqua Frankenstein, légèrement courroucé. Par ailleurs, il est impossible que nous nous soyons rencontrés il y a un siècle de là. C'est totalement ridicule de le suggérer.

– Mon Dieu, marmonna Latour. Tu es sérieux ? Tu ne te rappelles rien ?

Frankenstein ne répondit pas. Il contourna Latour et continua sa route sans un regard en arrière. Mais le type apparut tout à coup devant lui et il s'arrêta.

– Je suis fatigué de…

– S'il te plaît, laisse-moi parler. Tu dois être complètement perdu, mon pauvre. Et pour être honnête avec toi, on dirait que ta chance a tourné. Je me trompe ?

Frankenstein regarda ses vêtements élimés.

– Et alors ? Tu as mieux à me proposer ?

– Je te connais ! s'enflamma Latour. Si tu me dis que tu n'as aucun souvenir, je te crois. Mais c'est la vérité, que tu trouves cela ridicule ou non. Alors, oui, je peux peut-être t'aider.

– Comment ?

Sa voix restait bourrue mais une lueur d'espoir s'était allumée dans son cœur.

Si cet homme m'a connu, il parviendra peut-être à raviver quelques souvenirs…

– Je pense qu'un dîner serait un bon début. On dirait que tu meurs de faim. J'ai une table dans un restaurant à cinq minutes de marche d'ici. Nous mangerons, discuterons et qui sait ? Quelque chose remontera peut-être à la surface ! Sinon, nous nous séparerons en bons amis. C'est Noël après tout. Personne ne devrait rester seul. Qu'en penses-tu ?

Latour avait raison à propos d'une chose : Frankenstein mourait de faim. Latour regarda son compagnon dévorer une épaisse tranche de foie gras et un châteaubriant destiné pour deux et laver le tout avec une bouteille de Château Batailley. Mais il se trompait à propos de l'autre : aucune parole ne suscita la moindre réaction chez le monstre, dont la mémoire semblait inaccessible.

Quelle chance ! Voilà qui est étonnant et remarquable à la fois !

Il parlait de l'été 1923 qu'ils avaient passé ensemble, des endroits et des personnes qu'ils avaient fréquentés. Leurs noms auraient impressionné n'importe qui… au monstre, ils ne disaient rien.

Frankenstein écouta poliment ; comme la frustration se sentait dans la voix de son hôte, il s'excusa pour son incapacité à se rappeler les artistes et écrivains célèbres qui fascinaient Latour, encore maintenant.

Après le repas, ils s'enfoncèrent dans le cœur du Marais. Leur conversation demeurait sympathique, amicale mais stérile, tous deux devaient l'admettre.

Sceptique, Frankenstein voulait bien croire que cet homme l'ait connu : les détails étaient trop précis et imbriqués pour avoir été inventés. Mais cette date à laquelle il se référait sans cesse – 1923 – Frankenstein ne pouvait l'accepter. Quand il avait demandé à son compagnon comment une telle chose était possible, Latour avait répondu :

– Il te faudra le découvrir par toi-même.

Ils traversèrent la place de la République, prirent le boulevard de Magenta tout en discutant banalités : la météo, l'architecture de la ville, les hordes de touristes. Malgré ses doutes, Frankenstein n'était pas pressé de le quitter, puisque rien ne l'attendait.

Alors que les deux hommes passaient devant une ruelle mal éclairée, une voix féminine les interpella :

– Les deux pour soixante.

Latour s'arrêta et regarda Frankenstein avec un air qui lui glaça les sangs, comme habité par une faim vorace. Soudain, Frankenstein voulut fuir cet homme. Il ignorait pourquoi, mais cette impression était claire et forte. Il formulait une excuse quand Latour le prit par le bras et l'entraîna dans la ruelle.

La fille n'avait pas vingt ans, adossée au mur, les bras nus, les jambes osseuses et blanches. Elle fumait une cigarette. Quand les hommes s'approchèrent, elle ouvrit la bouche pour parler mais n'en eut pas l'occasion.

Les yeux de Latour prirent soudain une couleur rouge foncé, presque noire sous la lumière vacillante du lampadaire. Un feu anormal brillait en eux. Une vague de terreur déferla sur Frankenstein qui se figea sur place. Latour se rua sur la fille à une vitesse inhumaine et la souleva par le cou.

Frankenstein n'eut pas le temps de réagir. Latour porta sa gorge pâle à sa bouche et plongea les dents dans la chair. La fille essayait de hurler tandis que le sang jaillissait de son cou, mais Latour serrait trop et seul un gargouillis sortit de sa bouche. Un bruit de succion révoltant s'éleva pendant que l'homme buvait le sang chaud de ses veines et, en moins d'une minute, la tête de la fille bascula sur le côté, les yeux fermés.

Paralysé par une peur absolue, Frankenstein regardait Latour, un sourire horrifiant sur son visage maculé de sang, les yeux de la couleur de l'Enfer. Quand il lui tendit la fille, le colosse manqua s'évanouir.

– Bois ! ordonna Latour. Cela fait trop longtemps, mon vieil ami. Bois. L'homme que tu étais se rappellera peut-être le goût !

Frankenstein fixa la blessure luisante, tandis que le sang ruisselait sur sa poitrine. Il recula en vacillant, les mains levées en signe de protestation horrifiée. Il heurta le mur derrière lui et perdit l'équilibre, glissa sur le sol mouillé, les yeux rivés sur le cou ensanglanté de la petite.

– Non ? s'exclama Latour. Dommage. Vraiment, tes goûts ont changé ces quatre-vingt-dix dernières années.

Il lâcha la fille comme un vulgaire sac puis glissa avec limpidité dans la ruelle avant de tomber lourdement à côté de Frankenstein. Celui-ci était tellement révulsé qu'il se traîna sur le sol loin de lui, tel un bébé.

Latour le rattrapa par le col de son manteau et le souleva.

– Tu crois aller où comme ça ? demanda-t-il sur le ton de la conversation.

Il sortit une cigarette d'un étui en argent de sa poche de veste et l'alluma. Son visage était recouvert du sang de la fille, une lueur rouge brillait dans ses yeux et un sourire malsain tordait ses lèvres.

– Tu n'as nulle part où aller. Tu ne manques à personne. Mais plus important, je suis le seul dans cette ville qui sait qui tu es vraiment. Je suis le seul ami que tu aies.

Puis il bondit sur ses pieds et traversa la ruelle. Il souleva la fille qui respirait à peine et plaça ses mains autour de son cou.

– N… Non, bredouilla Frankenstein, la voix rauque. Je t'en prie, ne la tue pas.

– Pourquoi ? Ce serait encore plus cruel.

Il étrangla la fille, pendant que Frankenstein, les yeux fermés, attendait que cela soit fini.

Quelques secondes plus tard – des secondes qui lui parurent des heures – il sentit des mains sur ses épaules et entrouvrit les yeux. Latour, le regard redevenu normal, le visage à peu près propre, était accroupi devant lui, l'air bienveillant.

– Viens, dit-il en désignant le boulevard de Magenta. Je t'invite chez moi. Mon appartement n'est pas loin d'ici.

Frankenstein secoua doucement la tête, encore choqué par cette cruauté contre nature. Nauséeux, il ressentait un désespoir, une haine de lui-même si puissante qu'elle menaçait de l'engloutir.

Vlan !

Latour venait de le gifler avec force.

– Je ne le répéterai pas.

La gentillesse affichée par son visage avait été remplacée par une joie vicieuse.

– Viens maintenant, tant que tu peux le faire par tes propres moyens.

Il agrippa Frankenstein par les revers de son manteau et l'obligea à se lever. Il passa un bras sous le sien et, comme deux amis se promenant en ville, ils regagnèrent le boulevard. Latour se dirigea vers le nord, Frankenstein le suivant d'un pas mécanique, perdu dans ses pensées, dévasté, piégé dans un cauchemar dont il ne voyait pas la fin.

15

PLUS DURE SERA LA CHUTE

Pendant un instant, personne ne bougea. Kate fixait le sang qui sortait du trou dans son bras. Pour Shaun, c'était l'incompréhension totale. Jamie avait les jambes plombées et, finalement, Larissa fut la première à réagir.

Ses yeux rougeoyèrent malgré elle à la vue et à l'odeur du sang, mais on ne lisait que de l'inquiétude sur son visage. Elle poussa Jamie et Jack pour s'approcher de Kate, ignorant complètement Shaun.

Son geste brisa le charme qui les emprisonnait. Jamie se mit à crier : « Ça va, Kate, ça va ? », Jack prit sa radio et prévint l'hélicoptère qu'ils avaient une urgence sanitaire. Impassible, Angela affichait le visage d'une personne qui avait vu des horreurs que personne n'aurait dû voir. Larissa plaqua sa main sur la blessure et serra avec sa force surhumaine. Kate hurla de douleur. Shaun sortit son pieu et se tourna vers le vampire comateux.

– Non ! lui cria Jack Williams quand il réalisa, trop tard, ce que son équipier allait faire.

Sans broncher, Shaun s'agenouilla et planta son pieu métallique dans la poitrine immobile du vampire. Celui-ci explosa avec un bruit sourd. Puis Shaun se rendit auprès de Kate et demanda à voir les dégâts.

— Recule ! grogna Larissa.

— Tout va bien…, murmura Kate.

— Jamie ! commanda Larissa, les yeux flamboyants. Appelle la Boucle ; il lui faut une transfusion dès son arrivée.

— Je m'en occupe, décida Jack Williams qui recula d'un pas quand Larissa lui montra les crocs.

— Je ne t'ai pas parlé. J'ai demandé à Jamie de s'en occuper. Ton équipe en a déjà assez fait. On se charge d'elle à partir de maintenant.

— Du calme, intervint Angela. Shaun n'a pas…

— Pas de problème, l'interrompit l'intéressé. Elle a raison. Je n'aurais pas dû… C'était idiot.

— Au moins, on est d'accord sur un point, aboya Larissa, en colère.

Jamie la regardait avec de gros yeux ronds quand elle lui lança :

— Ta radio ! Pourquoi dois-je te le répéter ?

Rougissant, Jamie attrapa sa radio d'une main tremblante. Il entra son code, conscient de l'air ravi d'Angela et régla la fréquence des opérateurs.

— NS303, 67-J pour une urgence médicale. Terminé.

La radio grésilla pendant que le message franchissait les divers cryptages et était soumis à la reconnaissance vocale du Service Communication de la Boucle.

— Nature de l'urgence. Terminé.

– Morsure de vampire à l'avant-bras gauche de l'opérateur Kate Randall. Terminé.

– Perte de sang importante ? Terminé.

Jamie jeta un coup d'œil à Kate. Son bras saignait encore mais grâce à la pression exercée par Larissa, seul un filet régulier s'écoulait.

– Négatif, répondit-il. Gros risque d'infection. Terminé.

– Heure d'arrivée prévue ? Terminé.

Jamie s'apprêtait à répondre quand l'hélicoptère noir apparut au-dessus du chantier naval désert. Les prisonniers du cargo poussèrent des cris. Larissa souleva Kate dans ses bras comme si elle ne pesait pas plus lourd qu'une plume.

– Environ trente-cinq minutes. Terminé.

– Compris. On vous attend. Terminé.

Jamie raccrocha sa radio et courut vers ses amis. L'hélicoptère faisait un bruit assourdissant.

– Comment va-t-elle ? hurla-t-il.

– Elle n'a pas perdu beaucoup de sang, lui cria Larissa. Elle ira bien pourvu qu'on la transfuse.

L'hélicoptère se posa avec fracas, la porte coulissa et le copilote apparut, encadré par la lumière verte du cockpit. Il tendit la main vers Kate, mais Larissa l'ignora et s'envola vers lui, son amie dans les bras.

– Montez ! ordonna Jack à son équipe.

Shaun et Angela grimpèrent prestement dans le ventre de l'appareil. Jamie bondit à son tour, ses bottes résonnant sur le sol en métal. Puis il se retourna pour aider Jack Williams à monter à bord. Le pilote fit ronfler les gros moteurs et ils décollèrent avant que Jamie n'ait fermé la porte.

L'hélicoptère fonça vers le sud, rasant la campagne. Kate avait refusé de s'allonger sur une des banquettes, malgré les supplications de Shaun et Larissa. Cette dernière observait les opérateurs avec la même expression qu'une louve protégeant ses petits.

Blême, la main posée sur son bras blessé que Larissa avait bandé dès qu'elles avaient été en sécurité à bord, Kate regardait droit devant elle, dans le vide. Jamie également, la tête appuyée sur le siège derrière lui. En vérité, il observait Shaun Turner.

Toutes les dix secondes, Shaun jetait un coup d'œil à Kate. Ce n'était rien, juste un tremblotement de ses globes oculaires, mais il était régulier comme du papier à musique.

Pour autant que je sache, ils ne se sont jamais rencontrés avant aujourd'hui. Mais quand il s'est agenouillé devant le vampire, elle l'a appelé Shaun et il y avait une pointe d'inquiétude dans sa voix. Ensuite, dès qu'elle a été mordue, il a tué le vampire, alors qu'il était notre seule piste, alors que l'obtention d'informations était notre priorité. Comme si Shaun voulait le punir. Il a également essayé d'écarter Larissa pour s'occuper de Kate.

Jamie ne cria pas « Eurêka ! », aucune ampoule ne s'éclaira au-dessus de sa tête ; il comprit simplement ce qui était évident.

Il y a quelque chose entre eux. Entre Shaun et Kate.

À sa grande surprise, la première émotion que ressentit Jamie fut de la jalousie.

Il n'avait jamais eu le coup de foudre pour Kate, même s'il y avait eu quelque chose de désespéré entre eux sur Lindisfarne, tandis que l'obscurité les encerclait de toutes parts. En vérité, ils avaient peur de la mort avant d'être emportés par l'euphorie de la survie, la joie primaire d'être vivants. Maintenant qu'il y repensait, Jamie était déjà amoureux de Larissa quand ils avaient atterri sur l'île. Il l'était depuis sa visite dans sa cellule aux niveaux inférieurs de la Boucle.

Il avait cru, sans arrogance ni vanité, que les sentiments de Kate pour lui étaient plus compliqués. Larissa le pensait également. Voilà pourquoi ils avaient caché leur relation naissante. Ils ne souhaitaient pas exclure Kate, ils savaient qu'elle pouvait garder un secret – les relations entre opérateurs étaient contre le règlement. Ils ne voulaient simplement pas la blesser. S'ils avaient raison, la révélation de leur secret à Kate aurait été au mieux indélicate, au pis cruelle. Ils comptaient lui donner du temps pour s'intéresser à quelqu'un d'autre avant de lui annoncer la nouvelle en douceur.

Mais apparemment, ils s'étaient inquiétés pour rien. Kate le considérait simplement comme un frère.

Shaun Turner, lui, occupait une autre place dans son cœur.

Jamie repensa à tous leurs mensonges et la colère remplaça la jalousie. Il eut honte quand il vit le sang sur le bras de son amie mais la colère subsista. Pourquoi ne leur avait-elle pas confié ses sentiments pour Shaun ? C'était tout à fait hypocrite de sa part de penser cela ; déçu, il se sentit rejeté : elle ne s'intéressait absolument pas à lui et elle désirait davantage ce type.

Va au diable. On n'a pas besoin de toi et encore moins de lui. Larissa et moi, on sera très bien tout seuls.

Kate le regarda et lui sourit. Elle serrait les dents à cause de la douleur mais on aurait dit qu'elle le rassurait en silence.

La colère de Jamie se volatilisa comme si elle n'avait jamais existé. Il se trompait : il avait besoin d'elle, le Département avait besoin d'elle. Kate était la glace quand Larissa était le feu, elle examinait tout en détail, savait contrôler ses émotions, agissait pour le meilleur, sans l'impulsivité qui caractérisait Larissa ou ce tempérament soupe au lait qui était sa plus grande faiblesse. Sans elle, ils ne seraient pas complets. Depuis leur retour de Lindisfarne, tous trois étaient liés jusqu'à la fin.

Après avoir lu la lettre que Frankenstein lui avait laissée, Jamie avait plongé dans le sommeil le plus profond de sa vie. Il s'était réveillé dix heures plus tard, parce que le commandant avait envoyé quelqu'un le chercher.

Le directeur du Département 19 l'avait débriefé dans son bureau, où il avait bondi de joie quand il lui avait offert de rendre permanente sa position temporaire à Blacklight. Quelle fierté quand Seward lui avait annoncé qu'il était le plus jeune descendant à entrer en service actif ! Il avait immédiatement demandé ce qu'il adviendrait de Kate et Larissa, et son cœur s'était serré en apprenant que la décision leur appartenait, qu'il ne les reverrait peut-être plus jamais. Finalement, les trois jeunes gens furent réunis moins d'une heure plus tard, dans une salle de briefing du niveau 0 de la Boucle.

Ils devaient les liens qui les unissaient à une menace désormais inexistante et, peu à peu, ils apprirent à se connaître. Jamie leur parla de sa mère, avec nervosité d'abord, puis avec passion. Kate les informa que son père faisait partie des survivants du massacre de Lindisfarne et, profitant d'une faveur du commandant Seward, Larissa reçut un rapport sur son jeune frère William qui vivait chez leur mère et travaillait bien à l'école.

Ils échangèrent des banalités sur leur vie, discutèrent de la terrible nuit précédente et confirmèrent leur enrôlement. Au fil du temps, ils devinrent amis.

Et depuis, ils étaient inséparables.

Ils avaient suivi l'entraînement accéléré d'opérateur ensemble, s'étaient encouragés quand les épreuves se compliquaient. Ils sautèrent de joie quand le directeur leur apprit qu'ils allaient former une équipe opérationnelle, fait exceptionnel pour trois agents inexpérimentés.

À son grand embarras, Jamie se vit attribuer le grade de lieutenant ; techniquement, il était le supérieur des deux filles, lesquelles furent ravies pour lui. Il les adorait pour cela et s'assura qu'il n'y avait pas de différence entre eux, pas de hiérarchie. Ils partaient en mission ensemble, nuit après nuit, aux quatre coins de l'Angleterre, répondant à des messages interceptés sur Echelon ou vérifiant des informations fournies par le Service des Renseignements. Ils s'étaient battus et avaient survécu ensemble.

Tous trois savaient qu'en tant que lieutenant Jamie avait accès à des informations confidentielles, situation qu'il détestait peut-être plus qu'elles. Blessé que Kate lui ait caché ses sentiments pour Shaun, Jamie imaginait à présent ce que Kate aurait ressenti s'il avait su pour lui et Larissa.

Une bonne chose qu'elle n'en sache rien !

Une partie de lui (la partie enfantine et méchante qui le décevait sans cesse) voulait tout avouer à Kate, alors qu'elle était au plus mal et que cela la blesserait énormément. Il batailla contre cette envie malsaine. Il fixait la paroi au-dessus de la tête de Shaun en se demandant comment les choses étaient devenues si compliquées, quand le pilote annonça qu'ils amorçaient leur descente sur la Boucle.

Les roues de l'hélicoptère crissèrent sur le tarmac. Shaun ouvrit la porte en grand sans attendre qu'il s'arrête. Lorsqu'il se tourna pour soulever Kate, son regard mit au défi Larissa de l'en empêcher. Les yeux du vampire rougeoyèrent mais elle lâcha le bras de Kate et aida Shaun à l'extraire de l'appareil. Kate grimaça tandis qu'un filet de sang coulait sous son pansement. Soudain, elle fut entourée par un tas de blouses blanches qui la déposèrent en douceur sur une civière avant de l'emporter dans le hangar, hors de leur vue.

Jamie entra dans le hangar dix minutes plus tard.

Loin d'avoir les idées claires, il ne savait plus à quel saint se vouer. Les gens autour de lui voulaient qu'il soit un ami, un leader, un petit ami, un confident, un supérieur de Blacklight... Tous ces rôles semblaient inconciliables, comme si l'on avait écrit un scénario qui le tirerait dans toutes les directions à la fois.

Tandis qu'il traversait le hangar, un officier de permanence l'informa que Jack et son équipe avaient été conduits en salle des opérations pour un débriefing par un responsable de la sécurité. Larissa et lui devaient s'y rendre sur-le-champ.

Un débriefing par le père de Shaun. Super. Pas besoin de parier sur le camp qu'il va choisir.

Jamie hocha la tête, passa la porte à double battant et entra dans le couloir principal du niveau 0. Il passa vite devant la salle des opérations et appela l'ascenseur. Quand les portes s'ouvrirent en silence, il se faufila dans la cage et appuya sur le bouton C.

L'ascenseur ralentit puis s'arrêta. Jamie longea le couloir menant à l'infirmerie. Il ouvrit les grandes portes et entra.

Kate était allongée sur le premier lit à gauche.

Elle avait les yeux fermés et un tuyau épais dans chaque bras. Du sang s'écoulait régulièrement de l'un, disparaissait dans une armoire en métal cylindrique ; il se déversait de manière aussi régulière dans son corps depuis plusieurs poches accrochées à un pied à côté de son lit. Son amie était reliée à un grand chariot rempli de machines bipant avec constance. Un frisson traversa Jamie qui se rappelait la première fois où il avait vu Matt Browning dans cette même pièce.

L'adolescent avait reçu des blessures bien plus graves que celles de Kate et les médecins de Blacklight l'avaient plongé dans le coma pour éviter que son cerveau ne soit endommagé. Il ressemblait à une poupée en plastique. Cette vision avait choqué Jamie, car Matt avait le même âge que lui. Il avait failli mourir parce qu'il se trouvait au mauvais endroit au mauvais moment.

Pendant une seconde, Kate ressembla à Matt.

Quand il s'approcha du lit, les similarités s'envolèrent. Le visage de Kate était juste un peu plus pâle qu'à son habitude, et elle plissait le front alors qu'elle dormait.

– Je peux vous aider ?

Jamie fit volte-face. Un médecin se tenait au pied du lit, un porte-bloc à la main.

– Elle va s'en sortir ? Je suis le responsable de son équipe.

Et son ami.

– C'est en bonne voie. Nous avons pu la transfuser avant le début de la transformation. Elle va se reposer ici les douze prochaines heures, ensuite vous pourrez la récupérer ; elle sera comme neuve.

– Merci, docteur. Cela fait du bien à entendre.

L'homme quitta l'infirmerie pendant que Jamie tirait une chaise et s'installait à côté de Kate. Celle-ci remua.

– Tu m'entends ? Kate ?

Un sourire éclaira son visage mais elle n'ouvrit pas les yeux.

– Shaun, c'est toi ?

Jamie eut un mouvement de recul. Il se leva brusquement et tituba jusqu'à la porte. Derrière lui, Kate répéta le prénom de Shaun sur un ton un peu inquiet, mais Jamie ne se retourna pas. Il sortait en trombe quand il entra en collision avec un des employés administratifs, un jeune homme en costume gris foncé et cravate.

– Regardez où vous allez ! aboya Jamie, plus que satisfait quand l'homme recula, angoissé à la vue de son uniforme et de son armure.

– Lieutenant Carpenter ? demanda-t-il d'une voix chevrotante.

Quand il lut de la peur sur son visage, Jamie eut honte de lui.

Pourquoi passes-tu tes nerfs sur lui, espèce de brute ? Ce n'est pas sa faute !

– Désolé. Oui, je suis le lieutenant Carpenter. Que puis-je faire pour vous ?

– Le commandant Turner m'envoie vous chercher, monsieur. Débriefing en salle des opérations, monsieur.

Jamie jura, remercia l'homme qui s'éloigna, l'air apparemment soulagé. Jamie regagna l'ascenseur dans lequel il essaya de se vider la tête. Dans quelques secondes, il devrait affronter l'inévitable colère de Paul Turner.

Jamie ouvrit la porte et fut aussitôt soulagé. L'amiral Seward se tenait derrière le lutrin, Paul Turner à une distance respectueuse sur le côté. Il savait que le responsable de la sécurité serait pressé de faire remarquer à Jamie son deuxième retard de la journée, mais il ne le ferait pas tant que le directeur se trouverait dans la pièce. Ce serait lui manquer de respect et Paul Turner croyait en la hiérarchie.

Larissa était assise avec les membres de l'équipe F-7. Elle l'interrogea du regard, visiblement inquiète pour Kate. Angela était plus transparente : elle le dévisageait avec un grand sourire amical à l'opposé de l'air dégoûté qu'arbora Shaun. Jack lui sourit quand il s'assit à côté de Larissa.

– Lieutenant Carpenter, le salua l'amiral Seward et tous les regards se posèrent sur Jamie.

– Oui, monsieur.

– Comment va l'opérateur Randall ? Je présume que vous vérifiiez comment elle allait.

Merci, monsieur.

– Oui, monsieur. Elle se rétablit, monsieur. La transfusion est presque terminée et ils prévoient un repos de douze heures pour un rétablissement complet.

Le petit son qu'il attendait sortit de la gorge de Larissa – mélange de deux émotions : soulagement que Kate aille bien et tristesse qu'il soit allé à l'infirmerie sans elle.

– Voilà une très bonne nouvelle, commenta Seward. Comme le fait que les cent vingt-sept prisonniers du cargo récupèrent à l'hôpital de Newcastle. Malheureusement, les bonnes nouvelles se terminent là. La priorité de cette mission était d'apprendre où les otages étaient transportés. Qui veut bien me donner les coordonnées ?

Le directeur examina les cinq opérateurs tour à tour.

– Personne ? Dois-je en conclure que vous êtes tous frappés de timidité paralysante ou que VOUS ÊTES COMPLÈTEMENT PASSÉS À CÔTÉ DE VOTRE OBJECTIF PRINCIPAL ?

– Monsieur, nous…, commença Jack Williams.

– Silence ! rugit Seward. Opérateurs, les temps sont périlleux. Il reste quatre-vingt-dix jours avant l'Heure H. Si ces prisonniers devaient contribuer au rétablissement de Dracula, j'aurais préféré qu'il les vide tous de leur sang et qu'on puisse le localiser. Ai-je été clair ?

Les opérateurs hochèrent la tête comme un seul homme.

– Fantastique, continua Seward dont le courroux fut remplacé par une soudaine lassitude. J'ai demandé à PBS6 à Pékin d'enquêter de leur côté, mais je ne vais pas me tourner les pouces en attendant. Je mets vos deux équipes au repos pendant les prochaines dix-huit heures. À moins que la Boucle ne soit attaquée ou que des vampires ne déclarent la guerre à toute l'humanité, vous n'êtes pas en service. Rompez !

Cinq chaises crissèrent sur le sol quand les opérateurs se levèrent. Le commandant Turner décocha à Jamie un regard disant qu'ils n'en avaient pas terminé tous les deux, mais Jamie l'ignora. Il n'avait qu'une envie : se retrouver seul avec

Larissa dans ses quartiers, lui parler de Kate et Shaun, essayer de trouver le moyen de réparer ce qui s'effondrait entre eux.

Ils s'entassèrent dans l'ascenseur quand il arriva. Jack et Angela se rendaient au mess pour boire un pot avant d'aller se coucher ; Shaun regagnait ses quartiers au niveau D si bien que Jamie et Larissa furent les premiers à sortir de la cage en métal.

— Il faut que je te dise quelque chose ! Tu ne vas pas le croire ! C'est à propos de Kate et de Shaun Turner. J'ai vu…

— Où étais-tu ce matin, Jamie ?

— Pardon ? Je te disais que…

— Je n'ai pas envie de parler de Kate maintenant. J'aimerais savoir pourquoi tu étais en retard au briefing ce matin.

— Je ne peux pas, murmura Jamie. C'est confidentiel.

— Et tu es supercontent, pas vrai ? Le descendant des fondateurs est heureux de savoir plus de choses que les simples opérateurs. Il file en douce à l'infirmerie pour voir sa camarade sans emmener son autre équipière avec lui. Quel héros !

— Eh ! Ça ne tourne pas rond là-haut ! Pourquoi es-tu aussi en colère ?

— Je ne suis pas en colère, Jamie, soupira Larissa. Je sais à présent quelles sont tes priorités. Le Département. Kate. Ensuite, c'est moi ? Ou suis-je encore plus bas dans ta liste ?

Jamie n'en croyait pas ses oreilles. L'attaque était venue de nulle part et il avait le vertige. Il ouvrit la bouche pour lui répondre mais Larissa lui tourna le dos et s'envola vite au bout du long couloir.

16

MAINTENANT ET À TOUT JAMAIS

FORÊT DE TELEFORMAN, PRÈS DE BUCAREST, VALACHIE, 13 DÉCEMBRE 1476

Debout dans la forêt sombre, la créature qui était, jusqu'à récemment, Vlad Tepes, regardait en silence les soldats de son armée en train de brûler.

Le bûcher mugissant des soldats valaches s'élevait au milieu du champ de bataille. Bien qu'assez loin, Vlad distinguait chaque détail, comme si ses yeux avaient été remplacés par ceux d'un aigle. Il entendait également le crépitement de la peau rôtie, grâce à son ouïe nouvellement surdéveloppée.

Il ressentait de la peine pour ces hommes mais aucune culpabilité. Ils étaient morts dans la chaleur et la furie de la bataille, pour leur prince et leur pays. Il n'existait pas manière plus honorable de quitter cette terre. Dans le coin le plus reculé de son cœur par contre, il se sentait coupable vis-à-vis de trois hommes qui méritaient mieux que d'être abandonnés par leur maître, lorsqu'il était devenu clair que la bataille ne serait pas gagnée.

Trois hommes seulement.

Ceux pour lesquels il était revenu sur le champ de bataille.

Il avait beau forcer son nouveau don jusqu'à souffrir de migraine, il ne les entendait pas. Résonnaient encore les hurlements et les gémissements des mourants ; à l'occasion, un cri aigu transperçait l'air frais de la nuit quand un soldat turc achevait les souffrances d'un blessé avec son cimeterre. Au loin pourtant – à quelle distance, il n'aurait su le dire – des voix valaches s'élevaient, apeurées mais vivantes : le reste de son armée en fuite.

Le premier vampire flotta jusqu'à l'orée du bois, émerveillé par la sensation de voler. Il n'était pas en apesanteur ; son corps possédait encore une masse et il bougeait normalement ses membres. Il avait l'impression que l'air s'était épaissi autour de lui, comme si la relation entre l'air et son corps avait changé. Il le poussait, comme il repoussait le sol avec ses pieds. Vlad tendit ses nouveaux muscles, enfin… ses muscles régénérés ou ce qu'il possédait maintenant à la place, et accéléra dans la direction des voix. Il n'avait pas fait cinq mètres qu'une main se referma sur sa cheville et le tira vers le sol.

Vlad s'étala dans l'herbe humide. Une colère noire s'empara de lui. Qui avait osé toucher sa personne ?

Allongé dans l'obscurité à la lisière du bois, un soldat valache au visage pâle et taché de sang séché, au regard clair et fixe, fixait Vlad sans crainte. Il semblait résigné. D'une main, il agrippait la cheville du prince ; de l'autre, il maintenait ses intestins à l'intérieur de son corps. Une entaille béante lui traversait le ventre ; des cordons violets palpitaient et remuaient autour de sa main. Vlad demeura impassible : sur ses ordres, ses soldats avaient infligé des horreurs mille fois pires qu'une éventration. Cependant, il fut fier de ce soldat.

Quel courage. Ses entrailles s'échappent mais il vit encore.

Le soldat chuchota quelque chose que les oreilles surpuissantes de Vlad n'entendirent pourtant pas. Il se pencha vers le blessé et l'encouragea à répéter. Le soldat inspira bruyamment :

– *Démon !*

Et il lui cracha un caillot de sang au visage. Le vampire recula malgré lui. Outré, il s'empara de l'épée du soldat, la leva au-dessus de son épaule et, au moment de se venger, découvrit un regard vide.

Le soldat était mort, la satisfaction gravée sur ses traits pour l'éternité. Lentement, Vlad essuya le sang sur son visage avec le dos de sa main. Il hésita une seconde avant de lécher la tache brune sur sa peau. Il rejeta la tête en arrière alors qu'une vague soudaine d'extase le fit frissonner de la tête aux pieds. Aussitôt, il reprit son envol.

Une dizaine de kilomètres à l'ouest, une colonne hétéroclite de soldats valaches fuyait lentement le champ de bataille.

Ils étaient deux cents peut-être, uniques survivants d'une armée de quatre mille âmes. La plupart étaient blessés : les uns tenaient leur bras en sang contre leur armure, se traînaient sur des jambes abîmées, les autres appuyaient des pansements sur des plaies sanguinolentes. Les rares valides aidaient leurs camarades, les tiraient vers une destination inconnue. À la tête de cette troupe gémissante et titubante, trois hommes marchaient à pas lents côte à côte.

Valeri, l'aîné des frères Rusmanov, se tenait au milieu. Son armure de général était cabossée et entaillée et pour seule blessure, il s'était déboîté l'épaule quand son cheval avait été fauché sous lui. Il avait tué le coupable, un Turc, puis obligé le premier Valache venu à lui remettre la clavicule en place. Elle était retournée dans sa cavité avec un *pop* sonore. Valeri avait grincé des dents puis était reparti au combat sans plus y penser.

À sa gauche avançait un cauchemar vivant. Alexandru Rusmanov marchait à grands pas coulants sur la route poussiéreuse, un large sourire aux lèvres.

Le moindre centimètre de sa peau et de son armure était couvert de sang, celui d'un nombre incalculable de soldats turcs. Il avait le visage carmin, sa folie brillait dans ses yeux écarquillés, sous la fine couche d'humanité qu'Alexandru portait comme un manteau mal taillé. Il était dans son élément sur le champ de bataille, libéré de tout comportement civilisé de rigueur en temps de paix. Liberté pour l'animal qui se tapissait en lui. Il agissait sans quartier, ni pitié.

À la droite de Valeri, l'expression indéchiffrable, marchait le plus jeune des trois généraux de l'armée valache. Valentin Rusmanov avait été épargné lui aussi. Pourtant, il était d'humeur maussade. Il ne partageait ni l'amour viscéral d'Alexandru pour la violence, ni les convictions de Valeri. Celui-ci prétendait entre autres que la mort de milliers de leurs soldats constituait, au pis, un désagrément.

Au contraire, l'annihilation de leur armée l'avait écœuré et attristé. Ils avaient abandonné ces hommes qu'il considérait comme ses amis, qui s'étaient battus avec courage au cours d'une bataille perdue d'avance. C'était une évidence pour Valentin. Aux yeux de Valeri aussi, même si ce dernier ne l'aurait jamais admis.

Valentin fixait le paysage droit devant lui. Apparemment, il regardait dans le vide, mais sous ce calme absolu il était à l'affût de menaces potentielles autour d'eux. Son ouïe fine interceptait de plus en plus de voix chuchotées qui questionnaient les circonstances de cette débâcle. Les soldats ne tarderaient pas à remettre en question leurs supérieurs et en particulier leur prince absent.

Les critiques fusèrent plus tôt que prévu.

– Pourquoi nous a-t-il abandonnés ? s'écria un blessé. Pourquoi fuyons-nous comme des rats au milieu de la nuit, quand nos frères se meurent derrière nous, et notre prince s'est sauvé ? Ce prince qui nous avait promis la victoire.

Alexandru Rusmanov s'avança d'un pas vers l'homme, un air impatient sur son visage zébré de sang. Mais Valeri leva la main et il ne bougea plus. Valeri se posa devant le soldat et le dévisagea, comme s'il s'agissait d'une espèce très intéressante d'insecte.

– Que dis-tu ? C'est un cas de trahison !

– Est-ce trahir que de dire la vérité ? demanda le soldat.

Valeri se rappela qu'il s'appelait Florin.

– Le prince Vlad nous a laissés pour que nous mourions en son nom, continua-t-il. Comment a-t-il pu nous tourner le dos de cette manière ?

Valeri s'efforça de rester calme :

— Si le prince Vlad a quitté le champ de bataille, c'est qu'il avait ses raisons. Toi et tes semblables n'avez pas à spéculer sur son comportement.

— Mes semblables ? s'exclama Florin. Qui sont mes semblables ? Des types bons pour mourir à la pointe d'un cimeterre turc, mais pas assez pour demander où est leur prince quand ils meurent jusqu'au dernier ? Pas assez bons pour...

Il n'aurait jamais l'occasion de finir sa phrase.

Valeri dégaina son épée et plongea la lame dans la gorge de Florin.

Les yeux du soldat gonflèrent tellement que Valeri se demanda une seconde s'ils n'allaient pas tomber de leurs orbites. Florin émit un horrible gargouillis puis agrippa la lame à deux mains. Valeri admira la résilience de cet homme avant d'enfoncer davantage son arme. Les doigts coupés du soldat tombèrent dans la poussière. Quand elle toucha sa colonne vertébrale, il poussa une dernière fois. La moelle épinière céda dans un bruit sec puis la pointe apparut sur sa nuque. Florin roula des yeux, son corps se ramollit. Seule l'épée permettait à l'homme de tenir debout. Valeri la retira, le soldat s'écroula sur le sol, du sang jaillissait du trou dans son cou.

Valeri secoua son épée pour chasser le sang mais ne la rengaina pas. Il la brandit face aux survivants en criant :

— À qui le tour ? L'un de vous veut critiquer le prince ? Toi ? demanda-t-il au premier soldat venu qui recula d'un pas. Toi ? interrogea-t-il son voisin. Bien, conclut-il tout en rengainant son arme. Le débat est clos. Vous êtes des soldats, peu importe que la bataille soit finie ou pas. Souvenez-vous de votre place ou je m'en chargerai. J'ai été clair ?

– Je crois qu'ils ont compris, général, s'exclama une voix derrière Valeri.

Les frères Rusmanov et la masse effrayée et courroucée de soldats se retournèrent en même temps et lâchèrent un cri de surprise.

Serein, Vlad Tepes se tenait au milieu de la route.

L'armure royale de l'ancien prince de Valachie avait disparu. Il ne portait que sa cotte de mailles, sa tunique ondulante, son pantalon et ses bottes de cuir. Un léger sourire éclairait son visage étroit et une lueur rouge semblait briller dans le coin de ses yeux.

Valeri fut le premier à réagir : il tomba sur un genou et inclina la tête.

– Mon seigneur.

Alexandru et Valentin imitèrent aussitôt leur aîné, suivis par les soldats éreintés.

– Levez-vous, mes fidèles sujets, ordonna Vlad. Levez-vous et prêtez-moi attention une dernière fois.

La foule se releva. Inquiet, Valeri fronça les sourcils.

Une dernière fois ?

Vlad marcha entre les frères Rusmanov, leur accordant un bref signe de tête au passage et se posta devant les vestiges de son armée.

– Mes loyaux soldats, je n'aurais pas pu vous demander plus que ce que vous avez donné sur le champ de bataille. Nous avons peut-être perdu cette journée, mais notre honneur est sauf. Vous devez en être fiers.

– Merci, Votre Altesse, lança un soldat qui baissa la tête avec déférence.

Un murmure d'assentiment s'éleva parmi ses camarades.

– Je ne peux vous dire ce que l'avenir réserve à la Valachie et à moi-même, continua Vlad. Par contre, je connais celui de chacun d'entre vous. Votre avenir sera ce que vous en ferez. Je vous libère de vos obligations et je vous souhaite bon vent. Un chapitre se ferme aujourd'hui, messieurs, et un nouveau commence. À partir de maintenant, nos chemins se séparent. Partez et vivez en paix. Vous êtes renvoyés.

Pas un seul soldat ne bougea. La stupéfaction se lisait sur tous les visages. Vlad les fixa un long moment et soudain un rouge flamboyant obscurcit son regard, sa bouche hargneuse se tordit.

– Vous êtes congédiés ! rugit-il. Vous m'avez entendu ? Partez, avant que je ne regrette ma générosité !

Comme aiguillonnés, les hommes s'éparpillèrent en criant et priant. Quelques-uns firent demi-tour quand la majorité se dispersa dans les bois sombres de chaque côté de la route.

– Mon Seigneur, osa Valeri, le visage violacé par l'outrage. Je dois…

– Tais-toi, Valeri, l'interrompit Vlad. Mes amis, aujourd'hui, on m'a accordé un grand cadeau, un don que j'ai l'intention de partager avec vous. Installez le campement et je vous expliquerai ce qu'il en ressort.

– Vous souhaitez vous établir ici, mon seigneur ? demanda Valentin. Au milieu de la route ?

– Ne t'inquiète pas, Valentin. Nul n'approchera sans que je le sache, je te l'assure.

– Très bien. Nous nous occupons des tentes.

Les trois frères allèrent chercher les paquetages abandonnés par les soldats libérés.

– Reste avec moi, Valeri, ordonna le prince Vlad. J'aimerais te parler quelques instants.

– Bien sûr, mon seigneur.

Valeri ne pouvait masquer sa jubilation. Il veillait sur son statut de favori du prince avec une extrême jalousie.

Pendant que Valentin et Alexandru s'affairaient, cachant leur mine renfrognée à leur seigneur, le prince Vlad conduisit Valeri de l'autre côté d'une petite colline. Bientôt, ils furent assez loin pour que les autres ne les entendent pas, près d'un bosquet.

– Avant, je me levais à l'aube, songea Vlad, face au ciel de l'est qui pâlissait. Je considérais chaque nouvelle journée comme un cadeau. Maintenant, l'aurore s'apparente à une malédiction.

– Pourquoi, mon seigneur ? demanda Valeri à voix basse.

– Cela n'a pas d'importance.

– Mon seigneur, nous sommes loin de la fin, chacun d'entre nous. Aujourd'hui, nous avons subi une frustration, rien de plus. En temps voulu, nous restaurerons votre position légitime. Je vous le jure.

Vlad regarda longuement son fidèle serviteur sans comprendre avant d'éclater de rire.

– Tu parles de la bataille ! Du trône de Valachie ! Si tu savais comme ils ont peu d'importance à mes yeux !

– Pardon, mon seigneur ? s'étonna Valeri.

– Tout a si peu d'importance désormais. Je te montrerai. Tu verras comme le monde a changé. Approche-toi de moi.

– Comme il vous plaira, mon seigneur. Que…

Il n'eut pas le temps de finir sa question, son maître l'assaillait. Les yeux de Vlad arboraient une terrible couleur rouge et ses lèvres étaient retroussées, à la limite de la lubricité. Ses mains se refermèrent autour du cou de Valeri et il fit basculer son plus ancien serviteur sur le sol froid. Alors que les doigts de son maître s'enfonçaient dans sa chair, qu'un rouge anormal brillait dans ses yeux, Valeri ne résista pas.

– Est-ce que tu me fais confiance, Valeri ? lui murmura Vlad. Tu as juré de me suivre jusqu'à ta mort. Me suivras-tu au-delà ?

Valeri parvint à prendre une infime respiration. Sa réponse ne nécessita aucune réflexion, malgré la douleur et le trouble.

– Je vous… suivrai… jusqu'au bout du monde… mon seigneur.

Vlad sourit.

– Alors, donne-moi ton bras.

Valeri obtempéra en tremblant. Vlad l'agrippa avec sa main libre et l'aîné des Rusmanov observa son maître sans comprendre. Il ouvrit la bouche où apparurent deux crocs blancs et pointus et lui mordit l'avant-bras. Valeri ressentit une brève douleur quand ils lui transpercèrent la peau. Un filet de sang s'écoula tandis que Vlad fermait les yeux. Valeri perçut une horrible succion qui passa. Son maître rejeta la tête en arrière un long moment puis dévisagea son serviteur. Ses yeux avaient repris leur couleur bleu pâle habituelle.

– C'est fini. Panse ton bras puis rejoins tes frères. Dis-leur que je veux les voir.

Valeri se leva et examina son bras. Il posa la main sur les deux petits points ronds et nets qui saignaient à peine puis regarda son maître, l'air perplexe.

– Mon seigneur, je m'excuse, déclara-t-il d'une voix chevrotante, mais je ne comprends pas.

– Cela n'a pas d'importance, répliqua Vlad. Moi, je comprends. Va chercher Alexandru et Valentin et souviens-toi de tes paroles : jusqu'au bout du monde, mon plus fidèle ami. Jusqu'au bout du monde.

89 JOURS AVANT L'HEURE H

58 JOURS AVANT L'HEURE H

17

LIENS FAMILIAUX

Kate Randall se réveilla sans avoir la moindre idée de l'endroit où elle se trouvait.

Alors qu'elle avait encore les paupières closes, elle savait qu'elle ne connaissait pas les lieux : le matelas sous elle, la sensation des couvertures sur sa peau, l'odeur ambiante étaient différents. Elle ne distinguait aucun son.

Elle ouvrit les yeux et fixa le plafond blanc au-dessus d'elle. Pendant un instant, elle résista à l'envie de lever la tête et de résoudre le mystère. Elle se trouvait probablement à l'intérieur de la Boucle, du moins un bâtiment sécurisé. Puis les événements du chantier naval, temporairement perdus dans le brouillard du réveil et des effets secondaires des sédatifs, lui revinrent à l'esprit et elle comprit qu'elle était à l'infirmerie.

Kate ne s'était rendue qu'une seule fois dans cette grande salle blanche, le lendemain du jour où elle avait accepté de faire partie de Blacklight. Jamie voulait qu'elle voie l'adolescent – *Matt, il s'appelait Matt* – mais la porte était gardée par des opérateurs et ils avaient été obligés de faire demi-tour. Plus tard, ils avaient appris qu'il était sorti du coma mais que sa mémoire avait été effacée. En conséquence, il avait été placé en quarantaine stricte afin qu'il ne sache rien de son environnement et des circonstances de son hospitalisation. Grâce à cette précaution, il avait pu retourner chez lui et reprendre sa vie où il l'avait laissée.

– Comment tu te sens ? lui demanda une voix familière.

Elle tourna la tête. Larissa était assise à côté de son lit, l'air inquiet. Kate lui adressa un sourire qu'elle voulut réconfortant et se redressa contre ses oreillers.

– Pas trop mal, coassa-t-elle.

Elle s'empara du verre d'eau sur la table de chevet, en but la moitié et se sentit aussitôt mieux.

– Je suis contente, commenta Larissa. Tout risque d'infection est écarté. La transfusion a été un succès complet.

Kate hocha la tête. Elle ne savait que répondre : comment dire à Larissa, un vampire et surtout sa meilleure amie, qu'elle était heureuse de ne pas avoir été transformée ?

– Tu as le droit d'être soulagée, intervint Larissa, comme si elle avait lu dans ses pensées. Je ne serai pas vexée.

Kate sourit. Son amie lui prit la main et serra fort.

– J'ai un aveu à te faire, murmura Larissa. Je sais que ce n'est pas le meilleur moment mais j'aurais dû te le dire depuis longtemps. Je vais exploser si je continue de garder ça en moi.

Enfin ! pensa Kate.

– Pas de problème, enchaîna-t-elle sur un ton aussi neutre que possible. Je t'écoute.

– C'est à propos de Jamie, marmonna Larissa, le visage pâle. De Jamie et moi.

– Que se passe-t-il ?

– Nous sortons ensemble, avoua Larissa, l'air malheureux et honteux. Depuis deux mois.

Un plaisir sadique se faufila en Kate.

Enfin ! L'heure est venue de te dire ce que je pense de tous ces mensonges et de tous ces secrets.

– Je sais, commença-t-elle. Je suis au courant depuis le début. Quels idiots vous…

Elle s'interrompit, l'air horrifié.

Larissa pleurait.

Le vampire baissait la tête ; sa poitrine se soulevait et retombait. Des larmes coulaient sur ses joues et s'écrasaient une à une par terre.

La colère que Kate réprimait depuis des semaines se volatilisa. L'envie de sermonner Larissa lui était passée. Son amie avait besoin d'elle, voilà tout ce qui importait.

– Hé ! Tout va bien. Ne pleure pas. Je ne t'en veux pas.

Larissa leva le menton ; elle fixa Kate avec des yeux rouges et brillants.

– Oh ! Non, ça ne va pas !

Kate ne répondit pas ; apparemment, Larissa brûlait de vider son sac.

– Je comprendrais que tu ne veuilles pas m'écouter… mais je n'ai personne d'autre à qui parler. Tu es ma meilleure amie et je…

Elle se tut, fixa le plafond blanc. Ses larmes reflétaient le rouge cramoisi de ses yeux ; on aurait dit des gouttelettes de feu qui coulaient sur ses joues. Elle s'obligea à sourire et reprit :

– J'ai l'impression de le perdre. Je ne suis pas de taille face à cet endroit, à cet horrible uniforme.

Elle tira sur le tissu noir qui lui couvrait les jambes et grimaça.

– Tu as vu comme les gens le regardent, cette sale garce d'Angela Darcy par exemple, parce qu'il s'appelle Carpenter, parce qu'il a anéanti Alexandru ? Je ne peux pas rivaliser avec des vieillards morts depuis un siècle. Comment le pourrais-je quand tout le Département lui répète que c'est son destin ?

– Vous en avez discuté ? demanda Kate. Sait-il ce que tu ressens ?

– Bien sûr que non. Il me répondra qu'il fait son travail, qu'il essaie d'être le meilleur opérateur possible. Mais Kate, je ne pense pas que ce soit dans ma tête. Si je lui demandais de choisir entre cet endroit et moi, je ne crois pas qu'il hésiterait.

– Il ne le fait pas méchamment. Il n'est pas rejeté pour la première fois de sa vie. Ici, il a sa mère, toi, moi, des personnes qui le respectent et l'admirent même. Mets-toi à sa place.

– J'essaie, soupira Larissa dont les yeux reprirent soudain leur belle couleur brune. Mais ça lui plaît. Il aime être au centre de tout, être un descendant des fondateurs. Ce n'est pas lui. L'ancien lui.

Kate résista à l'envie de lui demander à quoi elle s'attendait. Elle le connaissait depuis trois petits mois. L'intensité de leur expérience faisait penser à plus, comme si une vie s'était écoulée.

– Tu dois lui parler. Vous n'êtes pas obligés de vous dis-
puter. Fais-lui simplement comprendre que son comportement te blesse.

– Je sais. Tu as raison. Désolée, Kate, pour ces gamineries.

– Ça va ! Tu n'as pas à être surhumaine à chaque fois.

– Il y a autre chose, lui confia Larissa. Je crois qu'il sait
pour Shaun et toi. Il a abordé le sujet hier soir, avant qu'on ne
se dispute. Il a vu quelque chose dans l'hélicoptère du retour.

– Tu lui as dit qu'il avait raison ?

– Non. Tu m'avais demandé de garder le secret.

Le visage de Larissa se contracta. Le poids des mensonges
et des secrets causait des dégâts chez chacun d'eux.

– J'aurais dû me douter qu'il finirait par tout découvrir,
soupira Kate. J'aurais aimé le lui apprendre moi-même mais
ce qui est fait est fait. Je lui parlerai la prochaine fois que je le
verrai. Quant à toi, tu ferais mieux d'aller le voir maintenant,
avant que la situation ne se dégrade davantage. D'accord ?

Larissa hocha la tête sans grande conviction. Elle avait l'air
malheureuse et épuisée.

– Je vais suivre ton conseil. Tu croises les doigts pour
moi, O.K. ?

Elle sourit à moitié ; Kate lui répondit par un sourire géné-
reux et plein d'amour.

– Toujours.

Jamie Carpenter fermait la porte de ses quartiers et s'enga-
geait dans le couloir quand il aperçut Larissa à l'autre bout.

Son cœur se serra : elle se déplaçait vite, à quelques centimètres du sol, ce qui n'était jamais bon signe. Larissa masquait

ses capacités vampiriques autant que possible à l'intérieur de la Boucle. Certains opérateurs considéraient comme une trahison le fait qu'un vampire porte l'uniforme de Blacklight, peu importe sa contribution sur Lindisfarne. Voler dans le couloir signifiait deux choses : elle était soit nerveuse, soit en colère. Quel que fût son état d'esprit, ce ne serait pas bon pour Jamie.

Larissa se posta devant lui.

— Je suis désolée de m'être comportée ainsi, s'excusa-t-elle. Il faut qu'on parle. Tu ne crois pas ?

Jamie ouvrit sa porte et lui fit signe d'entrer. En flottant, elle alla s'asseoir au bord de son petit lit. Jamie ferma derrière lui et se tourna. Elle était assise de manière bizarre, le dos droit, les genoux rapprochés, les mains sur les côtés.

On dirait qu'elle est venue pour un entretien d'embauche ! remarqua-t-il, assailli par la panique. *Mon Dieu, c'est pire que je le croyais.*

— Tout va bien ? demanda-t-il sur un ton qu'il voulut léger.

Larissa ne répondit pas. Son visage impassible inquiéta Jamie plus que le reste. Le vampire avait de nombreuses qualités, mais être dure à lire n'en faisait pas partie. On savait toujours ce qu'elle pensait et ressentait, ce sur quoi Jamie comptait énormément.

— O.K., marmonna-t-il. Je prends ton silence pour un non.

Il prit une chaise et s'installa devant Larissa. Celle-ci lui annonça une nouvelle qui chassa toutes les molécules d'air de ses poumons.

— J'ai dit à Kate pour nous.

Bien que son ton fût neutre, voire plaisant, Jamie se paralysa sur sa chaise.

– Tu as fait quoi ?

– J'ai dit à Kate pour nous, insista-t-elle. Je ne voulais plus lui mentir. Nous aurions dû lui dire la vérité dès le départ.

Calme-toi calme-toi calme-toi.

– Tu ne voulais plus lui mentir ? répéta-t-il, chaque syllabe aussi lourde qu'un battement de tambour. Tu lui as donc dit qu'on se voyait en secret depuis deux mois. Sans m'en parler auparavant. C'était le mieux à faire, à ton avis ?

Il criait à présent tandis qu'il digérait l'énormité de son aveu.

Kate ne me pardonnera jamais. Jamais. Larissa s'en sortira parce qu'elle l'a annoncé la première. Mais moi…

– Oui, répondit Larissa. Je ne le supportais plus. Ce n'était pas bien, Jamie, tu le sais.

Un instant, quand elle prononça son prénom, le visage de Larissa se radoucit et si Jamie lui avait prêté attention, il aurait vu le désespoir et la douleur sur son beau visage blême. Mais la colère qui envahissait son esprit l'aveuglait.

– Évidemment ! hurla-t-il. Et à ton avis, c'était bien de me faire croire que tu pouvais m'aider à retrouver ma mère ? Elle aurait pu mourir pendant que nous perdions notre temps à chasser tes vampires ! Te l'ai-je déjà reproché ? Non. Je t'ai pardonné et on a continué. Voilà comment tu me remercies ! En agissant dans mon dos, en sabotant mon amitié avec Kate ! Tout ça pour quoi ?

Assise sur son lit, impassible, Larissa avait l'impression que Jamie l'avait poignardée en plein cœur.

Ses mots l'avaient blessée plus qu'il ne l'imaginait. Jamie avait dit la vérité : elle les avait conduits dans le nord de l'Écosse, prétendant être capable de découvrir où Alexandru Rusmanov cachait Marie Carpenter. Elle avait utilisé le désespoir de Jamie, sa façon de la regarder, pour arriver à ses fins, c'est-à-dire se venger de l'homme qui l'avait condamnée à cette vie de vampire.

Oui, elle avait agi de manière cruelle mais elle n'avait pas le choix ! Jamie ne comprenait toujours pas à quel point elle avait eu peur dans sa cellule au niveau de détention. Elle était persuadée qu'on la détruirait à chaque fois qu'elle entendait des bruits de pas dans le long couloir, qu'un opérateur en uniforme noir l'exécuterait sur place avec son T18.

– Je suis désolée, chuchota-t-elle.

Elle voulait que les choses soient claires avec Kate ; ainsi elle aurait pu se consacrer à son propre couple. Jamais Larissa n'avait voulu fâcher Jamie, le pousser dans ses retranchements et l'obliger à mettre Marie sur le tapis. À présent, elle était sans défense. Elle ne pouvait racheter son erreur et ils le savaient tous les deux.

La douleur dans la voix de Larissa ramena Jamie sur terre. Emporté sur des rivages lointains par son caractère soupe au lait, il risquait de dire des choses qu'il ne pensait pas.

– Kate a ses petits secrets elle aussi, déclara-t-il. Il n'y a pas que nous. Shaun et elle nous cachent quelque chose, je t'en mets ma main à couper.

Larissa écarquilla les yeux et Jamie devina ce qu'elle allait dire une milliseconde avant.

Oh ! Non !

– Je sais, répondit-elle.

Jamie s'avachit dans sa chaise, toute envie de se battre avait disparu.

– Comment cela, tu sais ?

– Elle me l'a dit. Il y a un mois environ. Ils sortaient à peine ensemble.

Tant de mensonges, songea Jamie. *Tant de secrets. Je ne sais plus vers qui me tourner, moi.*

– Elle t'a demandé de ne rien me dire ?

Larissa fit oui de la tête.

– Et cela te convenait ? Tu étais contente d'accepter ?

– Cela ne me plaisait pas ! cracha-t-elle, les yeux rougeoyants. Je lui ai menti parce que tu ne voulais pas contrarier la pauvre petite Kate qui était si fragile. Peu importait ce que je ressentais. J'avais l'impression que tu avais honte de moi. Tant que Kate était heureuse et que ta conscience était tranquille, il était inutile de se préoccuper de moi !

Jamie ouvrit la bouche mais aucun mot n'en sortit. Elle avait tort, elle était injuste envers Kate et lui, mais il ne put le lui dire.

Parce qu'au plus profond de lui, il savait qu'elle avait raison.

Il s'apprêtait à s'excuser quand la tablette à leur ceinture s'anima.

G-17/OP_EXT_NP2/LIVE_BRIEFING/HA/IM

Briefing dans le hangar immédiatement. Super. Timing parfait.

Jamie se leva de sa chaise et attendit que Larissa l'imite. Elle ne bougea pas, se contentant de le regarder, le visage quasi translucide.

– On y va.

– Tu es sérieux ? lui demanda-t-elle d'une voix si faible qu'elle manqua lui briser le cœur.

– Nous en reparlerons plus tard. Tu as dit que nous avions besoin de discuter et je suis d'accord avec toi, plus que jamais. Cette situation ne me plaît pas à moi non plus. Mais nous avons un travail à accomplir. Il faut qu'on y aille.

Elle se leva lentement du lit et lui lança un regard plein de tristesse et de manque. Elle traversa la chambre, ouvrit la porte et disparut dans le couloir sans ajouter un mot. Jamie ne réagit pas pendant un long moment. Il cherchait à mettre un nom sur ses sentiments et fut surpris par sa conclusion. Même si cela ne pouvait pas être vrai, il pensait que jamais plus il ne la reverrait.

18

GARDER SES AMIS PRÈS DE SOI

– Jusqu'au bout du monde, dit Dracula. C'est ce que tu m'as dit autrefois. Pourtant, quand mon sang a été répandu par l'Américain et ses amis, tu n'étais pas là. Je suis resté en terre plus d'un siècle avant que tu me ressuscites. J'aimerais entendre ton explication pour ce crime, Valeri. Maintenant !

Valeri hésita. Le sujet de sa mort n'était pas tabou, mais Valeri l'évitait pour une bonne raison.

Il ne s'était jamais pardonné d'avoir failli à son maître.

Lorsque la gorge de Dracula avait été tranchée dans l'air froid de Transylvanie, Valeri se trouvait à Moscou avec Ana. Les relations entre son maître et lui s'étaient détériorées depuis plusieurs mois, depuis que Vlad avait informé les trois frères Rusmanov qu'il avait l'intention de quitter l'Europe de l'Est pour Londres, où il espérait vaincre son ennui et prendre une troisième femme.

Valeri qui croyait aux traditions, dans ces anciennes forêts sombres et ces plaines désertes et sauvages, considéra l'idée obscène. Il trahirait Sofia, la première épouse de Dracula, une femme belle et loyale, qu'appréciait beaucoup Valeri. Sofia s'était jetée du plus haut pic du château de Poenari en 1458. Croyant que les Turcs approchaient, elle préféra mourir que d'être réduite en esclavage.

Quand son maître se remaria en 1461, ce fut un acte de politique pure : Ilina Sziláguy était la cousine du roi Mathias de Hongrie qui, à l'époque, retenait Vlad prisonnier dans la cité de Buda.

Faisant étonnamment preuve de retenue, Valeri avait simplement tourné le dos à son maître sans le moindre reproche et, le lendemain matin, Valeri et son épouse s'étaient rendus à Moscou où ils devaient passer l'été avec un petit groupe d'aristocrates qui considéraient Valeri comme un demi-dieu.

Lorsqu'il apprit la mort de son maître dans le col de Borgo, Valeri contacta ses frères. Valentin s'adonnait à ses vices dans le sud de la France mais il promit de partir immédiatement. Alexandru, comme souvent, était introuvable.

En contrebas du château de Dracula, face aux montagnes de Transylvanie, Valeri et Valentin avaient porté un toast à la mémoire de leur seigneur déchu. Les détails de sa mort étaient peu clairs : les Bohémiens qui l'accompagnaient ne connaissaient que la nationalité des tueurs : un Américain – ils ne cessaient de répéter qu'ils l'avaient tué en essayant de protéger le cercueil de Dracula – et quatre Anglais.

Le mobile du meurtre, au-delà du simple fait que leur maître était un vampire, demeurait inconnu. À l'ombre de l'imposante bâtisse de pierre, les deux frères avaient juré de s'en tenir à la règle imposée par Dracula le jour de leur transformation : ne pas créer de nouveaux vampires, garder ce don entre eux et leurs épouses. Ils se séparèrent en bons termes en se promettant de garder le contact.

Ils se revirent trois fois le siècle suivant.

Pour cela entre autres, Valeri se sentait coupable. Il n'avait pas réussi à récupérer les restes du maître et ne lui avait donc pas donné des funérailles dignes d'un prince de Valachie.

L'épidémie de vampirisme qui avait balayé l'Europe puis le monde au début du XXe siècle en était une autre. Il savait que le jour viendrait où Dracula demanderait des comptes aux Rusmanov, perspective qu'il savourait car il admettrait ses erreurs et subirait la punition adéquate. Il ne réclamerait aucune pitié, il ne mentirait pas à son maître.

– Valeri ? insista Dracula. Je t'ai demandé une explication. Comme cela te semble trop difficile, essayons une question plus simple. Les hommes qui m'ont tué sont-ils encore en vie ?

– Non, maître. Ils sont morts. Il y a plusieurs années.

– Voilà qui me déçoit.

Pendant un long moment, le silence régna dans le bureau de Valeri. Celui-ci attendit patiemment tandis que son maître plongeait dans les profondeurs obscures de sa mémoire.

Même s'il n'avait pas été détruit, Vlad était mort depuis plus d'un siècle. La débâcle de son corps était identique en tout point à celle d'un homme mortel. Ses divers systèmes avaient cessé de fonctionner, sa conscience avait disparu. Seule différence : le virus vampirique qui se tapissait dans les cellules de ses restes, prêtes à se reconstruire si on lui apportait suffisamment de sang.

Finalement, les années passèrent en un clin d'œil. Quand il avait recouvré ses esprits, après que Valeri l'avait ressuscité dans sa chapelle familiale, quand ses souvenirs lui étaient revenus dans un instant de douleur exquise, les dernières choses dont il se rappelait étaient la sensation du couteau kukri de Jonathan Harker qui lui tranchait la gorge comme on coupe du beurre. Et la vue du sang, son précieux sang qui giclait sur le sol gelé de Transylvanie.

Il ignorait ce qui lui était arrivé depuis, combien de temps s'était écoulé. Quand il avait recouvré la parole, grâce à Valeri qui l'approvisionnait tous les jours en sang, il avait demandé son plus fidèle serviteur auprès de lui. La réponse chevrotante de Valeri l'avait estomaqué.

Plus de cent vingt ans sous terre !

C'était inconcevable. Son corps l'avait lâché quand il était entré dans une fureur noire et il avait dû se calmer avant de retourner à la poussière.

Il avait retardé la question dont il mourait d'envie d'avoir la réponse. Il attendit d'être plus fort, proche de ce qu'il était avant. Il avait supporté Valeri et ses descriptions pompeuses et infinies des innovations survenues en son absence. Aujourd'hui, soit trois mois après sa renaissance, il avait convoqué son plus vieil ami et lui avait demandé de s'expliquer.

Valeri déglutit.

– Maître, vous devez comprendre. Comment aurais-je su que vous pouviez être ressuscité ? Je ne l'ai appris que de nombreuses années après et là, c'était trop tard.

– Explique-toi.

– Maître, les hommes qui vous ont pourchassé en 1891 sont retournés à Londres après avoir commis leur crime et ont repris leur vie normale. Quand, l'année suivante, il y a eu une affluence de nouveaux vampires…

– Nous reviendrons sur le sujet plus tard, l'interrompit Dracula d'une voix glaciale.

Un tesson de peur se planta dans la colonne vertébrale de Valeri.

– Je comprends, maître. Comme je le disais, quand de nouveaux vampires sont apparus dans les villes européennes, les quatre hommes que vous aviez rencontrés à Londres ont été chargés par le Premier ministre anglais de former une organisation dédiée à l'éradication de notre espèce. Ils l'ont appelée « le Département de la protection surnaturelle », maître. Aujourd'hui, elle se nomme Département 19.

– Jonathan Harker, marmonna Dracula, le visage pétri de haine. John Seward. Arthur Holmwood. Abraham Van Helsing, le plus détestable de tous. Je me souviens clairement d'eux.

– Et Quincey Morris, maître. L'Américain que vos domestiques ont tué.

– Morris !

Dracula se rappela le visage carré et beau du Texan tandis qu'il plongeait son couteau de chasse dans le cœur de Vlad, son horrible expression de triomphe.

– Ils sont restés quatre pendant plusieurs années, maître. À la fin des années 1890, le valet de Van Helsing, un dénommé Carpenter, a eu la permission de se joindre à eux. Tous les cinq ont détruit beaucoup de vampires, mon seigneur, mais ils n'ont pas pu endiguer le flux de nouveaux arrivants. Jusqu'à la Première Guerre mondiale, quand les choses ont changé.

– Une guerre mondiale, répéta Dracula, soudain intéressé. J'aurais aimé assister à cela.

– C'était merveilleux, maître. Du jamais-vu. Plus de quinze millions d'hommes sont morts en moins de cinq ans. Le monde a saigné, mon seigneur.

Dracula émit un long grognement de plaisir.

– Quincey Harker, continua Valeri, le fils de votre ennemi, a introduit l'aspect militaire dans l'organisation. Ils nous attaquaient de manière systématique. Les nôtres ont eu peur.

– Peur ! se moqua Dracula. D'une poignée de mortels ?

– C'était des bleus, maître. Ils contrôlaient à peine leurs pouvoirs, ils n'avaient aucune connaissance de leurs forces et de leurs faiblesses. Ils ont été détruits par centaines. Aux hommes de Blacklight se sont jointes des organisations similaires créées aux quatre coins du monde.

– Œuvrant ensemble ?

– Pas au début. Mais le fils de Harker les a contactées et des alliances se sont formées, en particulier avec les Russes. Sans équivalent, nous étions mis en déroute. Au début de la Deuxième Guerre mondiale, notre nombre était réduit à quelques centaines. Grâce aux bombes, nous nous sommes relevés. Depuis, nous nous accroissons régulièrement.

Dracula fronça les sourcils.

– Comment possèdes-tu autant d'informations sur ces organisations ?

– Je peux me flatter, mon seigneur, d'en savoir plus sur elles qu'elles-mêmes. Le Département 19, le NS9 américain, le CPS russe, le FTB allemand, le PBS6 chinois, le Brésil, l'Inde, l'Afrique du Sud et les autres.

– Il y en a autant ?

– Oui, maître. Le moindre mètre carré de la planète est sous la juridiction de l'une d'entre elles.

Dracula demeura silencieux, comme en contemplation. Au bout d'un moment, il fit signe à Valeri de poursuivre.

– Le premier agent du Département 19 que j'ai capturé m'a raconté l'historique de l'agence puis, à contrecœur, il m'a indiqué qu'il existait une chance de vous ressusciter. Il a eu accès aux carnets de Van Helsing, dans lesquels il décrivait les expériences cruelles et immorales qu'il avait effectuées sur les nôtres. De la torture sous le prétexte de la science.

Une de ces expériences consistait à régénérer un vampire dont il ne restait que les cendres. Il avait été ressuscité à l'aide d'une grande quantité de sang.

Quand j'ai reçu ces informations, je suis immédiatement retourné chez nous pour récupérer vos restes, maître. Mais ils avaient disparu, comme le corps de Quincey Morris. J'ai ainsi su que vous aviez été enlevé et non dispersé aux quatre vents. Mon espion n'a pas pu vous retrouver, comme tous ceux qui vous ont cherché. Votre cachette était le secret le mieux gardé au monde. Jusqu'à Thomas Morris.

– Un espion ? T'était-il loyal ?

– Non, maître. Il appartenait à feu mon frère. Il n'avait rien à voir avec ma quête de vous ressusciter. Pas au début, du moins. Son travail consistait à renseigner Alexandru sur la famille de l'homme qui avait tué Ilyana, le descendant du valet de Van Helsing, Carpenter. Mais Morris était le premier descendant à servir notre cause et il était haut placé dans l'organisation. Quand Alexandru lui a demandé de se renseigner pour moi, il l'a trouvé en vingt-quatre heures. Quatre-vingts ans que je cherchais !

– Qu'a-t-il trouvé ? s'enthousiasma Dracula.

– Une partie du journal de Van Helsing. Séparée de l'archive principale, dans laquelle il a décrit son expédition jusqu'au col de Borgo pour récupérer vos restes. Il a été trahi par un envoyé du tsar, un certain Ivan Boukharov, qui vous a transporté à Moscou. Sachant cela, il n'y avait qu'un endroit où les Russes pouvaient vous conserver. C'est là que j'ai subtilisé vos restes, maître. La nuit avant votre résurrection.

Valeri ne cachait pas sa fierté au souvenir de l'attaque de la base CPS de Poliarny. Néanmoins, s'il s'attendait à un signe d'approbation ou de gratitude de la part de son maître, il fut déçu. La tête tournée vers la fenêtre, Dracula pensait à autre chose. Au moment où il ouvrait la bouche pour parler, la sonnerie du téléphone de Valeri l'interrompit. Quand celui-ci vit le nom sur l'écran, il éclata de rire et regarda son maître. Dracula fit un signe de tête et Valeri put répondre.

Le vampire se figea quand son interlocuteur parla en premier. Un rouge intense lui colora les yeux ; on aurait dit que ses orbites allaient s'enflammer. Il écouta une bonne minute avant de raccrocher. Après quelques secondes de silence, il poussa un cri de rage si assourdissant qu'il en ébranla les fondations de la maison. Il jeta son téléphone contre le mur où il explosa en un millier de minuscules fragments de métal et de plastique.

– Parle-moi, Valeri, lui ordonna Dracula. Quelle nouvelle te met dans un pareil état ?

– Maître, répondit-il, le visage haineux, la voix à la limite du grognement. Elle vous sera également difficile à entendre.

19

AU CARREFOUR À MINUIT

QUATRE-VINGT-DIX MINUTES PLUS TÔT

– Que dit le briefing ? demanda Jamie.

G-17 se trouvait à bord d'un van du Département 19 qui quittait la Boucle pour le monde au-delà.

– Tu ne l'as pas lu ? s'étonna Kate.

Jamie la regarda longuement ; elle roula des yeux mais répondit :

– Appel d'urgence de la maison de retraite médicalisée Twilight à Nottingham. L'infirmière de nuit a téléphoné pour signaler un cambrioleur au premier étage. A parlé d'yeux rouges et de hululements.

– Et l'endroit en lui-même ?

– Une cantine pour les anciens et les infirmes, un hospice dans une aile, des soins psychiatriques dans une autre.

– Surveillance ? s'enquit Larissa.

– Aucune, répondit Kate. Les infirmières s'en chargent.

– Allons-y vite, décréta Jamie.

Les deux filles se regardèrent en coin mais n'ajoutèrent pas un mot.

L'atmosphère était tendue à l'arrière du fourgon car chacun se retenait d'exprimer ses récriminations. Quand l'équipe arriva à destination, Jamie leur ordonna de vérifier leur tenue et leurs armes.

– On l'a fait avant de partir, répliqua Kate.

Elle avait été renvoyée de l'infirmerie juste avant de partir en mission. Dans le hangar, quand elle avait rejoint Larissa et Jamie, elle avait compris que le plan de Larissa n'avait pas marché. Non contents de se faire la tête, ils semblaient être en colère contre elle aussi.

– Vérifiez à nouveau, ordonna Jamie.

– Après toi, chef, déclara-t-elle avant de sortir ses armes et de vite les passer en revue. Il ne faudrait pas qu'il t'arrive quelque chose là-bas.

Larissa avait superbement retourné la situation. Jamie inspecta ses armes puis sûr que son équipe était prête – physiquement au moins – il ouvrit en grand les portes arrière du van.

– C'est parti.

Les deux filles ne le suivirent pas tout de suite. Cette pause éloquente sous-entendait : *Nous viendrons quand nous serons disposées et non quand tu nous le diras.*

Jamie se mordit la langue. La tête lui tournait : les secrets s'étaient accumulés tellement vite. Et cette rancœur qui avait suivi !

Larissa lui avait menti dès le départ, sur sa vraie personnalité par exemple, la première fois qu'il lui avait parlé dans sa cellule de la Boucle. Le lui avait-il reproché ? L'avait-il punie ou jugée pour ce qu'elle lui avait raconté, même si elle avait mis la vie de sa mère en danger ? Non, il lui avait dit que cela n'avait pas d'importance.

Et Kate ? Quelle hypocrite ! Dire qu'il essayait de la protéger, de ne pas l'exclure de leur groupe. Pendant tout ce temps, elle voyait Shaun, secret qu'elle avait confié à Larissa mais pas à lui.

Merde, quel gâchis.

Jamie claqua la porte derrière lui et rabattit la visière sur son visage, content que personne ne le voie pendant quelque temps.

Kate et Larissa l'imitèrent. Dans la ruelle aux deux extrémités barrées par une bande de Scotch bleu et blanc, deux policiers à l'air nerveux s'approchèrent d'eux. L'appel d'urgence provenait d'un bâtiment en brique rouge surmonté d'un toit en plomb. À côté du grand portail, la plaque en bronze terni indiquait :

MAISON MÉDICALISÉE TWILIGHT
ENTRÉE DE SERVICE

Les deux policiers avaient à peu près le même âge que les opérateurs en noir qu'ils fixaient, mais comment auraient-ils pu le savoir ?

– Euh... Est-ce que vous..., bredouilla le plus petit des deux, aux cheveux si blonds qu'ils paraissaient blancs.

– État des lieux, agent ? demanda Kate à la voix déformée par les filtres audio de son casque.

Le policier recula d'un pas et se tourna vers son collègue, un homme plus grand, le crâne rasé, le regard impuissant.

– Nous avons sécurisé le périmètre, répliqua celui-ci. Personne n'est entré depuis qu'on nous a ordonné de garder notre position.

– Merci, continua Kate. Maintenant reculez et laissez-nous faire notre travail.

Les deux hommes obéirent tandis que Jamie ouvrait le portail en bois. Ses lames en métal crissèrent sur le goudron puis les trois opérateurs s'avancèrent dans la petite cour.

Deux grands chariots remplis de draps et de taies d'oreillers étaient abandonnés à côté de la porte de derrière, non loin d'une palette de fruits en conserve. G-17 gravit les trois marches en béton et entra.

Dans la cuisine industrielle, le sol ainsi que tous les plans de travail étaient recouverts d'une couche de graisse. Deux brûleurs étaient encore allumés sous une grosse marmite. Jamie ferma le gaz et jeta un œil dans le chaudron. Un épais ragoût marron aux ingrédients méconnaissables avait séché et commencé à brûler sur les côtés. L'odeur de viande bon marché et de vieux légumes se posa dans la gorge de Jamie qui recula.

– La voie est libre, annonça Kate.

Elle et Larissa l'attendaient en face, vers la porte à double battant. L'angle de sa tête et la position de ses hanches indiquaient qu'elle s'impatientait.

– La voie est libre, confirma-t-il.

Ils vérifièrent en vitesse les autres pièces du rez-de-chaussée. Désertes. Ce niveau comportait des bureaux et des réserves reliés par de longs couloirs. Seuls le bruit de leurs bottes sur le lino et le grincement des portes dérangeaient le silence absolu.

Jamie et son équipe se rendirent au premier. Sur le palier de l'escalier, en lettres vertes d'un mètre de haut, avaient été tagués deux mots familiers :

IL
ARRIVE

Jamie appuya sur le bouton de sa ceinture qui activait l'appareil photo intégré à son casque.

– C'est dans la boîte. On continue. Nous ne sommes pas venus pour des graffiti.

Au bout d'une seconde ou deux, les filles le suivirent. Tandis qu'ils poussaient la porte donnant sur le premier étage résidentiel, un grognement sourd s'éleva de la gorge de Larissa.

– Quoi ? demanda Jamie.

– Du sang, répondit-elle, la voix épaissie par la faim. Beaucoup de sang.

– Prêt Un, décréta Jamie et tous trois dégainèrent leur T18. Capturez si possible selon la consigne. Détruisez uniquement si nécessaire.

– Compris, répondirent les filles en chœur, toute colère et toute malice envolées.

Un long couloir central courait à gauche et à droite. Une porte fermait chaque extrémité. Devant eux, à la réception, gisait une femme morte.

La terreur se lisait sur ses traits pétrifiés et sa blouse blanche était trempée du sang qui avait coulé de sa blessure au cou. Avachie sur une chaise en plastique, les membres formant des angles impossibles, elle avait été abandonnée là par son assassin quand il en avait eu terminé avec elle.

Kate s'empara de son pistolet laser et passa le visage de la femme aux ultraviolets.

Rien ne se produisit.

– Elle est morte, annonça Kate.

– Je confirme, enchaîna Jamie. On avance.

L'équipe partit à droite et vérifia toutes les portes. Les chambres ressemblaient à de vraies cellules de prison avec un lit métallique au matelas taché, une table et des chaises inconfortables, un lavabo et des toilettes en inox cachés derrière un rideau en loques. Il y avait des barreaux aux fenêtres perchées. Dans certaines chambres, ils aperçurent des cartes d'anniversaire, des dessins, des lettres d'amis.

– Je ne voudrais pas que ma grand-mère finisse ses jours ici ! commenta Kate après avoir inspecté la dernière chambre. Quel endroit atroce !

– Ils t'envoient peut-être là si tu n'as pas les moyens d'aller ailleurs, murmura Jamie. Si personne ne peut s'occuper de toi.

– N'importe quoi, gronda Larissa. Tu mets les gens dans ce genre d'établissement pour les oublier, parce qu'ils sont devenus un fardeau. Personne ne vient ici de son plein gré.

La dernière chambre recelait le même graffiti vert sur l'un des murs nus ainsi qu'un grand arc de sang pulvérisé sur le lit étroit et l'oreiller usé. Son occupant avait disparu.

– Demi-tour, ordonna Jamie.

Dans le couloir à gauche de la réception, ils trouvèrent d'autres cadavres.

Vautrés sur des lits misérables, affalés sur le sol froid en béton, jetés pêle-mêle sur des chaises et des bureaux. Ils avaient tous au moins soixante-dix ans. Le plus âgé, un vieillard desséché au regard perçant, avait probablement plus de cent ans. Ils portaient le même pyjama fin. Certains avaient des lunettes de lecture autour du cou, d'autres un petit poste de radio encore allumé à leur chevet.

Tous avaient subi une violence extrême – os cassés, membres arrachés, chairs abîmées, entrailles à l'air libre. Le sang maculait les chambres nues, son rouge trop vif et morbide sous la lumière implacable des néons. Une seule grâce avait été accordée aux résidents de Twilight, à ces grands-parents surpris par le carnage qui les avait engouffrés.

Une minuscule grâce.

– Ils sont tous morts, conclut Kate après les avoir balayés avec son faisceau. Aucun d'eux n'a été transformé.

Émue, elle parlait à voix basse. Bien que moins sensibles à force d'être quotidiennement confrontés à des horreurs et des effusions de sang, les opérateurs Blacklight ne pouvaient pas se couper de la réalité des choses et rester aveugles devant les tragédies humaines.

– Nous ne pouvons plus rien pour eux, déclara Larissa.

– Exact, répondit Jamie. On continue.

G-17 se rendit au deuxième étage et découvrit le même spectacle : des corps dans leur chambre, des infirmières et des aides-soignants disséminés dans les couloirs...

– Ils étaient au moins six ou sept vampires, calcula Jamie tandis qu'ils grimpaient dans les étages, passaient devant ces deux mêmes mots peints en vert qui se moquaient d'eux.

– D'abord Wallsend, ensuite ici, résuma Larissa. Ce n'est pas bon signe.

– Sans blague ! s'exclama Kate.

Alors qu'ils se rendaient au troisième étage de Twilight, les trois opérateurs n'avaient pas idée à quel point leur amie vampire avait raison.

Derrière la porte à double battant, le bureau des infirmières était désert. Il y avait une flaque de sang sur la table et des gouttes coulaient lentement sur le sol. Ils ne comprirent pas tout de suite d'où il venait car aucun corps n'était en vue.

Le troisième étage n'était pas agencé comme les deux autres. Une aile comprenait le même couloir bordé de chambres ; l'autre n'était qu'une seule grande pièce où les résidents se retrouvaient et dînaient. L'équipe commença par vérifier les chambres les unes après les autres.

Les deux premières étaient vides.

Pas la troisième.

Les yeux de Larissa rougeoyèrent avant que la porte soit totalement ouverte. Ses crocs descendirent tandis qu'un grognement rauque s'élevait de sa gorge. Elle se rua dans la pièce avant Jamie. Il y eut un deuxième grondement, puis un fracas. Quand Jamie et Kate entrèrent à leur tour, moins d'une demi-seconde plus tard, elle plaquait un vampire âgé contre un mur ; ses doigts s'enfonçaient dans son cou.

Le vampire portait un pyjama usé et sa confusion paraissait totale. Il avait les bras ballants, des larmes coulaient sur son visage ridé et il lança un regard suppliant aux deux opérateurs.

– Aidez-moi, je vous en prie.

– Larissa ! cria Jamie. Pose-le.

De son autre main, Larissa releva sa visière violette. Jamie eut un mouvement de recul. Ses yeux flamboyaient, sa bouche était tordue par la furie. Elle fixa Jamie longuement puis jeta le vieux vampire sur son petit lit où il se recroquevilla et marmonna dans sa barbe.

Le jugement obscurci par la colère, Jamie se rua sur Larissa et lui prit les mains.

– Contrôle-toi ! hurla-t-il. On ne doit pas détruire ! Je croyais que tu l'avais compris !

Larissa se dégagea avec une telle force qu'il bascula en avant. Kate le rattrapa avant qu'il ne tombe. Embarrassé, il rougit ; il était content que la visière lui cache le visage.

– Quelle importance ? rugit Larissa. C'est un vampire et nous détruisons les vampires. Ce sont tous des monstres de toute manière !

Elle donna un coup de poing dans le mur qui explosa dans un nuage de plâtre. Puis elle se tourna vers Jamie, haletante.

La vue de ce vieillard en train de pourrir dans cet endroit horrible avait ouvert un tiroir qu'elle gardait soigneusement fermé dans sa tête. En effet, si Jamie, Kate et elle avaient de la chance et survivaient, elle les verrait vieillir et mourir sans elle. Elle sentait doublement le poids de la malédiction que lui avait infligée Grey. Le vieux vampire lui avait rappelé que jamais elle n'aurait une vie normale et, tout à coup, une colère exceptionnelle s'était emparée d'elle.

– Nous ne sommes pas des monstres ? cria-t-elle à Jamie. Nous méritons d'être détruits. C'est ce que pense ta mère. Et toi aussi. Pourquoi ne l'admets-tu pas, espèce de lâche ?

Lentement, Jamie ôta son casque. Blême, il écarquillait les yeux. Il lâcha le casque et s'avança vers Larissa. Elle recula en sifflant fort mais il ne céda pas et la coinça contre le mur. Il lui prit les mains et cette fois-ci, elle se laissa faire. Ses yeux rougeoyaient de manière incontrôlée.

Il l'enlaça malgré sa résistance et elle finit par capituler.

Sur le seuil de la porte, Kate n'était ni furieuse ni jalouse. Elle les enviait et regrettait l'absence de Shaun. Tous trois s'étaient traités sans égards ; il fallait que cela cesse.

Kate alla s'agenouiller à côté du vieillard terrifié.

– Quel est votre nom ? lui demanda-t-elle, visière relevée.

– Ted Ellison, chuchota-t-il.

– Que vous est-il arrivé, Ted ?

– Je… je n'en sais rien. Je dormais, j'ai entendu des cris, quelqu'un est entré et je… je ne sais pas. Je suis désolé.

Jamie et Larissa les rejoignirent. Kate leur demanda une ceinture de rétention.

– Ted, nous ne vous ferons pas de mal. Nous allons vous sortir d'ici et vous conduire en lieu sûr. Mais d'abord, pouvez-vous enfiler ceci ?

Ted regarda la ceinture qu'elle tenait. Bien qu'apeuré, il se redressa. Kate l'aida à enfiler le harnais sur ses épaules et à le clipser sur son cœur. Elle s'empara d'un détonateur cylindrique à sa ceinture et le tourna d'un cran sur la droite. Des lumières rouges apparurent sur les deux objets puis elle rangea le détonateur.

– J'aimerais que vous restiez ici, Ted. Nous reviendrons dès que nous aurons vérifié le reste de l'étage, d'accord ? Nous ne vous laisserons pas ici. Promis.

Le sourire tordu de Ted illumina ses traits ridés.

– Qu'y a-t-il ? lui demanda Kate.

– Vous me rappelez ma petite-fille. Elle aussi me dit toujours ce que je dois faire.

– Attendez-nous ici. Vous la reverrez d'ici peu, avec un peu de chance. D'accord ?

Ted hocha la tête et Kate se releva.

Les membres de G-17 se dévisagèrent. Ils avaient beaucoup à se dire mais le moment était mal choisi. Jamie remit sa visière en place. Les filles l'imitèrent aussitôt.

– Voyons si nous trouvons quelqu'un d'autre…

G-17 vérifia en vitesse toutes les chambres du couloir.

Ils découvrirent des traces de lutte, du sang et, dans une chambre, les restes déchiquetés d'un octogénaire. L'odeur lourde de sang à l'intérieur de cette petite pièce donna la nausée à Kate. Jamie se dépêcha de la ramener dans le couloir et de fermer la porte.

Quand ils parvinrent à la dernière chambre, ils entendirent des cris étouffés à l'intérieur. Jamie entrouvrit, chercha l'interrupteur et entra, suivi de Kate et Larissa. Le lit renversé dans un coin formait un triangle avec les murs. Le matelas rayé le recouvrait. On aurait dit un fort fabriqué par des enfants. Ils s'avancèrent et Larissa écarta le matelas.

En dessous étaient recroquevillés six résidents livides en pyjama. Ils dévisagèrent les trois silhouettes noires sans bouger, sans dire un mot.

Quand Jamie tira le lit, une vieille femme agrippée à un homme – son mari, sans doute – hurla et se cramponna au cadre en métal, comme si la fine grille et les ressorts allaient les protéger du drame subi par les autres pensionnaires.

– Finissez-en ! cracha le mari.

Jamie recula et comprit soudain que son apparence devait effrayer ces survivants déjà terrorisés. Il se dépêcha de relever sa visière.

– Merci mon Dieu ! chuchota une dame cramponnée à sa croix en argent. Merci !

– Ne craignez rien, les rassura Jamie, la voix serrée à la pensée de l'épreuve que ces gens venaient de traverser. Ils sont partis, vous êtes en sécurité avec nous. Promis.

Plusieurs survivants fondirent en larmes. Jamie se retourna vers Kate et Larissa qui avaient également soulevé leur visière. Kate avait la main devant la bouche.

– Des blessés ? s'enquit Jamie. Quelqu'un a besoin d'un médecin ?

Hommes et femmes firent non de la tête.

– Très bien, continua Jamie. Vous pouvez marcher ?

– Oui, sans problème, répondit l'homme qui avait déjà pris la parole.

– O.K. J'aimerais que vous vous rendiez au rez-de-chaussée et que vous sortiez du bâtiment par la porte principale. La police attend à l'extérieur. Ils s'occuperont de vous. D'accord ?

Les résidents acquiescèrent en marmonnant. Jamie aida une femme à se lever. Elle semblait à la fois perplexe et soulagée. Larissa et Kate se penchèrent vers les autres.

Quand tous furent debout, Jamie posa la main sur l'épaule du mari.

– Répondez-moi franchement : pouvez-vous les conduire dehors ?

– Je m'en sens capable.

– Bien. Alors descendez maintenant.

Les survivants sortirent sans demander leur reste.

Fiers d'eux, les membres de G-17 se rendirent dans la salle commune. Bien qu'armés de courage, ils appréhendaient ce qu'ils allaient y trouver.

La grande salle était déserte.

Jamie ouvrit les portes avec le canon de son T18 et l'équipe entra, arme sur l'épaule, prête au pire.

Rien.

Des chaises en plastique étaient rangées autour de tables rondes en métal sur lesquelles étaient posés des jeux d'échecs et de dames, des tasses de thé et des petites assiettes impeccables. Une télévision fonctionnait dans un coin devant des canapés mités disposés en demi-cercle. La lumière blafarde des néons créait l'ambiance malsaine d'un vaste théâtre d'opération.

Les trois coéquipiers se dispersèrent mais ne trouvèrent aucune goutte de sang, aucune trace de violence. Ils se regroupèrent au milieu de la pièce et soulevèrent leur visière.

– Les meurtriers sont partis, constata Jamie. Ils ont dû emmener des résidents avec eux. On n'a plus rien à faire ici.

– Je suis d'accord, enchaîna Kate. On s'en va.

Larissa ouvrait la bouche pour conclure quand ses yeux prirent une couleur rouge foncé tirant sur le noir que Jamie n'avait jamais vue auparavant. Elle tomba à genoux, ses crocs apparurent malgré elle, ses narines s'écartèrent, sa tête partit en arrière et ses yeux fixèrent le plafond.

– Larissa ! cria Jamie qui s'agenouilla à côté d'elle et la prit par les épaules. Que se passe-t-il ?

– Nous… sommes… morts, lâcha-t-elle, prise de convulsions. Il arrive.

– Dracula ? demanda Kate, terrorisée.

– Non…

À cet instant, le plafond explosa et les trois opérateurs furent ensevelis sous une masse de tuyaux et de plâtre.

Larissa fut la première à se relever, avant même que l'épais nuage de poussière ne se disperse. Sa crise était passée et un grognement guttural émergea de sa gorge tandis qu'elle soulevait Jamie et Kate.

– Restez derrière moi ! leur ordonna-t-elle.

– Que se passe-t-il, Larissa ? chuchota Kate.

– Silence, siffla le vampire.

Elle agitait la tête dans tous les sens, comme un animal à l'affût d'une odeur. Tous trois se débarrassèrent de leur casque puisque leurs filtres visuels ne servaient à rien dans ce tourbillon de poussière.

– Là ! murmura Larissa en pointant du doigt.

Deux silhouettes sombres se dégageaient non loin.

– Identifiez-vous ! cria Jamie en braquant son T18 sur le plus grand des deux. Maintenant !

Un rire sincèrement amusé flotta dans l'air. Quand enfin la poussière retomba, les membres de G-17 virent ce qui avait provoqué l'énorme trou au plafond où ils distinguaient quelques étoiles.

– Mon Dieu ! s'exclama Kate.

À moins de quatre mètres devant eux se tenait Valentin Rusmanov.

G-17 reconnut sans hésitation son visage pâle et élégant, celui d'un des trois vampires les plus recherchés au monde, l'un des trois généraux transformés par Dracula en personne quatre cents ans plus tôt. Et ce visage décrochait un sourire chaleureux aux trois opérateurs en noir.

– Si je me fie à vos mines, vous m'avez reconnu. J'en suis flatté, dit-il d'une voix douce et lisse. Cependant, un gentleman se présente toujours. Je suis Valentin Rusmanov et voici mon associé, Lamberton.

Il tendit un bras maigre sous la manche d'un costume bleu marine impeccable. La deuxième silhouette s'avança. Il s'agissait d'un vampire d'une cinquantaine d'années, vêtu d'un smoking tout aussi soigné. Il inclina la tête pour la forme puis se plaça à une distance respectueuse derrière son maître, à côté d'une pile incongrue de valises stylées en cuir foncé.

– Jamie Carpenter, je présume, continua Valentin dont le coin des yeux rougeoya un instant. Je n'ai pas l'honneur de connaître vos coéquipières. Auriez-vous la bonté de nous présenter ?

– Certainement, répondit Jamie sans quitter le vampire des yeux, son cœur battant à toute allure, son cerveau lui criant de gagner du temps. Voici Larissa Kinley et Kate Randall, opérateurs du Département 19.

– Ravi de vous rencontrer, mesdames. C'est avec une joie sincère que je fais enfin votre connaissance, monsieur Carpenter. Vous ressemblez beaucoup à votre grand-père, le saviez-vous ?

Désarmé par ce ton amical, Jamie fronça les sourcils.

– Mon grand-père ?

– John Carpenter. Il avait à peu près votre âge quand je l'ai rencontré pour la première fois. Disons qu'il a été un invité surprise chez moi à New York, il y a moins d'un siècle. Il était très courageux, une qualité que vous avez en commun, me suis-je laissé dire… À moins que l'on m'ait mal informé.

– On peut vérifier ça tout de suite, proposa Larissa. Parce qu'on s'ennuie à mourir, là.

Valentin la fixa un long moment avant d'éclater de rire.

– Ô mon enfant ! Je ne suis pas venu me battre contre vous. Si j'avais voulu votre mort, seriez-vous en train de me parler à cet instant ?

– Que voulez-vous ? demanda Jamie qui fit un pas en avant. Pourquoi êtes-vous ici ? Pourquoi vous en êtes-vous pris à ces pauvres gens ?

Pendant quelques secondes, le vampire ne parut pas comprendre, quand soudain son visage s'éclaira.

– Vous pensez que j'ai attaqué cet endroit ? Mon cher monsieur Carpenter, vous avez une bien piètre opinion de moi. Non, les vampires sont partis il y a vingt minutes. Je peux vous conduire à eux, si vous souhaitez les détruire.

– Pourquoi feriez-vous cela ? s'étonna Jamie. Ce sont vos semblables.

Le visage de Valentin se rembrunit sous le coup de la colère.

– Je n'ai pas de semblables, siffla-t-il avant de sourire à nouveau. Je pensais que cela vous intéresserait. La destruction de vampires est votre activité principale, non ?

– Exactement, intervint Kate.

– Et je suis convaincu que vous le faites très bien. Mais j'ai peur que vous ne soyez pas de taille prochainement. D'où ma présence ici. Sachez que j'apprécie beaucoup cette petite conversation.

– Nous savons quelle épreuve nous attend, cracha Jamie. Nous sommes au courant pour Dracula. D'ailleurs pourquoi n'êtes-vous pas à ses côtés ?

– Parce que j'ai choisi la compagnie des trois charmants jeunes gens que vous êtes.

– Qu'est-ce que vous attendez de nous ?

– Je veux vous aider, tout simplement.

– Arrêtez de tourner autour du pot ! s'emporta Jamie. Que voulez-vous à la fin ?

Le sourire de Valentin se volatilisa.

– Monsieur Carpenter, dans un avenir prochain je n'ai pas l'intention de participer à une guerre qui résultera en la mort de la quasi-totalité des habitants de cette planète. J'aime ma vie et pour être honnête avec vous, j'aime et admire les gens. Ils font preuve d'une telle détermination.

– À quel moment intervenons-nous ? s'enquit Jamie.

– Voici mon marché : je vous aide à vaincre Dracula et mon cher frère. Dès qu'ils seront détruits, vous m'offrez une immunité complète. Votre organisation et ses équivalents me laisseront tranquille à perpétuité. Je veux être libre de mener ma vie actuelle, tant qu'elle durera.

– Jamais, grogna Larissa. Nous ne vous donnerons jamais la permission d'assassiner des innocents.

Valentin lui sourit.

– Crois-moi, fillette, le petit nombre d'âmes dont j'ai besoin pour satisfaire mon appétit n'est rien en comparaison des millions et des millions qui mourront si Dracula entre à nouveau en pleine possession de ses moyens.

– On s'en moque ! s'écria Kate. Ce n'est pas notre politique. Ça ne l'a jamais été.

La force dans sa voix manqua briser le cœur de Jamie.

– Vraiment ? demanda Valentin, la voix aussi ondoyante qu'un serpent. Quelque chose dans le regard de votre ami m'indique le contraire. Me trompé-je, monsieur Carpenter ?

L'estomac de Jamie se serra, quand il réalisa que le vampire avait raison.

Justement il étudiait la question. Si Valentin disait vrai, alors le pouvoir du plus jeune des trois frères équilibrerait la balance. Il imaginait ce qu'il se passerait s'il arrivait à la Boucle en compagnie du troisième plus vieux vampire du monde promettant de les aider à vaincre son maître. Mais surtout, il pensait à Dracula. Il avait vu Alexandru Rusmanov de très près, senti le pouvoir primaire du monstre, telle une force terrible de la nature et son cœur s'affolait à l'idée d'une créature pire encore.

– Jamie ? s'exclama Larissa qui lui saisit l'épaule et le fit pivoter face à elle. Rassure-moi, tu ne réfléchis pas à sa proposition, là ?

Jamie regarda Kate par-dessus son épaule. Elle le fixait avec un air dégoûté, puis il répondit à Larissa :

– Et s'il disait la vérité ? Si nous ne trouvons ni Valeri ni Dracula avant l'Heure H, nous aurons besoin de toute l'aide nécessaire. Il pourrait nous être utile.

– Vous avez raison, monsieur Carpenter. Je pourrais me montrer très utile.

– On ne peut pas lui faire confiance ! s'écria Larissa, la voix suppliante.

– Comme si je ne savais pas ! riposta Jamie. Mais j'ai détruit son frère et il est là devant nous. Et s'il était sincère ?

Derrière lui, les yeux de Valentin rougirent un instant à la mention d'Alexandru.

– Écoute-le, fillette, suggéra le vampire. Il est ton supérieur, non ? Le jeune Seward ne lui a pas donné ce grade pour rien.

Armé de plus de quatre siècles d'expérience en lecture des hommes et des situations, Valentin avait choisi ses mots avec soin et ils eurent l'effet escompté. Quand il mentionna le rang de Jamie, les visages de Kate et Larissa les trahirent. Kate donna l'impression d'avoir goûté un fruit amer et la lumière rouge dans les yeux de Larissa s'affaiblit quand elle relâcha l'épaule de son ami. Jamie vit leur réaction et son cœur se durcit.

Allez en enfer, toutes les deux ! Ce n'est pas ma faute. Je n'ai rien demandé, moi !

– Je le crois, affirma-t-il.

Kate et Larissa ouvrirent la bouche pour protester mais elles n'en eurent pas l'occasion.

– Ça suffit ! hurla-t-il.

Surprises, les filles écarquillèrent les yeux. Jamais il ne leur avait parlé ainsi auparavant et aucune n'y était préparée. Jamie en profita donc.

– Je suis le chef de cette équipe ! Si vous avez des objections, faites-les à la Boucle. Si vous voulez déposer une plainte contre moi, je vous conduirai moi-même dans le bureau de Seward. Mais pour l'instant, FERMEZ-LA ET LAISSEZ-MOI FAIRE MON BOULOT !

Le regard rivé sur elles, boosté par l'adrénaline, il espérait que l'une d'elles le défie.

Elles prirent un air désapprobateur et déçu mais ne dirent rien.

– Valentin Rusmanov, clama-t-il et l'ancien vampire pencha la tête. Vous êtes en état d'arrestation. Vous allez être transporté à la base de commandement du Département 19. Ce n'est pas à moi d'accepter ou de refuser votre offre et j'ignore totalement quelle décision sera prise. Est-ce clair ?

– Parfaitement, répliqua Valentin, un sourire rayonnant sur son beau visage. Je pense être capable de convaincre M. Seward des mérites d'une trêve entre nous.

– Bien. Je doute que nos harnais de rétention aient le moindre effet sur vous, mais je me vois contraint de vous demander à tous les deux de les enfiler, comme preuve de votre bonne foi. Cela vous pose-t-il problème ?

– Pas du tout, monsieur Carpenter, répondit Valentin. Ce sera avec plaisir.

Jamie passa devant son équipe et ses prisonniers dans le couloir. L'adrénaline retombait et il s'en voulait de la manière dont il avait parlé à ses amies. Mais il était trop tard pour revenir en arrière. Il espérait simplement que le trajet du retour les aiderait à comprendre sa décision.

– Kate, l'interpella-t-il au niveau du premier étage. Tu peux aller chercher Ted dans sa chambre ?

Sans le regarder, elle ouvrit la porte et longea le couloir. Elle revint moins d'une minute plus tard. Elle tenait le vieil homme par la main et il la regardait avec un sentiment proche de l'amour.

Il était persuadé qu'elle ne reviendrait pas le chercher...

L'étrange groupe d'humains et de vampires gagna la sortie. Larissa, Valentin et Lamberton flottaient sur le lino. Jamie serrait le détonateur dans sa main. Kate et Ted – qui aurait pu voler mais l'ignorait – descendaient les marches une à une. Valentin et son serviteur parlaient à voix basse tandis que Larissa regardait droit devant elle.

Dans la cour ventée, Ted frissonna et Kate le serra plus fort contre elle. Valentin l'observa avec fascination. Alors qu'il les conduisait jusqu'au fourgon à l'extérieur, Jamie entendit des éclats de voix au bout de la ruelle.

– Casques ! ordonna-t-il aussitôt.

Un policier ventripotent arrivait en courant, suivi des deux officiers auxquels ils avaient parlé un peu plus tôt. Son ventre ballottait de droite et de gauche tandis qu'il avançait d'un pas rapide.

– Arrêtez-vous ! leur cria-t-il de loin.

Quand il rejoignit enfin le groupe disparate, il reprit son souffle, les yeux écarquillés.

– Je ne sais pas qui vous êtes ni pour qui vous travaillez, bande de clowns. Mais jamais de ma vie, quelqu'un n'a osé venir comme ça dans ma ville pour faire sa loi…

Il ne poursuivit pas sa tirade.

Jamie l'attrapa par le col et le plaqua contre le mur. Les deux autres policiers reculèrent tandis que Jamie enfonçait les doigts dans le cou gras du type.

– Parle-moi encore comme ça et je transforme le restant de ta vie en enfer. Pigé ?

Terrifié, le policier gargouilla des paroles incompréhensibles.

– Pigé ? répéta Jamie, furieux derrière sa visière. Hoche la tête si tu comprends…

Soudain, ses pieds ne touchèrent plus le sol. Il lâcha l'homme et fut soulevé dans les airs, impuissant. Il ne voyait pas qui le tenait. Il hurla qu'on le lâche immédiatement et, pendant un moment, rien ne se passa. Puis il descendit lentement.

Dès que ses pieds touchèrent le sol, il fit volte-face et fut choqué de se trouver nez à nez avec la belle Larissa. Elle ne s'était jamais servie de ses forces surnaturelles contre lui, que ce soit le premier jour, dans le parc près du canal à Nottingham ou bien la nuit où sa mère avait été kidnappée.

– Jamie, murmura-t-elle, inquiète. Ce n'est pas toi. Pourquoi agis-tu ainsi ?

À la fois en colère et gêné, Jamie la poussa et rejoignit le fourgon. Il ouvrit les portières, monta et ordonna aux autres d'en faire autant.

Larissa lui lança un regard désespéré avant de le suivre. Kate conduisit Ted dans la même direction tandis que Lamberton prenait son envol. Il fut le deuxième à l'intérieur du véhicule. Il se posa avec grâce sur les sièges moulés et interrogea Jamie du regard.

Celui-ci observait Valentin Rusmanov.

L'ancien vampire examinait le mur de brique à côté du portail en bois, où deux mots familiers avaient été peints en vert. Valentin prit une profonde inspiration, ses yeux virèrent au rouge et il cracha sur le graffiti.

Moins d'une seconde plus tard, il se tournait vers Jamie, l'air de rien.

– Pouvons-nous y aller ? demanda-t-il poliment, flottant à une vingtaine de centimètres du sol.

20

MAÎTRE ET COMMANDANT

Cloué sur place par la panique, Valeri Rusmanov assistait à la destruction de son bureau par Dracula.

Sa colère – une fureur primaire qui bouillonnait si fort qu'autrefois elle avait invoqué une chose sombre et terrible extérieure à notre monde, qui avait condamné des milliers d'innocents à une mort atroce et indécente – s'échappait de ses pores comme un nuage de feu affamé. Il avait posé une seule question après que Valeri lui eut transmis la nouvelle reçue de son informateur dans Blacklight. Son jeune frère Valentin les avait trahis volontairement.

– Ton homme est sûr de lui ? avait demandé Dracula.

Bien qu'il eût le cœur serré par la peur, Valeri lui avait dit la vérité.

– Oui, mon seigneur. À cent pour cent. Valentin s'est allié au Département 19.

Pendant le silence qui s'ensuivit, l'air s'épaissit puis se mit à miroiter. Soudain, Dracula bondit du canapé dans lequel il se remettait depuis trois mois et poussa un hurlement scandalisé qui fit exploser toutes les fenêtres du bureau.

Tel un lion en cage, Dracula lacéra les murs et griffa les boiseries en profondeur. Il arracha le portrait à l'huile des trois frères Rusmanov au-dessus de la cheminée et le réduisit en miettes avant de les jeter avec force contre le mur qui donnait sur le parc.

À présent, il saccageait la bibliothèque de Valeri, telle une tache sombre à peine humaine. Livres, parchemins, documents, cartes… tout fut lacéré par ses ongles endiablés. Les pages explosaient dans l'air avant de retomber en neige.

C'est alors que la porte du bureau s'ouvrit sur Benoît, l'élégant vampire français qui servait Valeri depuis plus de dix ans.

– Mon seigneur ! cria-t-il. Que se passe-t-il ici ? J'ai cru qu'on vous attaquait !

Valeri leva la main et le majordome se tut. Les deux vampires observèrent l'ouragan hargneux qui massacrait les étagères, une fine pluie de sang tombant sur ses pieds vaporeux.

Mon seigneur, songea Valeri. *Cette colère est insoutenable.*

– Maître ! beugla-t-il.

La tornade hurlante s'arrêta pour le regarder. Ses yeux noirs de jais fumaient et brûlaient dans leurs orbites.

– Tu oses m'apostropher ? Comme on appellerait un chien ? Comme je t'apostrophe ? Tes manières se sont dégradées en mon absence, Valeri. Une leçon serait…

Dracula s'arrêta au milieu de sa phrase, il avait le regard étrange. Son cœur tambourinait dans sa poitrine, son visage était couvert de sueur, ses bras et jambes tremblaient de colère. Il bascula en arrière et Valeri eut le temps de voir une goutte de sang briller dans une de ses oreilles, avant qu'une substance rouge foncé et épaisse jaillisse de son nez. Son corps se désagrégea.

Du sang gicla de ses cheveux, coula en rivières sur son visage, comme si on lui avait plaqué une couronne d'épines sur la tête. Du liquide cramoisi apparut sous ses ongles ; des larmes rougeâtres tombèrent en cascade sur ses joues. Sous les yeux horrifiés de Valeri, la peau de son cou fondit, laissant apparaître les tendons, les muscles et le nœud pâle de sa colonne par le trou grandissant. Il s'approcha de Dracula en espérant qu'il ne soit pas trop tard.

Sans prendre une seconde pour s'excuser auprès de son fidèle serviteur, il arracha la tête de Benoît d'un coup sec. Il y eut un pop ! quand elle se détacha de son corps.

Valeri lança le crâne avant de rattraper le corps de son majordome. Le sang jaillissait comme de l'eau sortant d'un tuyau d'arrosage et éclaboussait le plafond. Valeri plongea la main dans la blessure, sentant le sang chaud contre son bras, et attrapa l'artère carotide et la veine jugulaire. Grâce à sa force surhumaine, il souleva Benoît et vola jusqu'à son maître agonisant.

Un de ses yeux manquait, son visage et son cou n'étaient plus qu'un patchwork dégoûtant de lambeaux de peau, de muscles dissous et d'os désintégrés. Une mare de sang s'accumulait à ses pieds. Sa bouche avait beau bouger, Valeri ne comprenait pas ses paroles. Il choisit de les ignorer. Ce que son maître essayait de dire n'avait pas d'importance.

Valeri attrapa la mâchoire de Dracula, à la fois paniqué et révulsé par cette chair qui se désintégrait sous ses doigts. L'unique œil de Dracula parvint à avoir l'air outré par cette intrusion mais, privé de ses forces, il ne put résister. Valeri ouvrit la bouche de son maître tout en réalisant avec un calme horrifié qu'il voyait son bureau par les trous dans son crâne. Puis d'une main, il enfonça le cou de Benoît dans sa bouche et de l'autre, il desserra les veines palpitantes.

Un torrent rugissant de sang se déversa en Dracula. L'effet fut instantané. Son œil manquant se remit en place et tous deux flamboyèrent. La chair se solidifia sous les doigts de Valeri, comme de la cire qui refroidirait. Soudain, la main de son maître se dressa et le repoussa à l'autre bout de la pièce. Dracula enfouit son visage dans le flot de sang et but à longs traits.

Plusieurs minutes s'écoulèrent.

Valeri attendit en silence les ordres de son maître, comme il l'avait toujours fait. Dracula suçait, mordait, mâchonnait le corps sans tête. Le cou et les mains du majordome bleuissaient au fur et à mesure que le sang était aspiré.

Finalement, Dracula se leva et laissa tomber le domestique par terre.

Recouvert d'une épaisse couche de sang, le visage du maître était effrayant. Il bascula la tête en arrière et émit un grognement guttural de plaisir. Il n'avait jamais autant ressemblé au Dracula d'autrefois depuis sa renaissance. L'air se mit à vibrer, comme s'il se trouvait au milieu d'un fort champ électrique. Lentement, il baissa la tête et sourit à Valeri. Puis il se souvint du corps sans tête à ses pieds et le regarda avec curiosité.

La tête de Benoît gisait où Valeri l'avait lancée, dans un coin du bureau. Elle s'était posée droit et semblait observer les événements avec une douleur sincère.

Soudain, Dracula leva un pied et donna un grand coup dans la poitrine du majordome. Il lui fracassa le sternum et lui réduisit le cœur en bouillie. Le corps explosa dans un bruit sourd. Il restait si peu de sang qu'il se replia sur lui-même avant de se désintégrer sous le pied de Dracula.

– Je te dois un domestique, commenta Dracula, l'air ravi. Je m'excuse.

– Ne vous donnez pas cette peine, maître, répondit Valeri, mort d'inquiétude. Les employés vont et viennent…

Dracula regarda ensuite le bureau et sembla remarquer pour la première fois les dégâts qu'il avait provoqués.

– J'ai fait ça ? Je ne me souviens pas.

Le premier vampire du monde marcha lentement dans la pièce, la tête baissée. Il s'assit lourdement et leva les yeux vers Valeri.

– Ce groupe avec lequel ton frère s'est allié, ce sont les descendants des hommes qui m'ont poursuivi ?

– Entre autres, maître. Comme je vous l'ai dit, leur nombre s'est accru de manière significative au fil des années.

– Sais-tu où ils résident ?

– Oui, maître. Je connais l'emplacement de leur quartier général.

– Et tu n'as jamais envisagé de les rayer de la carte ?

– Maître, hésita Valeri. Les agents de Blacklight sont bien armés et bien entraînés. Ils contrôlent un périmètre de cent cinquante kilomètres dans le ciel autour de leur base. Un assaut frontal ne m'a jamais semblé une sage stratégie.

Dracula éclata d'un rire narquois.

– Tu as toujours été un lâche, Valeri ! Tu n'as jamais vraiment eu les tripes pour te battre, contrairement à tes frères. Voilà pourquoi tu t'es toujours occupé de nos défenses. Tu n'as jamais possédé l'audace nécessaire pour une attaque décisive.

– Désolé de vous décevoir, maître, répliqua Valeri, sans ciller.

L'offense se ressentait néanmoins dans sa voix et le visage de Dracula se radoucit quand il la perçut.

– Je suis désolé, mon vieil ami. Tu ne m'as jamais déçu et je ne veux pas que tu penses le contraire. Les batailles que nous avons menées, nous les avons gagnées ensemble. Souviens-t'en toujours.

– Oui, maître, répondit Valeri avec fierté.

– Est-ce que tu te sens le courage d'en livrer une autre ? Réuniras-tu une compagnie des nôtres pour fondre sur ce Blacklight et faire ce qu'il y aura à faire ?

– Oui, maître.

– Apporte-moi leur commandant, vivant. Je veux parler à l'homme qui dit nous chasser. Que personne n'en réchappe, tu m'entends ?

– Et les autres descendants de vos ennemis, mon seigneur ?

– Ils ne sont rien à mes yeux. Les hommes dont je voulais me venger sont tous morts. Tue-les puis fermons ce chapitre malheureux de notre histoire.

– Compris, maître.

Dracula hocha la tête et plissa les yeux.

– Je t'ordonne de tuer ton frère, Valeri. Cela te contrarie-t-il ?

Valeri décocha à son maître un sourire d'une cruauté sadique.

– Pas le moins du monde, maître.

21

LE RETOUR DES HÉROS

Au lieu d'une ambiance triomphale à l'arrière du fourgon noir, l'atmosphère était aussi glaciale et perfide que la surface d'un glacier.

Kate et Larissa étaient assises l'une à côté de l'autre, les bras croisés, le regard fixe. En face d'elles, Jamie regardait délibérément ailleurs. Derrière un écran ultraviolet activé plus par protocole que par effectivité, se trouvaient Valentin Rusmanov, son valet Lamberton et Ted Ellison.

Le domestique semblait assoupi, la tête appuyée contre la paroi du van, les mains croisées devant lui. Il ne faisait aucun doute que Ted dormait, lui. Son menton était tombé sur sa poitrine dès qu'ils avaient quitté la maison médicalisée Twilight. De son côté, Valentin était bien éveillé. Le pied gauche sur son genou droit, l'air satisfait, il contemplait les trois opérateurs.

Ils sont si jeunes, s'émerveilla-t-il. *Ce ne sont que des enfants. Mais le garçon, Jamie, contre lequel les filles sont si en colère, a détruit Alexandru. Comment est-ce possible ?*

Valentin donnait une fête dans son hôtel particulier de New York quand il apprit la mort de son frère.

Assis dans un canapé d'un salon au premier étage, il sirotait un verre de bourbon presque aussi âgé que le bâtiment et fumait du Bliss dans une pipe en cristal. Autour de lui, des hommes, des femmes, des vampires réclamaient son attention, mais il les ignorait tous. Au milieu de la pièce, une petite troupe de théâtre jouait la mort de Jules César – le rôle de l'empereur romain revenant à un homme d'une cinquantaine d'années.

Quand la scène atteignit son apogée et que les vampires enfoncèrent leur poignard dans le ventre de l'homme jusqu'à ce que le sang coule sur le parquet, Valentin applaudit. Les vampires s'inclinèrent puis l'un d'eux mordit le mourant dans le cou. Au bout de quelques minutes, le nouveau vampire était sur ses pieds, les yeux rouges de fierté tandis qu'il recevait les félicitations de son public.

Soudain, Lamberton s'avança discrètement et lui chuchota quelques mots à l'oreille.

Valentin hocha la tête et le conduisit jusqu'à ses appartements privés au septième et dernier étage. Dans le bureau, Lamberton alluma les lampes anciennes puis se posta devant la table de Valentin qui venait de s'installer dans son fauteuil. Son timing était comme toujours impeccable.

– De mauvaises nouvelles, me dis-tu ? commença-t-il tout en s'emparant d'une carafe en cristal.

– Oui, monsieur, j'en ai bien peur.

– Annonce ! Je doute qu'elles seront meilleures si j'attends davantage.

– *C'est votre frère, monsieur. Alexandru. Je crains qu'il ne soit décédé.*

La main de Valentin se figea bien avant ses lèvres. Cinq secondes plus tard, il parvenait à vider son verre.

– *Vraiment ? Ta source est-elle fiable ?*

– *Oui, monsieur. J'ai demandé confirmation avant de vous déranger, monsieur, et chose regrettable, plusieurs de vos connaissances les plus fiables ont corroboré. Je suis vraiment désolé, monsieur.*

– *Merci. Sais-tu ce qui est arrivé ?*

– *Les détails ne sont pas très clairs, monsieur. Apparemment, il a été détruit par le fils de Julian Carpenter, en représailles au kidnapping de sa mère. C'est tout ce que nous savons pour l'instant.*

– *Un Carpenter... Cela ne me surprend pas. Il rêvait de venger la mort d'Ilyana ; je lui avais pourtant dit que son obsession était dangereuse. Je n'ai jamais compris pourquoi les nôtres aimaient provoquer Blacklight. Ce ne sont peut-être que des insectes, mais ceux-là piquent.*

– *Exactement, monsieur.*

Valentin prit un deuxième verre et versa du bourbon dans les deux.

– *Trinquons à mon frère déchu, Lamberton. Je suppose qu'il le mérite.*

Lamberton s'avança sans un bruit et accepta le verre.

– *Merci, monsieur. À Alexandru Rusmanov qui a vécu exactement comme il lui plaisait.*

Valentin éclata de rire.

– *Parfait ! À mon frère ! Noroc !*

– Noroc ! *répéta Lamberton et les deux vampires vidèrent leur verre.*

Assis à l'arrière du fourgon, séparé des trois jeunes membres du Département 19 par ce ridicule rideau ultraviolet, Valentin ressentit une émotion inattendue.

Malgré toutes leurs différences, Alexandru demeurait son frère ; le sang qui coulait dans leurs veines était le même. Voilà pourquoi il était parti à la recherche de Jamie Carpenter, avait décidé de faire son offre à lui plutôt qu'à Henry Seward, l'actuel directeur de Blacklight. Il avait eu besoin de voir le garçon qui avait détruit son aîné. Là, à quelques mètres de lui, il n'éprouvait ni colère ni chagrin, il ne désirait pas se venger. Non, il ressentait une sorte d'admiration.

Le courage qu'il a dû lui falloir pour affronter mon frère et ne pas faillir. Je ne l'imagine simplement pas. J'y aurais réfléchi à deux fois si la situation s'était présentée.

Ce n'était pas l'âge ou la force d'Alexandru qui mettait Valentin mal à l'aise mais cette violence, cette folie qui brûlait dans le cœur du deuxième Rusmanov.

L'homme possédait une once d'humanité qui apparaissait rarement et toujours au hasard. Le vampire, lui, était consumé par ce feu. Son sadisme, son imprévisibilité, son désintérêt absolu pour la vie – y compris la sienne – faisaient de lui une vraie force de la nature. Il sillonnait le monde tel un ouragan, distribuant mort, douleur et malheur, ne laissant que dévastation derrière lui.

Valentin avait rompu le contact depuis des dizaines d'années. Ils s'étaient parlé peu après la mort d'Ilyana en Hongrie quand le chagrin avait temporairement remplacé la folie et, à ce moment-là, seul comptait le jour où il se vengerait de Julian Carpenter et de sa famille.

Il avait aussi coupé les ponts sans regret avec Valeri. En effet, Valentin détestait celui-ci depuis leur plus jeune enfance et quatre siècles n'avaient rien changé à sa haine. Par contre, Alexandru et lui étaient proches comme deux frères peuvent l'être.

Cette admiration grandissante pour Jamie lui confirma ce qu'il soupçonnait depuis longtemps : ses sentiments pour son frère – autrefois, il aurait tué pour lui, sans peine ni hésitation – s'étaient éteints.

– Pourquoi me fixez-vous ? demanda Jamie, par curiosité et non par agacement.

Valentin sortit de ses souvenirs et sourit à l'adolescent.

– Tu as détruit mon frère, lui répondit-il sur un ton amical.

Son sourire s'élargit quand Jamie retint son souffle.

– Je me demandais comment une telle chose avait pu se produire. Les ragots sont une commodité très appréciée dans mon monde mais les détails n'ont jamais atteint mes oreilles…

Jamie réfléchit quelques instants tandis qu'une lueur d'inquiétude passa entre Kate et Larissa.

Finalement, Jamie décida de lui raconter la vérité. Ses amis et lui avaient combattu les acolytes d'Alexandru aussi longtemps que possible, mais ils avaient été vaincus et il s'était retrouvé seul face à Alexandru. Tous deux savaient que Jamie ne pouvait le blesser avec ses armes.

Avec son MP5, il avait criblé la base d'une immense croix située derrière Alexandru puis fait semblant de le rater avec son

T18 alors qu'il visait le centre de la croix. Enfin, il avait utilisé le mécanisme du T18 pour la faire basculer sur Alexandru et en avait profité pour planter son pieu dans son cœur.

Quand l'adolescent eut terminé, Valentin joignit les mains en un applaudissement silencieux.

– Tu es le petit-fils de ton grand-père, Jamie Carpenter ! Il aurait été fier de cette ingénieuse idée. Il était le genre d'homme à venir chez moi, le corps couvert d'explosifs. Il avait menacé de nous détruire si je ne lui permettais pas de partir indemne avec son ami.

– Mon grand-père a fait ça ! Pourquoi ?

– Cela remonte à longtemps. Ton organisation lui avait donné l'ordre de détruire un vampire qui se trouvait à une fête du Nouvel An que je donnais. Quand nous avons découvert la présence de John et celle de son monstrueux ami, nous les avons démasqués. Nous réfléchissions à leur sort quand il a sorti cet atout de sa manche.

Le sang de Jamie se glaça dans ses veines.

– Son monstrueux ami ?

– Devine…

– Frankenstein.

– Je me trompe peut-être mais je crois que cette date marque le début de leur amitié. À mon avis, ils ne se connaissaient pas avant.

– En quelle année était-ce ?

– 1928.

Il y a plus de quatre-vingts ans ! Il a protégé ma famille pendant huit décennies jusqu'à ce qu'il meure par ma faute.

Le fourgon ralentit, le portail s'ouvrit en ronronnant. Tandis que le van entrait doucement dans le tunnel d'autorisation, il ne cessait de penser à Frankenstein, de ressasser cette suite d'événements qui avait mené à sa mort. Dire qu'il avait été assez stupide pour croire Thomas Morris et pas celui qui avait consacré sa vie à la famille Carpenter.

Valentin observait la douleur qui changeait les traits de l'adolescent. Ne sachant pas pourquoi la mention du monstre provoquait chez lui une telle angoisse, il décida de mener une petite enquête.

– Mettez votre véhicule au point mort.

La voix artificielle tonitruante réveilla Lamberton qui regarda les trois opérateurs avec un certain désintérêt. Ted continua sa sieste ; de la salive coulait sur son pyjama. Le tapis roulant fit avancer le fourgon.

– Nom et désignation de tous les passagers, ordonna la voix artificielle.

– Carpenter, Jamie. NS303, 67-J.

– Kinley, Larissa. NS303, 77-J.

– Randall, Kate. NS303, 78-J.

Longue pause.

– Des formes de vie surnaturelles ont été détectées à bord de ce véhicule, annonça la voix. Code d'autorisation s'il vous plaît.

– Formes de vie surnaturelles présentes sous l'autorité de Carpenter, Jamie. NS303, 67-J. Je demande une équipe complète du bloc de confinement ainsi que la présence du directeur et de l'officier chargé de la sécurité à notre arrivée.

Il y eut un long silence puis la voix de l'amiral Seward résonna dans les haut-parleurs entourant le fourgon.

– Jamie ? demanda-t-il sur un ton agacé. Que se passe-t-il ? Pourquoi ne pas avoir donné le code Lazarus ? Que ramenez-vous ?

– Faites-moi confiance, monsieur. Vous ne me croirez pas si je vous le dis. Mais je vous recommande chaudement de nous rejoindre dans le hangar, monsieur. Vous regretteriez d'avoir raté ça.

Le fourgon demeura immobile quelques minutes, le temps que le directeur rassemble un comité d'accueil dans le hangar. Finalement, le tapis roulant les fit glisser vers l'avant et leur moteur s'anima.

– Nous approchons du hangar, les informa le chauffeur à la voix métallique.

– Que le spectacle commence ! déclara Valentin tout en ajustant sa cravate bleu marine.

Le van s'arrêta. Larissa posa la main sur la poignée et lança un regard peiné à Jamie.

– On peut encore faire demi-tour.

– Ouvre cette portière, lui ordonna Jamie.

Les yeux rouges, le vampire abaissa la poignée et arracha la porte de ses gonds. Elle tomba sur le sol en béton du hangar aux pieds d'un médecin qui recula d'un bond. Jamie jeta un coup d'œil à l'extérieur et son cœur s'arrêta de battre dans sa poitrine.

Tous les éléments opérationnels actifs du Département 19 le dévisageaient en silence.

Plus de cent hommes et femmes étaient réunis en demi-cercle. Parmi eux se trouvaient des membres du personnel technique et médical, leurs blouses blanches se démarquant parmi les uniformes noirs. Nombre d'opérateurs avaient dégainé leur T18. À l'avant de cette masse silencieuse, patientait Henry Seward, flanqué de Paul Turner et de Cal Holmwood. Une équipe d'opérateurs à la visière baissée visait le fourgon. Derrière eux, un agent tenait des harnais de rétention.

Jamie prit une profonde inspiration et éteignit l'écran à ultraviolets. En silence, Larissa, Kate et Jamie descendirent par les portes abîmées du fourgon.

– Que se passe-t-il, lieutenant Carpenter ? gronda Seward. Votre équipe a attrapé le yéti ou quoi ?

Valentin remua avant que Jamie ait pu prononcer la première syllabe. En moins de temps qu'il ne le fallait à un opérateur pour cligner des yeux, il s'était levé et posté dans l'encadrement de la porte, comme téléporté.

– Valentin Rusmanov ! se présenta-t-il. Quel plaisir de vous rencontrer tous autant que vous êtes !

Pendant un instant, il ne se passa rien.

La mâchoire de l'amiral Seward pendit tandis qu'une centaine d'inspirations résonna dans le hangar. Même Paul Turner haussa un sourcil – signe d'une énorme surprise chez cet homme généralement stoïque. Et puis soudain, comme si on avait appuyé sur un interrupteur, tout le monde bougea.

Un opérateur à l'avant épaula son T18 et appuya sur la détente.

– Non ! hurla Jamie, trop tard.

Le projectile se rua vers le cœur de Valentin qui tourna la tête. Ses yeux prirent une couleur noire cauchemardesque, il tendit la main et attrapa le pieu en métal en plein vol, aussi facilement qu'une balle de base-ball. Les yeux revenus à la normale, il examina le projectile dans sa main.

– Ce n'est pas une manière très polie d'accueillir un invité.

Il jeta le pieu dans le noir, par-delà la piste. Le câble métallique attaché à l'arme se déroula en sifflant et finit par se tendre. Il y eut un cri de douleur parmi la foule quand l'opérateur à l'origine du tir bascula en avant et s'étala par terre, son arme lui échappant des mains et disparaissant dans la nuit.

– Il est ici de son plein gré ! cria Jamie. Ne tirez pas !

Un grondement mécontent parcourut la foule. Les T18 remuèrent dans le soir froid. Les doigts gantés demeurèrent sur la détente mais les opérateurs obéirent… pour l'instant.

Valentin descendit du fourgon en volant, un large sourire aux lèvres. Ses talons cliquetèrent sur le béton tandis qu'il se rendait auprès de l'amiral Seward.

– Henry Seward, je présume.

– Lui-même, répliqua le directeur, le regard rivé dans le sien.

– Quelle joie de vous rencontrer. Directeur Seward, mon associé et moi demandons formellement l'asile parmi les braves gens du Département 19. Je possède des informations qui, je le pense, vous seront utiles et je vous propose mes services en prévision du combat contre mon frère et son maître.

– Valentin Rusmanov, répliqua Seward, j'accepte votre demande d'asile en attendant la confirmation de la valeur des renseignements promis. Vous serez placés en détention préventive pendant ce laps de temps. Est-ce clair ?

– Certainement, mon cher directeur. Nous commençons dès que vous êtes prêts. Si vous aviez l'amabilité de montrer nos chambres à Lamberton et de m'apporter une cafetière pleine, je vous dirai avec plaisir tout ce que vous voudrez savoir.

Dans le bureau de l'amiral Seward, Jamie attendait que le directeur ait terminé sa conversation téléphonique avec le Premier ministre.

L'arrivée de Valentin faisait bourdonner la Boucle. Jamie et ses coéquipières avaient été assaillis de questions dans le hangar et l'on regardait Jamie avec un respect mêlé de soupçon.

Il n'existait que quatre vampires de niveau prioritaire A1. Dracula et les trois frères Rusmanov. Jamie en avait détruit un et le deuxième s'était fait un point d'honneur de se rendre à lui uniquement. On chuchotait à nouveau son nom dans les couloirs de la Boucle et les compliments ne fusaient pas forcément.

Pendant que Valentin et son valet traversaient le hangar d'un pas nonchalant, escortés par trois équipes d'opérateurs à l'affût du moindre mouvement louche, l'amiral Seward avait convoqué Jamie dans son bureau pour un débriefing dix minutes plus tard. Seule sa présence était requise.

L'amiral Seward raccrocha puis regarda Jamie avec incompréhension.

— Encore toi ! Pourquoi ce genre de chose n'arrive à personne d'autre ?

— Question de chance, monsieur.

— Tu ne crois pas plus à la chance que moi. Dis-moi la vérité. Pourquoi Valentin Rusmanov t'a-t-il choisi à ton avis ?

— Honnêtement, monsieur, je ne sais pas pourquoi il s'est rendu à moi. Quand je l'ai vu, j'ai cru qu'il était venu me tuer pour avoir détruit Alexandru. Puis il a mentionné mon grand-père. Ils se seraient rencontrés par le passé...

— Voilà qui expliquerait bien des choses. John, ton grand-père, était officiellement à la retraite quand j'ai intégré le Département 19 en 1981, mais il traînait très souvent ici. Il parlait de Valentin avec un respect parcimonieux. Il le considérait sans doute comme un adversaire à sa taille.

— Peut-être, monsieur. Mon grand-père a dû l'impressionner d'une manière ou d'une autre.

— Tu aurais aimé John, continua Seward sur un ton nostalgique. Tout le monde l'appréciait. Dommage que tu ne l'aies jamais rencontré. Il aurait été incroyablement fier de toi.

Une boule se forma dans la gorge de Jamie.

— Merci, monsieur. J'aime penser que c'est vrai. Hum... Qui va mener l'interrogatoire de Valentin ?

— Le commandant Turner.

— Bonne nouvelle. Monsieur, j'ai besoin de sommeil. Vous permettez ?

— Bien entendu. Je te conseille de bien te reposer. L'interrogatoire est prévu demain matin à huit heures. Tous les membres de la force spéciale Heure H doivent y assister. Essaye de ne pas arriver en retard.

Jamie se renfrogna.

— Monsieur, combien de temps pensez-vous que l'interrogatoire prendra ?

Seward éclata de rire.

— Combien de temps faudra-t-il à Valentin Rusmanov pour nous raconter tout ce que nous ignorons, tu veux dire ? Ne compte pas partir en mission jusqu'à nouvel ordre.

Dans le couloir à l'extérieur des quartiers du directeur, Jamie sentit une forte migraine arriver.

L'excitation d'avoir emmené Valentin à la Boucle s'estompait, laissant derrière elle un malaise poisseux et amer. Jamais il n'avait parlé sur ce ton à Larissa et à Kate. Ce qui semblait brisé entre eux serait-il réparable ?

Soudain, il fut accablé par le chagrin. Si seulement il pouvait se confier à Frankenstein. Ses conseils n'étaient pas faciles à entendre, mais ses intentions étaient sincères.

Il était le seul à soutenir Jamie.

Puis l'image nerveuse et honnête de sa mère surgit dans son esprit et la culpabilité remplaça le chagrin.

J'oublie parfois qu'elle vit en bas.

Il se précipita dans l'ascenseur au bout du couloir et appuya sur le bouton du niveau H. Malgré tout ce qu'on attendait de lui, il demeurait un adolescent qui avait parfois besoin de sa mère.

22

THÉORIE DU COMPLOT

Matt Browning avait la main sur la poignée de l'entrée quand son père l'appela depuis le salon. Il le maudit en silence, lâcha son sac à dos et alla voir ce qu'il voulait.

Sa mère et sa sœur rendaient visite aux grands-parents de Matt à Grantham, laissant les hommes de la famille seuls ce week-end. Lynne Browning avait beaucoup hésité à abandonner son fils quarante-huit longues heures avant de se rendre en taxi à la gare.

– Oui, Pa' ? dit-il avec le plus de désinvolture possible.

Il lui avait fallu la journée pour mettre au point un plan. Si son père le retardait davantage, il risquait de faire marche arrière.

– Tout va bien, mon fils ? demanda Greg, assis dans son fauteuil devant la télé.

Auparavant, en l'absence de sa femme, il aurait été entouré d'une montagne de canettes de bière vides et de sacs froissés de plats à emporter. Le sol net faisait partie des petites choses qui avaient changé depuis le retour de Matt.

– Ça va. Et toi ?

– Tu sors ?

– Je vais chez Jeff. On travaille sur un projet. Ça ne te dérange pas ?

– Du tout.

On aurait dit que son père voulait ajouter quelque chose mais il se contenta de sourire à son fils.

– Amuse-toi bien. Ne rentre pas trop tard, d'accord ?

– Promis.

Soulagé, Matt sortit du salon, enfila son sac à dos pour la deuxième fois, jeta un dernier coup d'œil à la maison dans laquelle il avait passé toute sa vie puis sortit.

Jeff, qui jouait au foot dans le parc au bout de la rue, n'aurait rien trouvé d'utile dans son sac. Celui-ci contenait deux sandwichs qu'il avait achetés sur le chemin de l'école, une bouteille d'eau et un pieu en bois qu'il avait taillé dans la salle de technologie pendant le déjeuner.

Il doutait que ce bout de bois soit une arme efficace s'il rencontrait un vampire, lui qui évitait autant que possible de se battre avec ses camarades de classe. Mais cela le rassurait de le savoir dans son sac à dos.

Matt ferma le portillon puis prit à droite. Derrière lui, on criait, on sifflait dans le parc, le lieu parfait où fumer et boire du cidre et du vin bon marché. Cet univers rempli de pièges, de malhonnêteté et d'hypocrisie ne l'avait jamais vraiment intéressé. Depuis qu'il s'était réveillé à l'infirmerie, il lui avait complètement tourné le dos.

Il rejoignit la rue principale. Quinze minutes de marche plus loin, il y avait un autre parc : sa destination, assez éloignée de chez lui et des curieux qui pourraient le reconnaître. Il ajusta son sac à dos et accéléra le pas.

Il y avait une cabine téléphonique près des portes en métal. Matt entra, posa son sac par terre et décrocha. Il prit une profonde inspiration.

Tu n'as pas rêvé. Tu y étais. Tu sais.

D'une main tremblante, il composa le 999.

Une femme lui répondit aussitôt.

– Police secours, j'écoute. Que puis-je faire pour vous ?

– Rien.

– Comment ?

– Je n'ai besoin de rien.

– Si c'est une plaisanterie, vous risquez une amende, monsieur.

– Je m'appelle Matt Browning. Je viens de voir deux vampires. Ils ont attaqué une fille dans le parc du Centenaire, à Staveley, dans le Derbyshire.

– Monsieur, je n'ai pas le temps…

– J'ai très bien vu leurs crocs. J'ai aussi vu du sang dans le cou de la fille. Ensuite deux hommes sont arrivés et ont suivi les vampires. Ils portaient un uniforme noir. Et un casque avec une visière violette.

– J'ai signalé votre appel à mes supérieurs, monsieur. Raccrochez immédiatement ou les conséquences seront graves pour vous.

– D'accord. Merci.

Il raccrocha, ramassa son sac et sortit de la cabine. Les portes du parc étant encore ouvertes, il se rendit d'un pas tranquille à l'aire de jeux non loin de l'entrée. Il s'assit sur une balançoire et attendit.

Cent cinquante kilomètres plus au nord, au cœur de la base aérienne de RAF Fylingdales, une lumière clignota sur le grand pupitre de commande et une tablette se mit à biper à côté.

L'opérateur de permanence, un jeune homme nommé Fitzwilliam, appuya sur un bouton du panneau de contrôle et une imprimante se mit à ronronner. La feuille qui en sortit était intitulée INTERCEPTION ECHELON. Elle contenait une retranscription de l'appel que Matt avait passé, à peine quatre-vingt-dix secondes plus tôt. Fitzwilliam la lut, l'entra dans le livre de bord électronique puis tapa un code à six chiffres sur le pupitre de commande.

Au Service de Surveillance de la Boucle, le message émergea d'une des nombreuses imprimantes installées à côté d'une carte satellite en temps réel de l'Angleterre où un point rouge venait d'apparaître. Un opérateur tendit la feuille à son supérieur qui décrocha immédiatement son téléphone et annonça à son interlocuteur qu'ils avaient une condition 6.

Ailleurs, la transcription du message apparut sur l'écran d'un ordinateur portable.

– On a un problème, annonça une voix.

Vingt minutes plus tard, Matt se balançait doucement quand on l'appela par son prénom. Il manqua perdre l'équilibre. Agrippé aux chaînes de la balançoire, il regarda autour de lui, l'excitation commençant à le gagner.

Ça a marché !

Puis il vit deux hommes s'approcher et son enthousiasme fut remplacé par une peur bleue.

Souriants, les bras ballants, ils ne portaient ni l'un ni l'autre un uniforme noir et un casque à visière violette. Quand ils furent à quinze mètres de lui, il distingua leur costume sombre et leur sourire trop large, comme celui d'un requin.

Matt se leva d'un bond. L'adrénaline coulait à flots dans ses veines ; ses muscles se tendirent, l'incitant à courir mais il s'obligea à rester. Soudain, l'un des hommes lui montra des dents aussi aiguisées que des couteaux de boucher. Matt n'hésita pas plus longtemps et prit ses jambes à son cou.

Tellement absorbé par sa course, il ne regarda pas en arrière et n'entendit pas les deux étranges courants d'air. Les deux hommes se posèrent devant lui sans un bruit, leurs pieds glissant doucement sur le sol. Matt s'arrêta à deux mètres d'eux à peine.

– Tu penses aller où comme ça ? lui demanda celui à la bouche pleine de couteaux, le sourire si large qu'il lui fendait le visage en deux.

– Nous, on punit les petits garçons qui crient au loup, continua-t-il, ce qui déclencha un rire grinçant de son comparse.

Pétrifié de peur, toute son adrénaline épuisée, Matt les fixait.

– J'ai une idée, enchaîna celui qui avait ri. Voyons s'il peut téléphoner sans langue.

Derrière lui, il y eut un crissement de pneus mais le cerveau de Matt ne l'enregistra pas. Il allait mourir, voire pire. Les vampires existaient. Il avait raison et cela entraînerait sa perte.

Tout à coup, une voix lui cria de se coucher et il se jeta sur le sol bétonné. Deux grosses explosions brisèrent le silence du parc puis deux trucs sifflèrent au-dessus de sa tête. Ensuite deux horribles bruits de broyage résonnèrent très près de lui. Le sol trembla sous lui ; quelque chose d'immonde et de mouillé lui éclaboussa les mains et la nuque, comme une pluie épaisse.

Matt leva la tête. Les deux vampires avaient disparu. À leur place, il y avait deux grandes flaques cramoisies parsemées de boue de chair fumante. Pris de nausée, il porta la main à sa bouche et détourna le regard.

– Matt Browning ?

Il roula sur le dos, leva les yeux et vit son reflet dans un morceau de plastique violet. Deux silhouettes en uniforme noir le toisaient. Elles portaient une arme inconnue de Matt, un long tube doté d'une poignée et d'un déclencheur en dessous. Celui qui avait certainement prononcé son nom lui tendit la main. Tout à coup, l'envie de vomir le reprit et sa vision latérale devint grise.

– Mon Dieu, vous êtes venus, marmonna-t-il. Je le savais.

Et il s'évanouit.

88 JOURS AVANT L'HEURE H

23

L'INTERROGATOIRE DE VALENTIN RUSMANOV

Jamie pénétra dans le niveau H dix minutes avant le début de l'interrogatoire mais réussit tout de même à être le dernier. Le reste de la force spéciale Heure H était rassemblé devant le bureau de la sécurité quand il émergea du double sas. Il jeta un coup d'œil au bout du couloir, vers la dernière cellule à gauche où vivait désormais sa mère.

– Bonjour, lui lança l'amiral Seward.

– Bonjour, monsieur.

Jamie salua ensuite les autres opérateurs. Jack Williams lui décocha son sourire habituel, Cal Holmwood et le professeur Talbot hochèrent la tête, Marlow, Brennan et Jarvis, l'opérateur chargé des communications, firent mine de ne pas le voir. Paul Turner qui allait mener l'interrogatoire surprit Jamie en lui faisant un léger signe de tête avant de s'adresser au groupe.

– On peut commencer ? Je ne vois aucune raison d'attendre.

– Après toi, Paul, répliqua Seward.

Turner tourna les talons, suivi de la force spéciale. Il s'arrêta à mi-chemin dans le couloir devant une cellule sur la droite. Tous regardèrent au travers du mur ultraviolet qui miroitait.

Personne dans la cellule.

– Merde ! s'exclama Holmwood.

Le visage du directeur avait perdu ses couleurs. Il chercha à tâtons la radio à sa ceinture, tapa neuf chiffres et l'appliqua contre son oreille.

– Code sept ! Présence surnaturelle non autorisée dans le complexe. Brouillez tous les...

– Ce ne sera pas nécessaire, l'interrompit une voix mielleuse. Je suis juste ici.

Seward se figea avant de marmonner : « Restez en état d'alerte. » La voix provenait de la cellule voisine. Huit hommes s'approchèrent.

Valentin Rusmanov était assis sur une chaise au milieu de la pièce, une serviette sur les épaules, de la mousse à raser sur les joues. Lamberton, le vieux valet du vampire, jeta un rapide coup d'œil aux hommes en noir puis retourna à sa tâche. En trois coups impeccables d'un magnifique coupe-chou au manche serti de perles, il termina le rasage matinal de Valentin puis lava la lame dans le lavabo au fond de la cellule. Après s'être essuyé le visage, Valentin se tourna vers les opérateurs alignés, l'air chaleureux et amical.

– Oh ! Ne prenez pas ces airs outrés, pour l'amour du ciel ! Cette barrière est très efficace pour un vampire né avant-hier, mais pour quelqu'un qui a vécu aussi longtemps que moi, ce n'est qu'une décoration.

Dans un mouvement trop rapide pour l'œil humain, Valentin sortit de la cellule. Il tendit la main vers l'opérateur Brennan qui recula par réflexe.

– Valentin Rusmanov. Ravi de vous rencontrer.

Soudain conscient que tout le monde le regardait, Brennan lutta pour reprendre son sang-froid et fit un pas en avant.

– Brennan, annonça-t-il en lui serrant la main avec précaution. Opérateur Brennan.

– Opérateur, répéta le vampire en faisant rouler le mot dans sa bouche tel un mets délicieux. Comme c'est merveilleux. Quel est votre prénom, opérateur Brennan ?

– Pas de prénom, intervint l'amiral Seward. Monsieur Rusmanov, pardonnez-moi mais je refuse que mes hommes vous donnent des détails personnels. Bien que votre capacité à passer à travers notre barrière soit très impressionnante, je vais vous demander de retourner dans la cellule de M. Lamberton quelque temps. Vous n'y voyez pas d'objection ?

– Aucune, monsieur Seward, répondit Valentin au bout d'un long moment. Aucune.

Le vampire devint flou à nouveau. De retour dans la cellule, il se posa nonchalamment sur une chaise.

– Nous allons discuter ainsi ? s'étonna-t-il. Vous de votre côté et moi du mien ? Voilà qui est peu civilisé.

– Nous ne sommes pas ici pour « discuter », monsieur Rusmanov, déclara Paul Turner qui s'avança. Nous sommes venus vous poser des questions et nous espérons que vous y répondrez. Si vous préférez que je vous interroge à l'intérieur de votre cellule, cela ne me pose aucun problème. Je n'ai pas peur de vous.

– Eh bien rejoignez-moi. Mais ayez aussi la courtoisie de me donner votre rang et votre nom, au moins. Je ne pense pas pouvoir utiliser ces maigres informations à des fins néfastes.

– Je suis le commandant Paul Turner, répliqua-t-il en franchissant la barrière au grand dam de l'amiral Seward.

Lamberton lui tendit la deuxième chaise en plastique et il s'assit en face de Valentin.

– Cela ne vous surprendra pas d'apprendre que cet entretien est enregistré. Je vous informe par pure civilité bien sûr. Je n'étais pas obligé.

– Noté, remarqua Valentin. Et apprécié.

L'officier chargé de la sécurité se tourna vers l'amiral Seward qui hocha la tête.

– Valentin Rusmanov, poursuivit Turner. Auriez-vous l'obligeance de répéter la proposition que vous avez faite au lieutenant Carpenter hier soir ?

– Avec plaisir, répondit Valentin qui étendit ses longues jambes devant lui et les croisa au niveau des chevilles. J'ai offert au jeune Carpenter mon assistance dans le combat qui vous oppose à mon frère Valeri et le récemment ressuscité comte Dracula. En échange, j'ai demandé d'échapper indéfiniment à toute persécution exercée par cette organisation et ses semblables.

– Et vous maintenez cette offre aujourd'hui ?

– Je la maintiens.

– Avant de nous intéresser aux spécificités de votre proposition, j'ai deux questions à vous poser : pourquoi faites-vous ceci et croyez-vous vraiment que nous allons vous accorder notre confiance ?

Après que Valeri avait quitté le bureau du dernier étage du vieux bâtiment de la 85e Rue, Valentin continua de regarder par la fenêtre. Pourtant, il ne voyait rien : son esprit vagabondait dans le passé.

Il se souvenait de l'époque précédant la mort de Dracula, quand il était subordonné, le plus jeune, dans l'ombre de ses frères – de Valeri en particulier. Ce frère haï, stupide, arrogant, qui ne lâchait pas son maître d'une semelle, tel un limier pantelant.

– Jamais plus, chuchota-t-il.

Il appela Lamberton et lui ordonna d'annuler les festivités de la soirée. Le majordome haussa un sourcil : le Festin des Âmes, son dîner mondain annuel où le menu vivant provenait de tous les continents, était l'événement social préféré de son maître. Cependant il ne le questionna pas et le laissa en paix.

Le lendemain matin, Valentin rappela son fidèle serviteur et lui annonça son renvoi.

– Je vois, répondit Lamberton derrière un masque de professionnalisme absolu. Puis-je vous demander quel aspect de mes services vous a déplu, monsieur ? Cela me permettrait de m'améliorer.

– Tu sais très bien que ton travail a toujours été exemplaire, Lamberton.

– J'apprécie, monsieur. Dans ce cas, je dois vous confier que je suis un peu perdu quant aux raisons de mon renvoi, monsieur.

– J'ai pris une décision, Lamberton. Une décision qui me fait courir un grand péril. Je refuse que tu subisses cette épreuve. J'ai décidé de ne pas retourner auprès de mon frère et son maître. En fait, j'ai choisi de faire exactement le contraire. Je compte partir sous peu pour l'Angleterre où j'ai l'intention d'offrir mes services à Blacklight. Je veux les aider à détruire Valeri et Dracula.

Un grand silence régna dans le bureau pendant que Lamberton réfléchissait aux implications des mots de son maître.

– Alors, je refuse d'être renvoyé.

– Pardon ?

– Je n'ai jamais apprécié votre frère Valeri, monsieur. Ce fou pompeux, ce lèche-bottes qui a consacré le siècle dernier à essayer de ressusciter son maître parce qu'il est incapable de vivre sans recevoir d'ordres. Alexandru, lui, était son propre chef. Je n'ai versé aucune larme quand il est mort mais selon moi, il valait mille Valeri.

La passion enflammait la voix du domestique.

– Je ne souhaite pas passer le restant de mes jours à la solde de Valeri ou de son maître. C'était un honneur de vous servir ces cent dernières années et je me suis juré autrefois que je ne serais le domestique de personne d'autre. Je refuse de voir Dracula détruire tout ce que nous avons construit, saccager ce monde uniquement par arrogance et orgueil. Valeri et lui sont les reliques d'une époque révolue.

Valentin écarquilla les yeux. En cent ans, il n'avait jamais entendu son valet parler ainsi. Fierté et admiration enflèrent dans sa poitrine.

– Très bien, Lamberton. Ta position demeure donc la même. Je te prie de bien vouloir organiser notre départ.

– Entendu, monsieur.

Un infime sourire aux lèvres, il s'envola à reculons et ferma doucement la porte du bureau derrière lui.

– Mes raisons ne sont-elles pas évidentes ? Je n'ai aucun désir de voir Dracula reprendre le pouvoir. Vous ne devriez pas douter de la sincérité de mes motivations puisque vous êtes encore vivants !

– Qu'entendez-vous par là ? s'enquit Turner, les yeux plissés.

– Exactement ce que je viens de dire. Nous avons ici le directeur de Blacklight, l'officier chargé de la sécurité de ce complexe, les membres des familles Holmwood et Carpenter. Si j'étais venu ici dans l'intention malfaisante de détruire le Département 19 de l'intérieur, il me suffisait de traverser cette barrière ridicule et d'arracher la tête de chacun d'entre vous. Je ne l'ai pas fait. Si ce n'est pas là une preuve flagrante de mon honnêteté, je ne sais pas quoi dire d'autre.

– Bien, disons que je choisis de vous croire. Expliquez-moi exactement votre proposition.

Valentin roula des yeux et se tourna vers Lamberton qui observait l'échange avec une indifférence professionnelle.

– Vous ne vaincrez pas Dracula s'il récupère toutes ses forces. Ce sera impossible. Vous avez très peu de chances de détruire mon frère, même avec tous vos hommes et leurs petits lance-pieux. Mais comparer Dracula à Valeri revient à comparer un rottweiler à un caniche. Sans moi, vous mourrez tous.

– Et avec vous ? Comment comptez-vous nous aider à le vaincre ?

– Je ne vous garantis pas de réussir. Selon toute probabilité, mon assistance ne fera que retarder l'inévitable. Mais je vous promets une chose : si je suis dans votre camp, vous avez une chance. Minuscule, mais une chance quand même. Sans moi, vous n'en avez pas.

Pendant sa tirade, Valentin fixa Jamie, qui tressaillit sous le regard de l'immortel.

Seward sait que Valentin dit la vérité, pensa Jamie. *Nous ne pouvons pas arrêter Dracula tout seuls.*

– En échange d'une simple promesse, poursuivit Turner, vous nous demandez l'autorisation d'assassiner des innocents, impunément, jusqu'à la fin de vos jours. Ai-je bien compris ?

– Exactement, répliqua Valentin, un sourire cruel aux lèvres. Mais j'ai peur que ce ne soit pas tout.

– Qu'exigez-vous d'autre ? gronda Turner, momentanément hors de lui. Les clés de la Boucle ? Une jeune vierge à votre domicile tous les jours ?

– Le sarcasme est le trait d'esprit le plus bas, répliqua Valentin froidement. Et non, puisque vous me le demandez, je ne requiers rien d'aussi vil. Je veux avoir une conversation avec M. Carpenter, seul à seul. C'est tout.

Tous les membres de la force spéciale Heure H tournèrent lentement la tête vers l'intéressé qui rougit.

– Pourquoi moi ? demanda Jamie.

– Vous avez détruit mon frère, monsieur Carpenter, et j'ai connu votre grand-père. Nous avons donc pas mal de choses à nous raconter, vous ne croyez pas ?

Jamie lança un rapide coup d'œil à Seward avant de reprendre.

– Peut-être que oui. Peut-être que non. Mais je serais heureux de le découvrir.

– Excellent ! s'exclama Valentin qui bondit de sa chaise et s'approcha à moins d'un mètre de Jamie.

Il pencha la tête sur un côté, comme s'il examinait l'adolescent.

– Vous lui ressemblez, jeune homme, vous savez ?

– Reculez, ordonna Turner.

– Je n'ai vu qu'un portrait de lui, répondit Jamie qui eut l'impression de plonger dans les grands yeux gris du vampire. Il est mort avant ma naissance.

– Vous pourriez être son double…

Une forte tension régnait dans l'atmosphère, comme si la barrière à ultraviolets dégageait un champ d'électricité statique.

– Monsieur Rusmanov, éloignez-vous de cette barrière, insista Turner. Je ne vous le répéterai pas.

Valentin cligna des yeux et recula, brisant le charme.

– Mes excuses. Mais je vous en prie, poursuivez vos questions.

24

LE QUATRIÈME MOUSQUETAIRE

Trois heures plus tard, les hommes de la force spéciale Heure H longeaient le couloir du niveau de détention.

L'interrogatoire progressait bien, voire au-delà des espérances les plus optimistes. Pour l'instant, Valentin avait tenu parole et leur avait communiqué tout ce qu'ils voulaient savoir sur Valeri et Alexandru, la vie d'un vampire... Quand il ne connaissait pas la réponse, il jetait un rapide coup d'œil à Lamberton qui la fournissait.

Les informations fusèrent à une telle allure – les habitats et les congrégations vampiriques connus, les sources de sang au marché noir, les techniques des communautés de vampires pour éviter les Départements surnaturels... – que Seward interrompit la session et proposa de la poursuivre le lendemain matin.

Tandis que l'ascenseur remontait à l'intérieur de la Boucle, les opérateurs sortirent les uns après les autres. Au niveau B, Jamie s'approcha de la porte dans l'intention de rassembler ses idées pendant quelques minutes chez lui avant de rejoindre

Larissa. Il sortait quand une main se posa sur son épaule. Quand il se retourna, l'amiral le regardait étrangement.

– Dans mes quartiers, lieutenant Carpenter.

– Maintenant, monsieur ?

– Maintenant.

– Bien, monsieur.

Et les portes en métal gris se refermèrent devant lui.

L'amiral Seward ouvrit la porte de ses quartiers et attendit que Jamie entre pour le suivre. Jamie patienta le temps que Seward ôte sa veste et s'installe à son bureau.

– J'ai reçu une réponse de Pékin, l'informa Seward. En moins de quarante-huit heures, ce qui est remarquable. Un sacré record pour PBS6 !

– Que disaient-ils ?

– Ils enquêtent sur l'*Aristeia* et nous informeront de leurs découvertes. La procédure habituelle.

– Et si nous leur envoyions une équipe pour les aider ?

– Nous le leur proposerons sans doute. Mais je connais déjà leur réponse : ils nous remercieront pour notre offre généreuse et nous contacteront en cas de besoin.

– Jamais ils ne requerront notre aide.

– Jamais.

Un silence un peu gêné s'installa, en partie dû à l'air inquiet du directeur.

– Tu réalises, continua Seward, que Valentin est sûrement ici pour se venger de l'assassin de son frère, c'est-à-dire toi.

– Euh… Je ne comprends pas, monsieur. S'il voulait me tuer, il l'aurait fait à Twilight. Pourquoi subir tout ceci ?

– Je l'ignore, répondit Seward qui se frotta les yeux.

Le directeur avait l'air vieux et usé.

– Ce serait une partie du plan que nous ne distinguons pas encore. Peut-être s'amuse-t-il ? Il est possible que je me trompe et qu'il soit sincère. Maintenant, tu connais les possibilités. Jamie, je ne te donne pas l'ordre de lui parler. Cette décision te regarde.

– Pourquoi, monsieur ?

– Parce que toutes les informations au monde ne vaudront jamais la peine de mettre un opérateur de ce département seul avec un vampire de niveau prioritaire A1 contre sa volonté. Nos actes sont motivés par la moralité ; c'est notre fardeau, nous le partageons et il pèse plus lourd sur certains que d'autres. Mais nous ne jetons pas les gens aux lions, Jamie. Pas tant que je serai là.

– Cessera-t-il de répondre aux questions si je ne lui parle pas ?

– C'est ce qu'il prétend. Il veut te voir demain, avant de poursuivre avec Turner. Si tu penses en être capable, je ne t'empêcherai pas d'y aller. La balle est dans ton camp.

Jamie pensa aux vies que les renseignements fournis par Rusmanov pouvaient sauver.

– J'irai, monsieur.

– Nous te surveillerons chaque seconde. Mais personne ne pourra t'accompagner dans la cellule. Il détecterait le moindre intrus à des kilomètres.

– Cela n'a pas d'importance, monsieur.

– Pourquoi ?

– Si Valentin décide de me tuer, nous pourrions mettre tout le Département dans la cellule, cela ne suffirait pas à le stopper.

Les deux hommes songèrent à cette horrible vérité. Ils travaillaient dans le complexe militaire le plus secret, le plus avancé en technologie, le plus lourdement armé et ils ne pouvaient pas contrôler la créature emprisonnée dans une cellule située à plusieurs centaines de mètres sous leurs pieds.

De vrais sables mouvants.

Quand l'interphone sonna sur le bureau, les deux hommes sursautèrent. C'était Marlow.

– Monsieur, nous avons une situation au niveau B qui nécessite votre attention.

– Quel genre de situation ?

– Un jeune civil nous a été amené hier soir, après avoir passé un appel de secours qui nous était tout particulièrement destiné. L'équipe B-9 l'a cueilli dans le Derbyshire alors que deux vampires allaient le tuer. Il est dans le dortoir sécurisé.

– Et alors ? s'impatienta Seward. Mettez-le en quarantaine, expliquez-lui ce qu'il arrivera à sa famille et à lui s'il parle, placez-le en isolement pour qu'il y réfléchisse, et renvoyez-le chez lui. Pourquoi m'avez-vous dérangé ?

– Pour deux raisons, monsieur, insista Marlow tel un père expliquant quelque chose de simple à son fils. D'abord, comment les vampires savaient-ils où le trouver ? Ils n'étaient pas sur place puisque le coup de fil n'était qu'une ruse pour nous attirer. Ensuite, ils ne peuvent pas surveiller tout le système d'appels au 999. Il est trop vaste. C'est pourquoi nous avons un filtre nommé Echelon.

– Je connais Echelon, gronda Seward, agacé. Venez-en aux faits, Marlow !

– Oui, monsieur. Ils étaient arrivés avant notre équipe. Ils ont su pour l'appel en même temps que nous. Comment est-ce possible ?

– Mon Dieu, souffla Jamie. Les vampires ont accès à Echelon...

Le visage souriant de Thomas Morris lui vint à l'esprit.

– Comment est-ce possible ? s'exclama Seward. Il n'existe que deux stations de surveillance : GCHQ et...

– Ici, compléta Jamie. La fuite provient de la Boucle, monsieur. GCHQ ne s'occupe pas du surnaturel.

– Bordel ! Marlow, vous êtes toujours là ?

– Oui, monsieur, répliqua ce dernier. Qu'attendez-vous de moi, monsieur ?

– Une discrétion absolue. Personne d'autre ne doit être au courant à partir de maintenant. J'ai le lieutenant Carpenter avec moi. Qui est avec vous ?

– Le commandant Turner, monsieur.

– O.K. Cela n'ira pas plus loin. Ne touchez ni les LOGS ni la base de données. Personne à la comm' ne doit savoir qu'on enquête. Je veux que le commandant Turner nous dise comment procéder dans les jours à venir, d'accord ?

– Oui, monsieur.

– Bien. Et la deuxième raison ?

– Le civil qu'ils ont cueilli hier soir est ce garçon qui a été blessé la nuit où le lieutenant Carpenter est arrivé à la Boucle.

– Matt ! s'étonna Jamie. Ils ont ramené Matt ?

– Exact, Matt Browning, confirma Marlow.

– Et alors ? s'exclama Seward, agacé. En quoi cela me concerne ?

– Je suis désolé, monsieur, poursuivit Marlow. Quand nous lui avons demandé pourquoi il avait appelé le 999, il a admis qu'il cherchait un moyen pour regagner la Boucle. Apparemment, il a simulé une amnésie après son coma.

– Et ?

– Nous lui avons demandé pourquoi il tenait absolument à revenir ici et il a répondu qu'il suivait les conseils du lieutenant Carpenter.

– Une seconde, coupa le directeur avant de lancer à Jamie un regard profondément déçu. Jamie. Y a-t-il quelque chose que tu aimerais me dire ? Maintenant ! hurla-t-il.

L'adolescent déglutit avant de se lancer.

Jamie attendait dans le couloir menant à l'infirmerie, adossé contre un mur, l'air désinvolte. La tête baissée, il faisait semblant de consulter un dossier mais en réalité, il fixait la porte à double battant, quarante mètres plus loin.

On lui avait refusé la permission de voir Matt Browning depuis qu'il était sorti du coma. Le garçon avait été placé en isolation complète. Seuls son médecin et une infirmière l'approchaient.

Le protocole était le suivant : l'adolescent se trouvait au cœur de l'installation la plus secrète du pays et s'il voulait retourner chez lui, il ne devait rien voir, rien entendre. Mais Jamie s'en moquait. Il se sentait proche de ce garçon à qui il n'avait pourtant jamais parlé.

La vie de Matt et la sienne avaient changé de manière radicale le même jour. Pendant les nuits blanches qui suivirent, alors que l'horreur entourait Jamie, il avait trouvé du réconfort auprès de l'ado-

lescent inconscient. Il lui avait confié l'épreuve qu'il traversait sans que le garçon lui mente ou essaie de le manipuler.

Et puis Jamie se trouvait à la Boucle depuis moins d'une heure quand Matt était arrivé, respirant à peine après que Larissa lui avait tranché la gorge dans son petit jardin de banlieue. Larissa ne l'avait pas fait exprès, prétendait ne pas s'en souvenir et Jamie l'avait crue.

En conclusion, Matt était la preuve vivante que tout ceci n'était ni un jeu ni une aventure. C'était une question de vie et de mort.

Après le réveil de Matt, Jamie avait harcelé l'amiral Seward pour obtenir la permission de le voir. Quand celui-ci l'avait menacé de le mettre sur la touche, Jamie avait abandonné... soi-disant. Au bout d'une semaine ou deux d'observation, il avait découvert une faille dans la sécurité qui entourait Matt.

Tous les soirs, il y avait une fenêtre de trois à six minutes pendant laquelle Matt n'était pas surveillé. Cela se produisait lors de la relève, quand le médecin regagnait son bureau pour envoyer son rapport au directeur.

Le problème était le vigile devant la porte. Par chance, la majeure partie du temps, il s'en allait avec le médecin sur le coup des huit heures, avant l'arrivée de son remplaçant. Ceci était inacceptable et Jamie l'aurait signalé au commandant si cela n'avait pas servi ses affaires.

Le moment idéal survint. Jamie regarda sa montre. Trente secondes avant huit heures. Il abaissa la visière de son casque, à peine pour ne pas attirer l'attention, suffisamment pour dissimuler ses traits. Enfin, la porte de l'infirmerie s'ouvrit, deux voix résonnèrent dans le couloir, leur volume décroissant tandis que leurs propriétaires s'éloignaient de Jamie.

Réglés comme du papier à musique, s'amusa Jamie.

Il leva la tête. Le docteur disparaissait dans son bureau et l'opérateur attendait l'ascenseur. Moment crucial : si l'ascenseur s'ouvrait sur la relève, Jamie était fichu. Son cœur se mit à battre un peu plus vite.

Les portes révélèrent une boîte métallique vide. L'opérateur entra et se tourna face au couloir. Jamie paniqua lorsque son regard croisa un instant le sien. Mais son visage ne changea pas d'expression et les portes se refermèrent, laissant Jamie seul dans le couloir.

Il fonça jusqu'à l'infirmerie, prit une profonde inspiration et entra vite à l'intérieur. Les lits à droite et à gauche étaient inoccupés, comme prévu. Au fond de la pièce, la porte marquée Salle d'opération était close, la chaise sur le côté vide.

Pas pour longtemps. Vite !

Jamie traversa la grande salle et entra dans la suivante. Alité, Matt Browning s'ennuyait ferme. Soudain, il écarquilla les yeux quand la silhouette noire apparut.

– Qui...

– Chut ! chuchota Jamie. Je ne suis pas censé être ici. S'ils me surprennent, ça ira mal pour tous les deux.

– Qui...

– Je m'appelle Jamie Carpenter.

– Que veux-tu ?

Jamie ne répondit pas tout de suite. Soudain, il ne savait plus pourquoi il tenait absolument à revoir Matt.

– Moi ? Rien. Et toi ?

– Je veux rentrer chez moi.

– J'imagine, répondit Jamie. T'ont-ils dit ce qu'il t'était arrivé ?

– En quelque sorte. J'aurais eu un accident. Mais je ne me souviens pas.

– J'en ai entendu parler. Il y a longtemps ?

Les épaules de Matt se contractèrent très légèrement. Jamie le remarqua néanmoins.

– J'étudiais chez moi. Ce devait être en fin d'après-midi. Ensuite je me suis réveillé ici. Aucune idée de ce qu'il s'est passé entre-temps.

Jamie le fixa un long moment avant de se pencher vers lui.

– Je ne te crois pas, lui chuchota-t-il.

– Pardon ? s'exclama Matt, la voix chevrotante.

– Je te fais un dessin ? Tu es soit un menteur chevronné, soit un brillant comédien. En tout cas, tu te souviens très bien de tout. Et quand tu gagnes ta vie comme je la gagne, tu crois rarement ce qu'on te raconte.

– C'est vrai que tu tues des vampires ? demanda Matt, le visage et les épaules détendus, le sourire aux lèvres.

– Je le savais ! rétorqua Jamie. Qu'est-ce qui t'a poussé à mentir ?

– Que m'auraient-ils fait si je n'avais pas simulé une amnésie ?

– Pas bête. Ils te lâchent demain, tu le savais ?

– Non. Ils ne me disent pas grand-chose.

– C'est le protocole. Tu représenterais un trop grand risque pour la sécurité du pays sinon. Si tu veux revoir tes parents, ne change pas de tactique.

– Tu es venu me dire ça ? C'est ce que j'aurais fait de toute façon. Pourquoi es-tu ici ?

– Je t'ai rendu visite quand tu étais dans le coma. Je suis arrivé ici la nuit où tu as été blessé. Je ne sais pas… Je voulais juste te rencontrer.

– Je peux te demander quelque chose ?

Jamie lui fit signe de parler moins fort.

– Vas-y.

– *Je suis où là ? Tu portes le même uniforme que les types qui sont venus chez moi. La fille qui a atterri dans mon jardin était un vampire. C'est évident maintenant. Elle aurait dû mourir, mais non…*

– *N'y pense plus. Elle s'appelle Larissa, au fait. Elle n'avait pas l'intention de te faire du mal.*

– *Tu la connais ?*

– *Ouais. C'est… compliqué. Mais cela ne répond pas à ta question.*

Il prit une profonde inspiration tandis qu'il s'apprêtait à briser la règle la plus fondamentale de Blacklight.

– *Cet endroit s'appelle la Boucle. C'est une base militaire classée secret défense qui abrite une branche du gouvernement nommée Département 19. Celui-ci surveille les activités surnaturelles. Je suis un opérateur, une version top secrète d'un soldat, si tu veux. Nous sommes des centaines ici, et des centaines d'autres encore à l'étranger. En résumé, tu es dans le secret le mieux gardé au monde.*

Matt fixa le plafond un long moment et Jamie craignit de l'avoir déstabilisé quand il eut une réaction inattendue.

– *C'est fascinant. Où on s'inscrit ?*

– *S'inscrire ?* crachota Jamie.

– *Oui, s'engager. Comment faire pour être comme toi ?*

– *Hé ! Ce n'est pas si simple. La plupart des opérateurs ont été recrutés dans l'armée ou la police. Moi, j'ai eu la chance d'être un descendant d'un des fondateurs.*

– *Un quoi ?*

– *Laisse tomber,* répondit Jamie qui regarda sa montre – il était à l'infirmerie depuis plus de deux minutes déjà. *Si c'est ce que* tu veux, voilà le seul conseil que je peux te donner : débrouille-toi pour revenir ici.

– Je fais comment ? s'enquit Matt, tout excité.

– Je n'en sais rien. Tu m'as l'air intelligent, tu vas trouver. Il faut absolument qu'ils te ramènent chez toi demain ; je ne sais pas ce qu'ils feront s'ils apprennent que tu as menti ou que je suis venu ici. Je suis désolé...

Jamie recula jusqu'à la porte.

– Attends !

– Quoi ? Il faut que j'y aille.

– Pourquoi essaies-tu de m'aider ?

– Aucune idée. Une impression quand je t'ai rencontré... Bonne chance.

Sur ce, Jamie ouvrit la porte et traversa l'infirmerie ventre à terre. Sa montre indiquait 20 : 02 : 41. Plus de deux minutes et demie s'étaient écoulées. Il se maudit pour son imprudence mais réalisa qu'il ne regrettait pas sa visite à Matt.

Après un long silence, le directeur du Département 19 explosa.

– En dépit du nombre de fois où je t'ai répété de garder le secret ! hurla Seward, rouge de colère. À chaque fois, tu prétendais comprendre. Tu m'as menti, Jamie. Je pourrais t'envoyer en cour martiale pour cela.

– Je sais, monsieur, répondit Jamie sans le quitter des yeux. Je suis désolé, monsieur.

Soudain, Seward se frotta les yeux. Il semblait plus fatigué qu'en colère.

– Tu te rends compte du nombre de règles que tu as enfreintes ?

– Quelques-unes, à mon avis, monsieur.

– Un grand nombre, oui !

Le directeur s'adossa à son fauteuil et regarda Jamie avec un air déçu.

– Que ferais-tu à ma place, Jamie ?

– Je n'en sais rien, monsieur, répondit Jamie, un nœud au ventre – il venait de réaliser que sa carrière à Blacklight ne tenait qu'à un fil. Pour le mieux, je pense.

Un soupçon de sourire souleva le coin des lèvres de Seward. Il se pencha en avant et parla dans l'interphone :

– Marlow ?

– Oui, monsieur ?

– Conduisez M. Browning dans mes quartiers immédiatement. Demandez au commandant Turner de vous accompagner. Que personne ne le voie.

– Bien, monsieur. Nous arrivons.

Seward se leva et se rendit vers les fauteuils disposés devant la grande cheminée. Il s'écroula dans l'un d'eux et fit signe à Jamie de s'asseoir dans l'autre. Puis il prit un cigare dans une boîte sur la table basse. Une fois le cigare allumé, il s'installa dans le fauteuil et dévisagea Jamie.

– Comment cela se termine-t-il, Jamie ? l'interrogea-t-il en soufflant un épais nuage de fumée bleue. À quoi bon ramener ce pauvre garçon ici ?

– Il peut nous être utile. Il est intelligent, courageux sans aucun doute. Je pourrais m'occuper de lui, l'intégrer à mon équipe, lui montrer…

– Hors de question ! J'ai contourné les règles à une occasion pour toi. Je ne recommencerai pas dans le simple but que tu aies un ami de ton âge. S'il reste, il ne mettra pas un pied en dehors de la base avant d'avoir eu son entraînement complet. Est-ce clair ?

– Oui, monsieur.

Jamie était à la fois déçu par la décision du directeur et ravi qu'il envisage un rôle pour Matt au sein de Blacklight.

– Cela ne compensera pas, Jamie, ajouta soudain Seward. Ce que tu essaies de faire. Cela ne le ramènera pas.

– Je ne comprends pas, monsieur.

– Frankenstein. Matt ne remplacera pas Frankenstein. Sa présence ne rendra pas sa perte plus facile.

Jamie eut l'impression que son fauteuil s'effondrait sous lui.

J'essaierais d'utiliser ce pauvre garçon afin de compenser ce qui m'est arrivé ?

– Je ne pense pas que cela soit le cas, monsieur. Ou bien je l'ignorais.

– Tu as beaucoup de défauts, Jamie, rétorqua Seward sur un ton paternaliste, mais la cruauté n'en fait pas partie. Tu pensais faire pour le mieux.

Le silence s'abattit sur les deux hommes si différents en âge et en expérience, si semblables en tempérament et en amour pour leur travail.

– À quoi ressemblait-il, monsieur ? demanda Jamie au bout d'un moment.

– Qui ? répliqua Seward tout en sachant la réponse.

– Frankenstein, monsieur. Quand il était jeune. Avant que je le rencontre.

Seward réfléchit longuement à ce qu'il pouvait raconter à l'adolescent. Ses souvenirs étaient si complexes, remplis de peur et de douleur mais aussi de triomphe et de solidarité.

– Il était un homme. Il possédait autant de failles que les autres, peut-être plus que la plupart. Mais surtout, il était mon ami.

25

LA VILLE LUMIÈRE, PREMIÈRE PARTIE

PARIS, FRANCE
23 AOÛT 1923

Frankenstein s'adossa à son fauteuil, l'osier serré grognant sous lui. Il but une grande gorgée de vin tout en observant ses compagnons du soir qui discutaient autour d'une table du Café de Flore, sur le large trottoir du boulevard Saint-Germain.

À sa gauche, Jean Hugo, Ernest Hemingway et Gertrude Stein avaient une conversation enflammée sur les mérites et les principes du patronage littéraire.

À sa droite, Jean-Luc Latour, le seul de l'assemblée que Frankenstein considérait comme son ami, discutait art avec Pablo Picasso et Jean Cocteau.

Frankenstein, qui appréciait à la fois l'art et la littérature mais pensait que les débats interminables qui entouraient ces deux piliers culturels, ainsi que l'utilisation de ses capacités à critiquer le travail des autres plutôt que créer ses propres œuvres, étaient le pire type de complaisance intellectuelle, commençait à s'ennuyer.

La soirée s'était bien passée pourtant avec un souper copieux à la Brasserie Lipp, suivi de plusieurs bouteilles de Lynch Bages. Sa patience s'était peu à peu érodée car ces hommes et femmes à l'ego surdimensionné souhaitaient avant tout parler d'eux-mêmes. Il fut donc soulagé quand Latour se leva et annonça sous les quolibets que Frankenstein et lui devaient partir.

– Encore ? gronda Picasso. C'est le comportement de deux amants, pas de deux amis.

– Je ne nierai pas que j'aime cet homme, rétorqua Latour. Mais il est faux de dire que nous sommes amants. Nous avons simplement rendez-vous et, malheureusement, vous ne pouvez pas nous accompagner.

– N'importe quoi ! s'exclama Hemingway. Révélez-nous le nom de cet endroit où vos semblables pourraient accéder et pas nous.

– J'adorerais, Ernest, crois-moi. Mais je ne puis interpréter les règles qui gouvernent notre destination, encore moins les briser. Adieu donc.

– Laisse-les partir, soupira Stein. Ils commençaient à m'ennuyer de toute manière.

– Moi aussi, enchérit Cocteau par loyauté.

– Alors il vaut mieux que nous partions, commenta Latour. Je m'excuse si notre compagnie n'a pas été à votre goût ce soir. Demain, peut-être ?

Tous marmonnèrent leur assentiment. Ce petit échange se répétait tous les soirs depuis deux mois, jusqu'aux bouh ! qui suivaient Frankenstein et Latour quittant le café pour s'enfoncer dans la nuit parisienne.

Leur route les conduisait vers le nord et la rue de la Cité, ils traversaient l'île de la Cité, le parvis de Notre-Dame où flânaient encore croyants et touristes, prenaient la rue de Rivoli jusqu'à la splendide place des Vosges.

– Comment peux-tu supporter ces insinuations soir après soir ? grommela Frankenstein le long de la Seine. Je me retiens de casser une bouteille sur la sale tête de Picasso. Hemingway et lui fanfaronneraient moins après cela.

– La passion est peut-être ta plus grande qualité, mon ami. Le self-control est la mienne. À quoi servirait-il d'ouvrir son dôme chauve ? Simplement pour la satisfaction momentanée de l'acte ? Nous serions boudés par toute la société parisienne.

– Peut-être, grogna Frankenstein.

– Qu'ils fassent leurs sous-entendus. Ce n'est que de la jalousie qui nous permet de nous élever au-dessus de ces préoccupations juvéniles, n'est-ce pas ?

– Tes paroles sont charmantes, Latour, le complimenta Frankenstein, le début d'un sourire grimpant sur son immense visage rectangulaire. Comme toujours.

– On essaie.

Les deux hommes atteignirent le coin de la rue de Sévigné et prirent à nouveau vers le nord. Leur destination se trouvait à mi-chemin entre la rue des Francs-Bourgeois et la rue Saint-Gilles, derrière les vieilles et élégantes façades du Marais.

Derrière un portail en fer forgé compliqué, il y avait un théâtre qui n'avait pas présenté de production au public depuis plus de cinquante ans. Les moindres détails du bâtiment étaient impeccables, les parterres de roses au parfum enivrant superbes, les grandes dalles immaculées.

Le seul détail qui aurait pu intriguer le passant se situait au niveau des fenêtres... qui n'existaient pas. On distinguait encore leurs contours, de chaque côté de la porte en bois. Mais où le verre laissait entrer autrefois la lumière et les bruits de la nuit parisienne, les quatre espaces étaient à présent comblés par la pierre, aussi pâle et banale que les murs alentour.

Latour sortit une clé de sa poche et l'inséra dans le portail qui s'ouvrit en silence. Frankenstein le suivit, ferma la porte derrière eux et rejoignit Latour sur le perron. Le Français avait déjà frappé trois coups rapides à la porte, qui s'ouvrit au bout d'un moment.

Un passant aurait pu entendre un bref éclat de musique et de voix qu'il aurait pris pour des rires hystériques avant que la porte se referme.

À l'intérieur du bâtiment ancien, un vampire âgé, superbe dans son smoking, contourna son pupitre en bois et approcha les deux nouveaux venus avec un sourire respectueux.

– Bienvenue à la Fraternité de la Nuit, gentlemen, annonça-t-il dans un anglais parfait. Puis-je prendre vos manteaux ?

Dans le petit hall, les murs et le plafond étaient couverts de velours cramoisi, le sol de parquet verni. Derrière la porte du fond, un piano jouait un french cancan. Puis un deuxième bruit leur parvint aux oreilles : un cri strident tellement chargé de terreur et de désespoir que Frankenstein grimaça. Les crocs de Latour, eux, apparurent tandis qu'un rouge affecté colorait le coin de ses yeux. Il donna une grande claque dans le dos du colosse.

– Je crois qu'on va passer une bonne nuit ! commenta-t-il.

La porte intérieure se ferma doucement derrière les deux amis et Frankenstein inspira afin de laisser le temps à son estomac de se calmer.

L'odeur de sang, épaisse et métallique, pesait dans le théâtre. Elle s'élevait tel un nuage des flaques de liquide rouge qui s'accumulaient sur la scène. Là, des pièces grotesques étaient jouées chaque soir pour le plaisir des vampires. Elle venait aussi des grands arcs qui maculaient les murs lorsque veines et artères étaient sectionnées. Chaque centimètre de ce théâtre était imbibé de sang, vieux ou récent, marron et sec ou bien écarlate et luisant.

Un domestique leur annonça qu'ils étaient, comme toujours, les bienvenus dans le salon privé de lord Dante. Latour le remercia bien que son attention fût accaparée par les horreurs qui se perpétraient autour de lui. Son visage affichait une expression de désir absolu qui contraignit Frankenstein à détourner le regard.

Le théâtre était petit, pas plus de soixante sièges disposés en demi-cercle devant la scène. Les deux tiers étaient occupés par des vampires d'âges et de nationalités variés. Il se dégageait une horrible bonhomie vu que la Fraternité était un endroit sûr où ils pouvaient s'adonner à leurs plaisirs les plus sombres – tortures, viols, saignées, meurtres – à volonté, sans crainte d'être interrompus.

Chaque soir (Frankenstein refusait de s'interroger sur leur provenance), une nouvelle collection d'hommes et de femmes était lâchée parmi les vampires. Le monstre n'avait assisté au spectacle qu'une seule fois. Ensuite, il avait insisté auprès de Latour pour arriver bien après le massacre. La terreur absolue, l'horreur, l'incrédulité et l'hystérie sur les visages des victimes, les ricanements, les coups de griffes et les morsures des vampires étaient insoutenables, même pour lui.

Après minuit, la plupart des humains étaient morts, souillés, vidés et abandonnés dans les ailes du théâtre. Les autres agonisaient sans comprendre ce qui leur était arrivé.

Frankenstein suivit Latour à l'arrière du théâtre jusqu'à une porte dissimulée. Un vampire aussi élégamment vêtu que les autres leur ouvrit et ils entrèrent dans le saint du saint.

Le royaume de lord Dante, roi des vampires de Paris.

26

RÉVÉLATIONS

– Je crois que Valentin désire me parler de Frankenstein, affirma Jamie. Il y aurait un rapport avec mon grand-père.

– Tu as raison, répliqua l'amiral Seward. C'est ton grand-père qui a présenté Frankenstein au Département 19 en 1929. Il revenait d'une mission à New York et Frankenstein l'accompagnait. Apparemment, il a dit à Quincey Harker qu'il les aiderait ; ce serait comme ça et pas autrement. Frankenstein est donc resté.

Jusqu'à ce que je provoque sa mort. Vous ne le direz pas, directeur, mais nous avons bien compris votre sous-entendu. Jusqu'à ce que je le laisse tomber.

Quand on frappa à la porte, Seward cria à ses visiteurs d'entrer. La porte s'ouvrit sur le visage pâle et effrayé de Matt Browning, flanqué de deux hommes en noir, Marlow et Paul Turner. L'adolescent entra d'un pas hésitant. Dès qu'il aperçut Jamie, il parut soulagé.

– Jamie ! s'écria-t-il. Dieu merci !

Il fonça sur Jamie avant que celui-ci ne soit levé et le déséquilibra en le serrant dans ses bras. Le jeune opérateur en profita pour lui répéter que tout irait bien. Henry Seward, lui, observait la scène d'un œil stupéfié.

– Matt, continua Jamie. Je te présente l'amiral Henry Seward, directeur du Département 19. Monsieur, voici Matt Browning.

Las, Seward se leva et lui tendit la main. Matt la serra avec nervosité.

– Comment vas-tu, fils ? Tu nous as fait un sacré numéro hier soir.

– Je ne rentrerai pas chez moi, annonça aussitôt Matt, et Seward éclata de rire.

– Explique-toi.

– Vous ne me renverrez pas à nouveau. Il faudra me tuer avant. Je veux vous aider.

– C'est une attitude louable, mais ce n'est pas si simple, expliqua Seward. Ceci est une branche hautement classifiée du gouvernement britannique, monsieur Browning. On ne frappe pas à la porte comme ça pour s'inscrire au club. Tu me comprends.

– Oui, monsieur. Je comprends que vous gardez le plus gros secret qui soit à l'intérieur de cette base et que jamais je ne pourrai oublier ce que j'ai vu. Je ne veux pas vivre ailleurs qu'ici.

– Tu veux nous aider, faire le travail de Carpenter et des hommes qui ont visité ta maison l'année dernière ?

– Exactement, monsieur.

– Il faut plusieurs mois d'entraînement avant de devenir un opérateur de ce Département, Matt. Des mois pénibles, fatigants, exténuants pour avoir le privilège de consacrer son temps à combattre des monstres dans l'obscurité. Est-ce vraiment cela que tu veux ?

– Oui, monsieur, répéta Matt après une légère hésitation que tout le monde perçut.

– Je ne te crois pas, soutint Seward. J'ai vu deux générations d'opérateurs entrer dans cette base et je me flatte de pouvoir dire qui tiendra la distance. Ce n'est pas une insulte, monsieur Browning, mais tu n'en fais pas partie.

Les épaules de Matt s'affaissèrent, des larmes brillèrent au coin de ses yeux.

Ils vont me renvoyer chez moi. Ou pire.

– Je le ramène au dortoir sécurisé, décida Marlow. On va travailler sur une histoire plausible avant de le rendre à ses parents.

Matt lança un regard désespéré à Jamie qui se creusait la cervelle pour le garder à Blacklight.

– Amiral, s'exclama-t-il soudain. Il y a peut-être une autre solution… Il n'a pas besoin de devenir opérateur pour nous aider. Vous avez vu les dossiers établis par le Service des Renseignements l'année dernière. Ce garçon est extrêmement intelligent ; il a un don pour les maths et les sciences.

– Comment le sais-tu ? chuchota Matt, horrifié.

– Et si nous demandions au professeur Talbot s'il n'a pas besoin de quelqu'un au labo, monsieur ? Un assistant par exemple.

Si cette idée ne marchait pas, il n'en voyait pas d'autre. Matt retournerait chez lui ou pire : il serait emprisonné dans la Boucle pour le restant de ses jours.

Non, ils ne feront pas cela. Nous sommes des soldats, pas des meurtriers.

J'espère…

– Je vais y réfléchir, répliqua Seward et Jamie poussa un soupir de soulagement audible.

– Monsieur, c'est très…, commença Marlow.

– Je sais exactement ce que c'est, l'interrompit Seward. J'ai dit que j'y réfléchissais. Jamie, conduis M. Browning en bas, au réfectoire puis accompagne-le au dortoir. Commandant Turner, voulez-vous bien rester avec moi. Rompez, vous autres.

Marlow roula des yeux avant de sortir à grands pas des quartiers du directeur. Jamie le suivit en compagnie d'un Matt un peu perdu.

Seward les regarda s'éloigner, attendit que la porte soit fermée puis demanda à Paul Turner de s'asseoir. Le commandant prit le deuxième fauteuil en face de son beau-frère.

– Qu'est-ce que je fais, Paul ? Avec ces gamins. Que penseraient mes ancêtres s'ils me voyaient ?

– Ils diraient que tu fais ton travail, Henry. Carpenter est peut-être un sale mioche, mais c'est l'opérateur le plus naturellement doué que j'ai rencontré en quinze ans de carrière et un leader né. Il est un de nos meilleurs atouts, malgré son âge quand il a été nommé. Et tu as lu le dossier de Browning ? 196 de QI, comme 0,1 % de la population mondiale. Ce garçon est un vrai génie. Il nous connaît, il veut nous aider, malgré ce qui lui est arrivé et il fallait un sacré courage pour revenir ici. Que comptes-tu faire ? Le retenir prisonnier le restant de ses jours et gaspiller pareilles intelligence et bravoure ? Tes ancêtres auraient pris les mêmes décisions que toi.

Seward ferma les yeux un moment avant de les rouvrir et de regarder Turner avec beaucoup d'affection.

– Merci, Paul.

– C'est la vérité, monsieur. Je n'aurais rien dit sinon.

– Je sais.

– Autre chose, Henry ? s'inquiéta Turner.

– Il y a une taupe au Service Communication, Paul. J'ai besoin que tu la trouves vite et discrètement. Je veux cette personne dans mon bureau d'ici quarante-huit heures. Compris ?

– Absolument, monsieur. Je me mets au travail tout de suite.

Turner prit congé. Sur le seuil de la porte, il jeta un dernier coup d'œil derrière lui. L'amiral Seward fixait le mur en face de lui, entouré par les fantômes du passé.

Jamie et Matt se trouvaient dans l'ascenseur qui descendait vers le niveau G et le réfectoire. Un opérateur les avait rejoints au niveau C, avait toisé Matt vêtu d'un T-shirt et d'un jean, ouvert la bouche avant de la refermer aussitôt.

Les deux garçons se retenaient de rire, réaction naturelle de deux adolescents supposés bien se tenir. Quand les portes s'ouvrirent, l'opérateur sortit sans mot dire. Jamie et Matt attendirent quelques secondes avant de le suivre.

Matt jetait des coups d'œil à l'uniforme noir de son... *ami ? Puis-je l'appeler ainsi alors que nous ne nous sommes rencontrés que deux fois ?*, aux armes et aux gadgets accrochés à sa ceinture. Jamie le remarqua mais ne dit rien. Il lui rappelait son arrivée à la Boucle, même si les circonstances étaient différentes.

– Hum… tu me racontes ce que tu fais, bafouilla Matt le premier. Tu es comme un policier qui chercherait des vampires ?

Jamie rit mais lut de l'embarras sur le visage de Matt et le rassura aussitôt :

– Pas vraiment. Les vampires ne font pas de publicité, en grande partie. Ils vivent dans des villes et des villages, des maisons et des appartements, comme tout le monde. On ne part pas ainsi à leur recherche.

– Oh ! Désolé. C'était idiot de ma part.

– Pas du tout. Tiens, par exemple : combien de vampires as-tu rencontrés dans ta vie ?

– Trois. Les deux qui m'ont attaqué et la fille dans notre jardin.

– Larissa, lui rappela Jamie. Exact. En conséquence, tu fais partie du faible pourcentage de personnes sachant qu'ils existent. Mais ils sont des milliers de par le monde. Ils ne veulent pas être vus et ils sont très doués pour se cacher. Et dans la plupart des cas, quand tu en vois un, tu ne vois rien d'autre après.

Matt frissonna.

– Nous comptons soixante-cinq équipes opérationnelles ici à Blacklight. Trois opérateurs par équipe. Le système que tu as utilisé pour revenir ici se nomme Echelon. Il recherche certains mots dans toutes les communications électroniques. Quand tu as appelé les secours, le système t'a repéré et une équipe active s'est rendue sur place, un peu comme la police.

Jamie croyait avoir perdu l'attention de Matt mais ne lut que curiosité et excitation dans son regard.

– Ici, nous avons aussi un Service des Renseignements. Ils enquêtent sur les habitudes des vampires, surveillent les niveaux prioritaires, infiltrent leurs communautés. Comme les services secrets avec les cellules terroristes.

– C'est dingue, s'exclama Matt.

– Non, cela me paraît tout à fait normal maintenant. Je me lève le matin et je pars au travail.

Ils atteignirent la porte du réfectoire. La grande salle animée rappela à Jamie la première fois qu'il avait mangé là, entre deux entraînements, le lendemain du kidnapping de sa mère. Il était couvert de bleus et de coups, il saignait et n'aurait jamais cru être aussi fatigué de sa vie, mais Terry, l'instructeur, lui avait donné une raison de tenir.

Ce que ton père a fait, je ne t'en tiens pas responsable. Je te jugerai sur tes actes, non les siens.

Terry était le premier membre de Blacklight, après Frankenstein, qui avait ses raisons d'être loyal envers Jamie et de croire en lui.

À l'époque, avant Lindisfarne et les révélations de Thomas Morris, tous pensaient que Julian Carpenter était le plus grand traître de la longue et sanglante histoire de Blacklight. Pas Terry.

Dans la salle, les opérateurs discutaient entre eux ou avec des médecins, des scientifiques, des ingénieurs, des administrateurs qui faisaient fonctionner la Boucle. Jamie et Matt firent la queue avec leur plateau. Matt écarquilla les yeux devant les nombreux plats et se rappela qu'il n'avait pas mangé depuis longtemps. Son estomac gargouilla fort.

– O.K. On se dépêche, plaisanta Jamie. Cela n'arrangera pas ton cas si Seward apprend que tu t'es évanoui dans le réfectoire.

– Je suppose que non, répondit Matt, gêné.

Ils se servirent copieusement avant de se diriger vers une table vide dans un coin. Matt piochait déjà dans son assiette avec les doigts quand ils s'assirent.

– Alors ? Comment as-tu atterri ici ? demanda Matt la bouche pleine de purée. À l'infirmerie, tu m'as dit que tu étais un descendant des fondateurs, mais cela ne me parle pas du tout.

Jamie réfléchit à l'énormité de sa question. La succession d'événements ayant conduit à son arrivée au Département 19 avait commencé plus de cent ans auparavant, quand son arrière-grand-père travaillait comme valet auprès d'Abraham Van Helsing. Même les raisons les plus immédiates qui impliquaient son père et un vampire qu'il avait tué à Budapest dix ans plus tôt étaient tortueuses et compliquées.

– Cette histoire devra attendre encore un peu. Quand on aura un peu plus le temps, d'accord ?

Beaucoup plus de temps.

Par-dessus l'épaule de Matt, Jamie aperçut Kate et Larissa qui arrivaient. Il leur fit signe d'approcher. Elles échangèrent un regard qui ne plut pas du tout à Jamie mais dès qu'elles se furent servies, elles vinrent dans leur direction avec leur plateau.

Au moins, elles savent encore que j'existe.

Elles s'arrêtèrent derrière Matt qui mangeait comme quatre et examinèrent l'adolescent en vêtements civils avec curiosité.

– Tu nous présentes ton ami ? demanda Larissa.

Matt manqua s'étrangler avec sa nourriture, déglutit et se retourna. Quand il vit Larissa qui lui souriait, il blêmit. Larissa fronça les sourcils et ses yeux s'écarquillèrent quand elle le reconnut.

– Qu'est-ce…, commença-t-elle.

Matt bondit de sa chaise qui bascula en arrière. Le bruit attira l'attention de tout le monde. Il courut se cacher derrière Jamie.

– Et merde ! grogna Jamie.

Il se leva d'un bond et attrapa Matt par les épaules. Terrorisé, celui-ci tremblait comme une feuille.

– Matt ! hurla-t-il sans se soucier des opérateurs présents qui les observaient en silence. Matt ! Tout va bien. Calme-toi.

– Que se passe-t-il ? s'écria Kate. C'est qui ?

– C'est lui, répondit Larissa avec recul. Le garçon du jardin. Celui que j'ai blessé.

– Quoi ? répliqua Kate. Ils ne l'ont pas renvoyé chez lui récemment ? Qu'est-ce qu'il fabrique ici ?

– Il a risqué sa vie pour revenir à la Boucle parce qu'il veut nous aider, expliqua Jamie. Plutôt admirable, non ?

Il secoua à nouveau Matt.

– Eh ! Larissa est de notre côté. O.K. ? Elle a déserté les vampires et ils ont failli la tuer pour cela. Matt ?

Lentement, il se concentra et se détendit.

– Désolé, marmonna-t-il au bord des larmes. Je suis désolé, Jamie. Quel choc ! Je suis désolé.

– Arrête de t'excuser, veux-tu ? Tu vas bien. Tout le monde va bien. Maintenant respire un bon coup. J'aimerais te présenter mes amies.

Les quatre adolescents s'installèrent à table et les opérateurs retournèrent à leur nourriture, puisque le clash était terminé.

– Matt, voici Kate. Elle habitait sur Lindisfarne quand... Euh, c'est une autre histoire très longue qui attendra.

– Mais elle en vaut la peine, commenta Kate qui rit quand Matt lui tendit la main de manière très formelle. Ravie de te rencontrer, Matt.

– Moi aussi, bredouilla-t-il.

– Bon, tu as déjà rencontré Larissa.

La plaisanterie était risquée mais s'il voulait que cela fonctionne entre eux, il devait absolument diminuer la tension entre son nouvel ami et sa petite amie.

Larissa sourit, l'air coupable puis fronça les sourcils. Par chance, Matt lui offrit un grand sourire et ils se serrèrent la main.

– Content de te revoir, dit Matt.

Et Jamie éclata de rire. Mal assurée, Larissa se contenta de sourire.

– Moi aussi, répondit-elle. Il faudra peut-être qu'on ait une petite conversation un de ces jours... En attendant, je suis désolée de t'avoir blessé. Je ne te demande pas de me pardonner mais sincèrement, je n'en avais pas l'intention.

– Ça va, rétorqua Matt qui par réflexe effleura la cicatrice sur sa gorge. Y a pas de mal.

Un ange passa. Jamie, qui n'avait pas l'intention de gâcher un si bon travail, recula sa chaise bruyamment et brisa le silence. Kate demanda alors à Matt comment il s'était débrouillé pour revenir. Larissa voulut savoir si Jamie avait passé une bonne journée et tous quatre se mirent à discuter comme de vieux amis. Le stress et les peines de cœur de la veille semblaient loin, momentanément du moins.

On est bien tous les quatre comme ça. Je ne sais pas pourquoi, mais je trouve qu'on est bien.

Soudain, il éprouva un fort sentiment de culpabilité quand il s'aperçut que ni Larissa ni Kate n'avaient provoqué de tensions entre eux trois.

C'était lui.

Terminé. Je mets un terme à tout ceci. Aujourd'hui.

27

LA VILLE LUMIÈRE, DEUXIÈME PARTIE

PARIS, FRANCE
23 AOÛT 1923

La salle à manger privée de lord Dante, le roi des vampires de Paris, était couleur sang.

Les murs étaient tapissés de velours cramoisi, le sol couvert d'une moquette rouge foncé si épaisse qu'on s'y enfonçait jusqu'aux lacets. Le plafond en forme de dôme avait été peint en rouge et décoré de motifs dans les mêmes teintes, des volutes et des spirales qui faisaient mal aux yeux. La grande table ronde et sa nappe écarlate était entourée de fauteuils en cuir vermillon. Les seuls éléments de la pièce dans un autre ton étaient lord Dante lui-même et ses quelques invités triés sur le volet.

Comme à son habitude, lord Dante portait un smoking d'un noir si profond qu'il semblait absorber la lumière, créant une impression de vide, d'absence. Sa chemise blanc immaculé était aussi impeccable que son nœud papillon noir perché sur son col à pointes. Sa cape qui lui rappelait les jours passés, sa jeunesse désormais consignée dans les livres d'histoire, avait l'aspect du pétrole à l'extérieur et du sang épais et rouge foncé à l'intérieur.

On lui aurait donné vingt-cinq ans alors qu'il avait été transformé par Valeri Rusmanov en personne trois cents ans plus tôt, comme il adorait le raconter aux nuées de vampires béats qui défilaient à sa table. Cela faisait de lui le quatrième vampire au monde, puisque Dracula n'était plus, le plus vieux qui n'était pas un Rusmanov, le plus puissant de France et il ne supportait pas qu'on remette en question sa prétendue supériorité.

Moins de deux semaines plus tôt, Frankenstein avait assisté, les yeux écarquillés, l'esprit embué par l'opium, à une séance de torture infligée par Dante à un vampire. Celui-ci affirmait que leur vie ne commençait pas le jour de leur transformation. Réponse du roi ? Il avait enfoncé la main dans la bouche du traître jusqu'à ce qu'on voie bouger ses doigts sous son cuir chevelu. Il avait exigé que le vampire retire ses paroles, ce qui était évidemment impossible. Pour finir, lassé par ce jeu, il lui avait tordu le cou et avait jeté sa tête au loin tel un enfant lassé par un jouet. Puis il avait transpercé le cœur de l'insubordonné avec une fourchette en argent. L'explosion de sang avait trempé Dante et ses invités mais le roi avait continué son repas comme si de rien n'était. Tous l'avaient imité de peur que le même traitement ne leur soit infligé.

Quand Frankenstein et Latour entrèrent, lord Dante leur adressa un grand sourire.

– Gentlemen ! s'écria-t-il. Vous m'honorez de votre présence ! Joignez-vous donc à moi !

Lord Dante faisait face à la porte. Bien qu'il fût à une table ronde, il donnait l'impression de trôner. Trois des sept autres chaises étaient occupées, celles à sa droite et à sa gauche restaient vacantes par respect pour lui.

Une femme d'âge moyen, serrée dans un étroit corset, le visage trop poudré de blanc, les bras longs, fins et délicats, était assise en face de lui. À sa gauche un vampire nerveux en costume terne la regardait régulièrement, le profil type de l'époux dominé par sa femme.

Seul à équidistance entre Dante et la femme blanche, un vampire d'âge indéterminé, le visage caché par de longs cheveux, était avachi dans son fauteuil, enveloppé dans un épais pardessus noir. Dans un coin de la pièce était affalée une jeune fille aux habits trempés du sang qui s'échappait d'une grande balafre à la gorge. Malgré sa position, elle n'était ni ivre ni endormie.

Latour fit une révérence théâtrale, les yeux fermés, quand Frankenstein se contenta de pencher la tête sans quitter son hôte des yeux. Ils s'assirent de chaque côté de Dante, suscitant un profond regard de jalousie de la part de la femme poudrée.

– Ne soyez pas envieuse, remarqua Dante. Toutes les places se valent à ma table. La distance entre nous, chère Agathe, ne correspond pas à la profondeur de mes sentiments pour vous.

– Bien entendu, Votre Majesté, murmura Agathe dont les yeux rougirent néanmoins par haine pour Latour et Frankenstein.

– Jacques ! cria Dante.

Une porte dissimulée s'ouvrit et un serveur apparut.

– Sers donc quelque chose à boire à mes amis, Jacques.

Le vampire s'inclina avant de s'effacer. Peu après, il revenait avec une carafe en cristal remplie d'un liquide rouge foncé.

– Tiré il y a moins d'une heure, expliqua Dante en désignant la fille inanimée. D'une douceur inouïe.

Il y eut un murmure d'approbation autour de la table quand Jacques servit les convives. Dante leva son verre en cristal.

– Longue vie ! clama-t-il avec solennité. Qu'elle soit bien remplie.

Les invités répétèrent le toast avant de boire goulûment. Frankenstein grimaça au début comme toujours. Le sang épaissi était désagréablement tiède. Mais il persévéra. La saveur métallique, l'impression de décadence intransigeante et de haine de soi qui l'accompagnait, eurent bientôt raison de son dégoût initial.

Les conversations s'engagèrent. Latour ne pouvait placer un mot car la femme poudrée l'interrompait sans arrêt pour avoir l'attention unique de Dante. L'époux tentait de discuter avec le type aux cheveux longs qui lui répondait par de brefs grognements. Ce fut donc Frankenstein qui entendit le premier le raffut dans l'auditorium.

Bien qu'assourdis par le bois épais, les sons étaient néanmoins reconnaissables : grognements de vampires excités, bruits de pas pressés puis le hurlement d'une femme. Aigu et rempli d'une terreur abjecte, il attira l'attention des convives.

– Qui perturbe notre soirée ? demanda Dante, choqué par l'affront. Jacques ! Ici !

Le serveur surgit, comme s'il attendait derrière la porte qu'on l'appelle.

Créature pathétique et obséquieuse, pensa Frankenstein.

– Va te renseigner sur la nature de cette agitation, ordonna Dante. C'est intolérable. Un roi devrait pouvoir dîner en paix, non ? Je leur demande si peu et voilà comment ils me traitent. Peut-être devrais-je leur rappeler quelle est leur place dans l'ordre des choses ?

– Vous avez raison, mon seigneur, s'exclama la femme poudrée. Détruisez-les tous !

– Pourquoi pas…, répliqua Dante. Et si je commençais par vous ?

– Votre Majesté, crachota la femme qui se ratatina sur sa chaise. Veuillez m'excuser… Je n'avais pas l'intention de mécontenter…

– Il suffit !

Dante surveillait la porte. Le bruit avait cessé dans l'auditorium et il attendait avec impatience le retour du serveur.

Quand Jacques réapparut, il sifflait, grognait, les yeux d'un rouge vif. Il serrait contre lui une blonde terrorisée d'une vingtaine d'années. Elle se débattait mollement tandis que le vampire claquait la porte violemment avec le pied. Un grognement rauque mourut dans sa gorge, le rouge disparut de ses yeux, sa sauvagerie s'envola face à son maître.

– Mes excuses, Votre Majesté, marmonna le serveur à nouveau docile. Vous n'auriez pas dû me voir sous ce jour.

– Inutile de t'excuser, Jacques, répondit Dante sans regarder son esclave, tant il était obnubilé par la fille. Ce n'est pas sain pour un homme de cacher sa vraie nature tout le temps. La bête qui sommeille en nous a besoin de s'évader parfois, pas vrai ?

– Exactement, Votre Majesté.

– Qui est cette jeune femme que vous nous avez amenée ?

– Un cadeau, Votre Majesté. Girard pensait qu'elle serait à votre goût. Il vous l'a apportée en gage de sa loyauté et de son amour pour vous. Babineaux a objecté et tenté de se l'accaparer. La dispute faisait rage quand je suis arrivé.

– Tu y as mis un terme ?

– Oui, Votre Majesté.

– De manière satisfaisante ?

– Pas du point de vue de Babineaux. Il n'essayera plus de s'approprier les biens du roi de Paris. Il n'essayera plus jamais rien, en fait.

– Excellent, commenta Dante avec cruauté. Inspectons à présent ce cadeau. Envoie-moi Girard un peu plus tard, que je lui témoigne ma gratitude.

– Bien, maître, répondit Jacques qui lui remit la fille.

Le menton sur la poitrine, elle semblait à peine consciente. Jacques lui secoua les épaules avant de gifler sa joue pâle.

La claque résonna comme un coup de fusil dans la petite salle à manger et la fille ouvrit les yeux en grand. Quand elle croisa le regard lubrique de Dante, elle les écarquilla davantage. Pas par peur, pensa Frankenstein dont les muscles se crispèrent malgré lui.

On aurait dit qu'elle reconnaissait le maître des lieux.

– Pierre ? chuchota la fille. Pitié, empêche-les de me faire du mal.

Lord Dante ne se départit pas de son sourire mais quelque chose changea dans ses yeux. Frankenstein s'en aperçut et comprit avec un plaisir sauvage que son hôte avait peur.

Oui, le roi des vampires était effrayé.

Pourquoi craint-il cette fille ?

– Laisse-nous, Jacques, ordonna Dante, le sourire figé.

Le serveur lâcha la fille qui ne bougea pas puis il sortit à reculons de la pièce. L'atmosphère devint soudain pesante, au grand étonnement des invités.

– Catin, cracha Latour. Tu oses parler à lord Dante sur un ton aussi familier ? Tu t'adresses à un être pour qui tu es moins que rien, un être qui a vécu plus de quatre siècles. Incline-toi avant de lui parler à nouveau et ajoute « Votre Majesté », sinon je t'arracherai la langue personnellement.

Des larmes brillèrent dans les yeux de la fille.

– M... mais... Je le connais. Il vivait à Saint-Denis quand j'étais petite. Il s'appelle Pierre Depuis. Il a disparu il y a plus de vingt ans. Tout le monde a cru qu'il était mort.

– Tue-la, Latour, commanda Dante au visage limite violet. Je ne veux plus entendre ses divagations.

Latour bondit de sa chaise, les yeux aussitôt rouges. La femme poudrée l'imita et prit la fille par les épaules. Celle-ci hurla de peur.

– Attendez ! tonitrua Frankenstein sans quitter Dante des yeux ni bouger de son siège.

Le volume de sa voix et sa sévérité firent hésiter les deux assaillants.

– Tu oses me contredire, monstre ? siffla lord Dante. En ce lieu ?

– De quoi parle cette fille, Dante ?

– Je n'en sais rien, bafouilla le roi des vampires. Elle m'a confondu avec un paysan.

– Elle semble pourtant assez sûre d'elle.

– Et alors ? J'ignore ce qu'elle veut. La manière dont son esprit primitif fonctionne ne m'intéresse pas. Maintenant, tue-la, Latour, avant que l'ambiance de la soirée soit définitivement gâchée.

Latour dévisagea Dante puis Frankenstein, indécis.

– Pourquoi veux-tu me faire du mal, Pierre ? bredouilla la fille, en larmes. Qu'est-ce que je t'ai fait ?

Lord Dante se leva si vite que personne ne s'en rendit compte. Les yeux cramoisis, il envoya contre un des murs rouges les verres, les bouteilles, les assiettes en porcelaine, l'argenterie…

– Ça suffit ! hurla-t-il. Je suis Dante Valeriano, le roi des vampires de Paris et je n'ai jamais entendu parler de cet homme avec lequel tu me confonds. Maintenant, Latour, je t'ordonne de la tuer.

Latour demeura immobile.

Il lança un regard suppliant à Frankenstein que tout le monde regardait. Frankenstein comprit que l'autorité s'éloignait de Dante qui s'en aperçut également.

– Tu doutes de moi, Frankenstein ? demanda le roi des vampires sur un ton menaçant. Après tout ce temps passé ensemble ?

Le monstre l'ignora et s'adressa aux invités.

– Dites-moi, mesdames et messieurs, depuis quand connaissez-vous notre illustre hôte ?

Le mari de la poudrée s'essuya le front avec un mouchoir.

– Eh bien…, marmonna-t-il. Lord Dante nous honore de sa présence depuis une dizaine d'années. Tout le monde sait qu'avant il était reclus à cause des Tatars qui voulaient ramener sa tête à Moscou.

– Frankenstein, espèce de bâtard, grogna le roi des vampires. Tu oses douter de mon identité…

– J'ose, l'interrompit l'intéressé qui poussa sa chaise et se redressa de toute sa taille impressionnante. Je doute de vous, mon seigneur ! J'ai connu de meilleurs imposteurs et de bien meilleurs menteurs le siècle dernier et oui, je doute de vous. Je vous appelle Pierre Depuis de Saint-Denis et je vous traite de mystificateur.

– Tuez-le ! s'égosilla Dante. Tuez-les tous les deux et apportez-moi leurs langues de vipère sur…

Bam !

Dante écarquilla les yeux, dévisagea Frankenstein et suivit son regard vers son bras tendu. La main pâle vert-de-gris tenait le manche du lourd couteau kukri que le monstre portait toujours à sa ceinture. L'épaisse lame noire était plantée jusqu'à la garde dans la poitrine du roi des vampires et le chevillait au mur. Frankenstein avait agi si vite que les invités devaient se contenter du résultat.

Dante tendit une main tremblante vers le monstre et s'aperçut avec horreur et incompréhension qu'elle se dissolvait sous ses yeux. Des morceaux entiers de peau tombaient sur la table. Tout aussi vite, de nouveaux muscles se tricotaient, une nouvelle peau se mettait en place. Et soudain son cou se disloqua avant de se réparer à son tour.

Le visage de Dante saigna, puis se solidifia, puis fondit.

Pendant un instant, il n'y eut pas un bruit. Tout à coup, la femme poudrée poussa un cri aigu ; les invités se levèrent, les yeux rouges, les crocs acérés. Latour assistait à la scène, pétrifié.

Frankenstein ne perdit pas de temps.

Il bondit sur la table et plaqua le vampire aux cheveux longs contre le mur. Sans regarder, il s'empara du visage blanc de la femme et l'écrasa contre le mur. Du sang jaillit des trous laissés par ses crocs dans ses lèvres. Ensuite, Frankenstein donna un coup de pied à sa droite et le mari voltigea. Pendant qu'il se relevait, il sortit une courte dague de son veston et la plongea dans la poitrine du vampire aux cheveux longs.

Quand il explosa, il recouvrit Frankenstein de viscères fumants. Ce dernier ne sembla pas le remarquer. La porte de service s'ouvrit sur Jacques ; l'odeur âcre du sang frais lui fit flamboyer les yeux. Il s'arrêta net en voyant son maître, ce qui donna à Frankenstein tout le temps nécessaire pour le poignarder dans le dos. Dans l'explosion, le serveur arrosa de sang le roi abasourdi.

Frankenstein s'approcha de la femme poudrée qui leva les mains pour se protéger. La dague se planta dans son cœur qu'il coupa en deux. Elle explosa comme un ballon de baudruche. Le sang macula le dos de Frankenstein qui s'éloignait déjà, véritable cauchemar ambulant.

– Je vous en prie… Non… non… Je m'en vais… je vous… gémissait le mari.

Ce que l'homme comptait faire, Frankenstein ne le saurait jamais. Le poignard frappa une quatrième fois et une dernière éruption de sang trempa la salle à manger. Les quatre vampires avaient été détruits en moins de dix secondes. Leur destructeur pivota. Face à lui, Dante n'en revenait pas d'être blessé ; horrifiés, Latour et la fille ne remuaient pas un cil.

– On y va, Latour, s'exclama Frankenstein. Maintenant.

Latour examina Dante dont le corps menaçait de se dissoudre avant de guérir, encore et encore.

– Que lui as-tu fait ? murmura-t-il. Quelle est cette magie noire ?

– Je l'ignore, répliqua Frankenstein. Et je m'en moque. Prends la fille et partons, tant que c'est encore possible.

Tiraillé entre la fille, Dante et Frankenstein, Latour était en proie aux tourments.

– Dernière chance, mon ami. Tu viens, oui ou non ?

Latour ne dit rien mais la honte se lisait sur son visage.

Cela suffit à Frankenstein. Il attrapa la jeune blonde qui cria quand ses doigts marbrés se fermèrent sur son avant-bras. Cependant, lorsqu'il la tira vers la porte, elle le suivit volontiers. Il plaqua l'oreille contre le bois avant de l'ouvrir. Après avoir jeté un dernier coup d'œil à la pièce trempée de sang et croisé le regard outré de Dante, il s'enfuit dans la nuit avec la fille.

Le lendemain matin, à l'extérieur d'un élégant bâtiment rue Scribe, Frankenstein prit une profonde inspiration.

Il était sorti du théâtre de la Fraternité de la Nuit avec Daphné (il avait fini par découvrir son prénom) sans attirer l'attention de l'assemblée, déjà moins nombreuse depuis la destruction de Babineaux. Une fois loin du théâtre, à peu près en sécurité, Daphné fondit en larmes et ses jambes cédèrent sous elle. Frankenstein la rattrapa *in extremis* puis la conduisit dans un petit hôtel rue Saint-Claude. Elle avait peiné à s'endormir mais, par chance, elle ne voulut ou ne put lui poser aucune question.

De toute manière, il n'avait pas de réponses.

Elle finit par s'endormir tandis que Frankenstein regardait par la fenêtre. Quand le soleil se leva à l'est, il prit une décision.

Du plus loin qu'il s'en souvienne, il se considérait avec mépris. Les circonstances de sa naissance et la nature recyclée de son corps avaient imposé cette conclusion, et ce qu'il avait fait à Victor Frankenstein, son père en tout point si ce n'était biologique, dont il avait pris le nom pour honorer sa mémoire, l'avait confirmé.

Il comptait mourir dans l'Arctique car il pensait le mériter. Mais un vaisseau d'explorateurs norvégiens lui avait ôté ce droit le plus fondamental, celui d'achever sa propre vie. Comme il souffrait d'hypothermie avancée quand ils l'avaient découvert, il n'avait pu refuser leur assistance. Ils l'avaient donc remis sur pied et plusieurs mois plus tard, il était arrivé à Paris en pleine forme.

Les plaisirs de la nuit étaient venus facilement à lui puisqu'il croyait au fond de son âme torturée qu'il était moins qu'humain. Par conséquent, la morale et la décence ne s'appliquaient pas à lui. Il avait commis des choses terribles pendant sa décennie passée dans la capitale française, à l'ombre de la guerre. En Latour, il avait trouvé son semblable sur qui la conscience ou la culpabilité ne pesaient pas. Ils s'étaient permis le pire ensemble. Quand les doutes surgissaient, comme souvent au milieu de la nuit, tandis qu'il lavait ses mains couvertes de sang ou était perdu dans les brumes de l'opium, il les repoussait. Les doutes étaient réservés aux bons, aux hommes.

Il ne les méritait pas.

Mais quelque chose s'était produit dans la salle à manger de la société : un changement. Était-il dû à la nature pathétique et insolente de Dante, au dégoût que lui inspiraient ces écœurants flagorneurs autour du roi de pacotille ? Quand Daphné avait été amenée dans la pièce, il avait éprouvé un sentiment nouveau, clair et puissant.

De la culpabilité.

Il avait honte de faire partie des bas-fonds de Paris où les filles comme elle étaient torturées et assassinées, honte de se trouver de son plein gré dans un lieu où torture et éviscérations constituaient un spectacle quotidien, honte que la faiblesse et l'apitoiement sur soi-même aient guidé sa vie, alors qu'il aurait pu utiliser la rareté de sa condition, sa force et son endurance incroyables, son immortalité pour le bien des autres. Il avait honte de ce qu'il avait fait avec ses deux mains. S'il survivait la nuit suivante, jamais il n'en parlerait à âme qui vive.

Il savait que les hommes de Dante le chercheraient dès la tombée de la nuit mais il n'avait pas peur. Sauver une fille ne ressusciterait pas les centaines d'autres qui étaient mortes par sa faute ou non. S'il s'agissait de son dernier geste, eh bien il était content de l'avoir osé.

Les yeux rivés sur l'est, il réalisa qu'il se mentait à lui-même.

Non, ce n'était pas la fin. Il ne le permettait pas. Soudain, un feu qu'il n'avait pas ressenti depuis des années se mit à brûler en lui, comme si son âme avait été arrachée à son corps et tendue au soleil.

Il paierait pour tout le mal qu'il avait fait.

Même si cela prendrait l'éternité.

28

FIGUREZ-VOUS SEULEMENT ET TOUT SERA RÉPARÉ[1]

Quand le repas fut terminé – Matt avait tellement mangé qu'il se tenait le ventre à deux mains et grognait de temps en temps – Jamie s'adressa aux deux filles en face de lui.

– Vous pouvez me rejoindre dans mes quartiers d'ici un quart d'heure ? J'aimerais vous parler.

Larissa et Kate échangèrent un regard. Alors qu'il avait compris qu'il était la source des problèmes entre eux, ce geste le contraria.

Laisse tomber. Ce n'est pas leur faute mais la tienne.

– O.K., répondit Kate.

– Je viendrai, ajouta Larissa. À tout à l'heure.

Elle alla poser son plateau avant de sortir. Kate attendit quelques secondes pour la suivre.

1. *Songe d'une nuit d'été* – William Shakespeare – Acte V scène 1. (N.d.T.).

– Waouh ! s'exclama Matt. Je suis repu. Des années que je n'avais pas mangé comme ça.

– Tu te sens mieux ? lui demanda Jamie. Tu peux marcher ? J'aimerais te montrer le chemin du dortoir. J'ai un truc à faire après.

– Pas de problème. J'arrive. Il ne faudrait pas faire attendre ces deux demoiselles.

– Ce n'est rien de le dire !

Tandis qu'ils longeaient le couloir central du niveau G, Jamie lui décrivit rapidement la Boucle. La base se situait en grande partie sous terre. Seul l'immense hangar, les salles des opérations et de briefing, les Services Communication et Surveillance se trouvaient dans la grande bulle métallique entourée d'herbe et de goudron.

– Qu'est-ce qu'il y a tout en bas ? demanda Matt, fasciné.

– La centrale électrique, la station d'épuration, le système de surveillance sismique. D'après ce que je sais. Je n'y suis jamais descendu.

– L'accès est restreint ?

– Pas que je sache. Pourquoi ?

– Cela me fascine. Je suis étonné que tu n'aies pas visité les moindres recoins de cette base.

Jamie éclata de rire.

– Je vois la salle des opérations, des briefings, le mess des officiers, le réfectoire, le hangar et quand j'ai de la chance, mes quartiers. Je n'ai pas le temps pour autre chose !

– Je m'en doute. Tu penses que M. Seward m'autorisera à jeter un coup d'œil en bas ? Si je reste, bien sûr.

– *Amiral* Seward, corrigea Jamie gentiment. Ou directeur Seward. Pourquoi pas ? Mais pour l'instant, on se concentre sur des arguments pour le persuader de te garder.

– O.K.

– Cool, répliqua Jamie qui appela l'ascenseur. Je te ferai visiter la base quand on aura plus de temps, promis.

Les deux garçons entrèrent dans la cabine qui monta à toute allure. Arrivés au niveau voulu, Matt avait l'air un peu nerveux.

– Nous y sommes, annonça Jamie en désignant leur gauche. Dernier couloir au fond puis deuxième porte, d'accord ?

– Tu ne viens pas avec moi ?

– Mes quartiers sont de ce côté, expliqua-t-il en montrant le côté opposé. Tout ira bien. Un opérateur te laissera entrer dans le dortoir. Essaie de te reposer. Je viens dès que j'apprends quelque chose.

– Merci et bonne chance avec Kate et Larissa.

– Je crois que j'en aurai besoin ! Salut !

Jamie réfléchissait à ce qu'il allait leur dire quand il les aperçut devant sa porte.

Oh ! Ce n'est pas bon signe.

Les deux filles connaissaient le code pour ouvrir sa porte, étaient entrées des centaines de fois. Pas là. Elles l'attendaient en silence.

– Ça va ? leur demanda-t-il, avec une légèreté forcée.

Elles ne bronchèrent pas.

– O.K., répondit-il en montrant sa carte au tableau à côté de la porte.

Elle se déverrouilla avec bruit et il l'ouvrit. Les filles entrèrent. Jamie prit une grande inspiration puis les suivit.

Pendant un long moment pénible, tous les trois restèrent debout dans la petite chambre sans savoir quoi faire.

Jamie hésita avant de tirer la chaise de son bureau. N'obtenant aucune réaction des filles, il s'assit. Pendant quelques secondes désagréables, elles le regardèrent avant de s'asseoir au bord de son lit étroit, face à lui.

Vas-y. Jette-toi à l'eau.

– J'ai été idiot, commença Jamie, encouragé par leurs regards ébahis. Stupide, injuste et je vous ai déçues toutes les deux. J'ai beaucoup de choses à vous dire mais voilà la plus importante : je suis vraiment, vraiment désolé, Kate. C'était mon idée de te mentir. Larissa, je sais que j'ai fait passer le département avant toi. Je suis vraiment, vraiment désolé.

– Jamie, intervint Kate. Ce n'est pas totalement ta faute. J'ai mes secrets aussi.

– Toi et Shaun, compléta Jamie. Je sais. Mais tu ne nous aurais pas caché votre histoire si je ne t'avais pas exclue de la nôtre.

– Eh ! protesta Larissa. C'était mon idée aussi. Je suis également fautive.

– Exact. Tu as menti parce que je te l'ai demandé, remarqua Jamie. Tu n'étais pas d'accord, tu détestais mentir à Kate. Tu l'as fait parce que tu avais confiance en moi et j'avais tort. Nous aurions dû être honnêtes dès le début.

Les filles se regardèrent, un moment de paix inattendu passa entre elle.

– Nous comprenons, Jamie, continua Larissa. Ta vie a changé depuis Lindisfarne et nous le comprenons. Nous savons combien tu es heureux d'être ici. Tu peux être fier de ton nom. Cela n'a jamais été un problème. Seulement on a eu l'impression que tu nous tournais le dos, que nous te perdions. Tu comprends ?

Jamie manqua mourir de honte. Larissa avait décrit en quelques mots ce qu'il avait mis des mois à réaliser.

– Maintenant, oui.

– Très bien, poursuivit Larissa. Nous sommes contentes.

Et elle lui sourit, vraiment, pour la première fois depuis des siècles, pensa-t-il. Il n'y avait aucun prestige, aucune fierté à cacher des choses à ses amis.

Plus de secrets, plus de mensonges.

– Vous pouvez garder un secret ? demanda-t-il.

– Cela dépend de sa taille, répondit Kate, curieuse.

– Assez gros, répliqua Jamie qui se mit à parler.

87 JOURS AVANT L'HEURE H

29

CONVERSATION AVEC UN MONSTRE

Quand il se leva le lendemain matin, Jamie Carpenter ne s'était pas senti aussi léger depuis des mois.

Sa conversation avec Larissa et Kate lui avait fait le plus grand bien. Le fait de partager son dernier secret également, celui qu'il n'avait confié à personne d'autre et qu'un seul homme connaissait dans toute la Boucle. Il aurait dit que quelqu'un était entré dans son cerveau la nuit pour le nettoyer. Même le rendez-vous avec Valentin Rusmanov qui devait avoir lieu moins d'une demi-heure plus tard ne l'avait pas refroidi.

Jamie se doucha, sourit quand il se rappela le visage des filles lors de sa confession, enfila son uniforme noir et fonça vers l'ascenseur. Il marchait vite, parce que sa bonne humeur lui donnait de l'énergie et surtout il ne voulait pas faire attendre l'amiral Seward.

En l'absence de son père, il appréciait beaucoup la foi du directeur en lui, son attitude quasi paternelle et commençait à compter dessus.

L'amiral Seward n'était pas affectueux, ni même proche, mais il le traitait avec le même respect que les autres. Pour Jamie qui en avait voulu pendant deux ans à son père d'avoir trahi sa famille et sa patrie, qui avait vécu sans modèle masculin même quand l'honneur de son père avait été réhabilité, Seward était la personne idéale.

Il repensa au baiser de Larissa quand les filles avaient quitté ses quartiers, le premier devant Kate qui avait gloussé bien entendu puis détourné les yeux avec le sourire.

Nous l'avons échappé belle, songea-t-il.

Les portes de l'ascenseur s'ouvrirent ; Jamie fit un signe de tête à l'opérateur à l'intérieur, un de ces visages presque familiers qui peuplaient la Boucle. Ce n'était pas un endroit où l'on faisait facilement connaissance. Les opérateurs passaient la majeure partie de leur temps avec leur équipe, lors de missions aux quatre coins du pays et au-delà. De retour, la plupart filaient au lit.

Certains fréquentaient le mess des officiers où ils buvaient, fumaient, jouaient aux cartes ; il s'agissait surtout de l'ancienne génération de Blacklight. Ils étaient opérateurs avant que le titre existe, avant l'explosion du nombre de vampires dans les années 1980 et 1990, avant les trois-huit et ces jours interminables sans sommeil.

L'ascenseur s'arrêta au niveau A ; Jamie longea le couloir d'un pas rapide. Il salua l'opérateur posté devant les quartiers de l'amiral, frappa et attendit. Au bout de quelques secondes, elle s'entrouvrit. À l'intérieur, le directeur se trouvait à sa place habituelle, à son bureau derrière une montagne de paperasse.

– Alors, Jamie ! Prêt pour ton rendez-vous avec Valentin ?

Jamie décela une note d'inquiétude dans sa voix.

Il ne veut pas que j'y aille. Il pense que ce n'est pas prudent d'y aller seul.

– Prêt. Il faut que cela soit fait.

– Je suppose ! Ce n'est pas bien de t'envoyer en bas, mais je ne vois pas d'autre solution.

– Moi non plus, monsieur.

Après un long silence, Seward prit une feuille et poursuivit.

– J'ai discuté avec le professeur Talbot, hier soir. Je lui ai parlé de ton nouvel ami, M. Browning.

– Qu'en a-t-il pensé ?

Si Matt avait la permission de rester, ce serait une grande victoire.

– Il a ri, répondit Seward et le visage de Jamie se décomposa. Jusqu'à ce que je lui montre le dossier de M. Browning. Il a cessé de rire et m'a avoué : « Le seul membre de mon équipe au QI plus élevé que ce garçon, c'est moi. »

– C'est super, non ?

– Le professeur Talbot a l'air de le penser. Il est d'accord pour intégrer Matt dans le projet Lazarus. Question sécurité, le risque est minimal puisque tu le sais, que cet essai fonctionne ou pas, M. Browning ne retournera pas chez lui. Alors, autant qu'il se rende utile.

Jamie refusa de penser aux implications de ce discours. L'amiral Seward parlait d'incarcération, bien sûr.

L'alternative était trop horrible.

Il fut soudain assailli par la culpabilité : par rapport à ses trois amis, il avait beaucoup de chance. Il avait encore sa mère, même si elle vivait dans une cellule, deux cents mètres sous terre. Kate, Larissa et Matt désormais avaient perdu tous ceux qui leur étaient chers.

– Il est brillant, déclara Jamie. Talbot a de la chance de l'avoir.

– Espérons que tu dises vrai. Un opérateur lui apporte en ce moment même un contrat temporaire et une décharge. Dès qu'il aura signé, il pourra se mettre au travail. Je l'ai placé au niveau B, près de tes quartiers. Tu n'y vois pas d'objection ?

– Non, monsieur ! Merci, monsieur.

– Très bien. Après ton sale quart d'heure avec Valentin, tu pourras montrer sa chambre à Matt ?

– Bien, monsieur.

– Jamie, tu es attendu au bloc de confinement dans quelques minutes. Nous te surveillerons depuis la salle des opérations. Garde ton calme et essaie de lui donner tout ce qu'il réclame. Tu vas y arriver, Jamie. J'ai foi en toi.

Tandis que Jamie retournait à l'ascenseur, les mots de l'amiral résonnaient dans sa tête.

J'ai foi en toi.

Seule Larissa lui avait dit la même chose, dans les bois obscurs de Lindisfarne, un homme innocent à leurs pieds. Ces mots lui avaient redonné du courage et il lui en fallait pour affronter Valentin Rusmanov.

Paul Turner l'attendait au niveau H. L'officier fit un bref signe de tête.

– Tu sais que je ne peux pas t'accompagner.

C'était une affirmation et non une question.

– Nous avons déplacé ta mère dans une cellule temporaire. Le majordome de Valentin aussi. Il n'y aura que vous deux. Tu es prêt ?

– Je suis prêt, répondit Jamie.

Ce qui était vrai.

– O.K., répliqua Turner, un microscopique sourire aux lèvres. Tout va bien se passer.

L'officier chargé de la sécurité s'écarta. Jamie pénétra dans le sas étincelant qui donnait accès aux cellules. Dans l'étroit espace, il ferma les yeux quand le gaz du spectroscope l'enveloppa. Puis il sortit calmement par la deuxième porte. Le long du large couloir, Jamie prit conscience que son cœur battait très vite, l'équivalent d'une grosse caisse dans les tympans de Valentin.

Jamie se plaça devant le mur à ultraviolets. De l'autre côté, Valentin Rusmanov l'attendait sur la même chaise que la veille au matin, avec un grand sourire accueillant. Le col de sa chemise était ouvert, ainsi que la veste de son costume gris.

– Bonjour, monsieur Carpenter ! s'exclama-t-il. Je me demandais si vous alliez venir.

Jamie regarda sa montre : huit heures sept.

– Je suis désolé, s'excusa-t-il. La réunion a duré plus longtemps que prévu.

– J'imagine que vous avez été briefé sur les dangers de se retrouver seul en ma compagnie. Par l'amiral Seward, je présume. Il semble vous aimer beaucoup.

– Je suis ici à présent, déclara Jamie, déterminé à ne pas laisser le vampire dicter la conversation. Seul comme vous l'avez demandé. Puis-je entrer ?

Valentin désigna la chaise occupée la veille par Paul Turner.

– Je vous en prie. *Mi casa es su casa.* Faites comme chez vous.

Jamie prit malgré lui une profonde inspiration, espérant que Valentin ne l'ait pas remarqué puis il traversa le mur à ultraviolets. Sa peau le chatouilla le temps qu'il s'assoie.

À moins de deux mètres de lui, souriant, se trouvait l'un des êtres les plus puissants au monde.

– Alors ? s'enquit Valentin, en croisant les jambes. De quoi allons-nous parler ?

– Vous avez réclamé ce rendez-vous, répliqua Jamie. À vous de me le dire.

Le vampire afficha une mine réjouie et Jamie entraperçut un flash rouge au coin de ses yeux. Un frisson lui remonta le long du dos.

– Nous avons tant de choses à nous raconter, Jamie. Je peux vous appeler Jamie et vous tutoyer ? Ou préférez-vous monsieur Carpenter ?

– Jamie, ça ira.

– Parfait ! Ce sera Jamie alors. Premièrement, j'aimerais te demander comment tu as réussi l'exploit de tuer mon frère. C'est un bon sujet pour commencer une conversation, non ?

L'estomac de Jamie se retourna dans son ventre. Voilà qui le plaçait en grand danger. Contrairement aux autres membres de la force spéciale Heure H, il refusait de croire que Valentin lui voulait du mal. À moins… à moins qu'ils n'abordent la question d'Alexandru et de sa mort.

– Je vous l'ai expliqué. Dans le fourgon. Il y a deux jours.

– Des détails, Jamie ! s'exclama Valentin qui se pencha soudain en avant, toujours souriant. Tout est dans le détail ! Raconte-moi à nouveau, Jamie. Ne m'épargne rien.

Jamie hésita.

Dis-lui la vérité. Il saura si tu mens.

– J'ai fait tomber une croix mesurant plus de sept mètres sur sa nuque. Elle pesait deux tonnes, ils me l'ont dit ensuite. Il s'est brisé en éclats et ensuite, j'ai enfoncé un pieu dans son cœur. Voilà.

– Qu'a-t-il fait quand elle l'a percuté ? A-t-il crié ? Essayé de s'écarter ? Mon frère était très rapide.

– Il ne l'a pas vue venir. Elle se trouvait derrière lui et il me fixait. Comme il pensait que j'avais raté mon tir, il me souriait. Mais j'avais visé juste. Ce n'était pas lui ma cible, mais la croix.

– Continue, demanda Valentin, la voix basse et avide. Raconte-moi.

– À la dernière seconde, avant qu'il soit heurté, l'ombre de la croix l'a enveloppé et il a froncé les sourcils. Je m'en souviens très bien. Il n'a pas bougé et une seconde plus tard, elle l'écrasait.

Valentin s'adossa à sa chaise et haussa les sourcils, signe que Jamie devait continuer.

– Elle l'a brisé. Il y avait du sang partout. Je n'arrivais pas à croire qu'il était encore vivant, mais si. Je me suis agenouillé à côté de lui pendant que le reste de mon équipe attaquait ses disciples. Il me fixait avec l'œil qui lui restait et il essayait de parler.

– Que disait-il ? L'as-tu compris ?

– Il m'a dit qu'il était trop tard. Puis « il arrive » ; tous ceux que j'aimais allaient mourir. Et là, je l'ai détruit.

Jamie lut de l'admiration sur le visage du vampire.

Je ne vais peut-être pas mourir ici.

– Comment as-tu su que ton plan allait marcher ?

– Je l'ignorais, répondit Jamie avec honnêteté. Mais je ne pouvais pas le combattre et il savait que je le savais. Là, j'ai réfléchi : si je lui donnais l'impression d'avoir échoué, il serait trop content de lui pour remarquer ce que j'avais réellement fait.

– Tu as littéralement parié ta vie là-dessus !

– Pas vraiment, répliqua Jamie dans un haussement d'épaules. J'étais mort de toute manière, voire pire. Ma mère et mes amis aussi. Je n'avais plus rien à perdre.

Valentin sortit un bel étui à cigarettes de la poche intérieure de sa veste. Il prit une cigarette rouge foncé sous une bande de soie blanche, la plaça entre ses lèvres et l'alluma. Une fumée âcre et aromatique s'éleva. Jamie reconnut instantanément l'odeur métallique.

– C'est du Bliss ?

Valentin pencha la tête sur le côté.

– Tu connais ?

Instinctivement, Jamie effleura la cicatrice à son cou, résultat de la brûlure chimique qu'il s'était faite dans le laboratoire où la majorité des stocks de drogue vampirique était produite.

– Tu as déjà essayé ? demanda Valentin. Il paraît que les humains trouvent ça très agréable.

– Non, merci. Ça ira.

Valentin acquiesça et tira une bouffée. Ses yeux rougirent malgré lui. Il bascula la tête en arrière pendant que l'héroïne faisait effet.

– Mon frère était un monstre, l'informa-t-il. Il l'a toujours été, même quand nous étions enfants. Dès la naissance probablement. Seuls comptaient Ilyana, son épouse, et lui-même. Bon débarras. Il était cruel, sans pitié et arrogant. Je suis heureux que ce dernier trait de caractère ait causé sa chute.

Jamie ne répondit pas, stupéfait par un tel aveu.

– Je te remercie d'avoir été honnête. Je l'aurais su dans le cas contraire. Je comprends que tu étais nerveux à l'idée de me raconter le meurtre d'un membre de ma famille.

Il sourit et Jamie batailla pour ne pas sourire à son tour.

Ne le provoque pas. Ne lui fais pas confiance. Considère chacune de ses paroles comme un piège potentiel.

– Ce sujet n'était pas en haut de ma liste, à vrai dire, rétorqua Jamie.

Jamie crut que le visage de Valentin allait se fendre en deux tellement il souriait.

– Dis-moi le premier, proposa le vampire.

– Mon grand-père. Je ne sais quasi rien de lui. Il est mort avant ma naissance. C'est fou que vous l'ayez connu.

– Ton père ne t'en a jamais parlé ?

– Pas vraiment. Il était pilote pendant la guerre, c'est tout ce que je sais. Papa mentionnait très peu sa famille. J'ai compris pourquoi en arrivant ici.

– Et le monstre ? Personne n'était plus proche de ton grand-père que lui. Il ne t'a rien dit ?

– Mon grand-père lui a sauvé la vie, c'est tout, répondit Jamie dont le cœur se serra à la pensée de Frankenstein. C'était à cause de lui qu'il avait juré de protéger ma famille, parce qu'il s'était passé quelque chose à New York il y avait très longtemps. Il m'a promis de tout me raconter mais il n'en a jamais eu l'occasion.

– Il te manque. Le monstre. Je l'entends dans ta voix.

– Oui, il me manque et je culpabilise tous les jours. Il ne serait pas mort si je lui avais fait confiance.

– Comment cela ?

– Thomas Morris m'a manipulé, expliqua Jamie, rouge de honte. Il m'a dit que Frankenstein était présent la nuit où mon père est mort, qu'il avait été envoyé chez moi pour le ramener. Quand je lui ai posé la question, Frankenstein n'a pas nié. Alors je lui ai dit de ne plus m'approcher et je suis parti à Lindisfarne avec Morris. J'ai foncé dans le piège qu'il m'avait tendu.

– Pourtant le monstre t'a suivi ?

– Il soupçonnait Morris. Il est arrivé à temps pour nous aider. Alors que nous croyions le cauchemar terminé, un loup-garou fidèle à Alexandru m'a attaqué. Frankenstein s'est interposé et ils ont basculé en bas des falaises.

– Tu ne me parais pas fautif, en conclut Valentin.

– Si je lui avais fait confiance, il se serait rendu avec nous à Lindisfarne. Morris n'aurait pas pu agir comme il a agi.

– Pourquoi ? Mon frère était plus puissant que cent Frankenstein. Tu penses vraiment que sa présence aurait changé quoi que ce soit ?

– Je n'en sais rien, marmonna Jamie.

– Il est mort après la bataille avec mon frère, c'est bien cela ? Alors qu'il te défendait. Pourquoi les choses auraient-elles été différentes s'il était arrivé une heure plus tôt avec vous ?

Jamie chercha sur le visage de Valentin une trace d'amusement, un signe qu'il jouait avec ses nerfs. Il ne vit rien d'autre que de l'honnêteté.

– Je ne sais pas. J'ai juste l'impression que c'est ma faute, poursuivit Jamie. Qu'il est mort à cause de moi.

– Moi, je pense qu'il a choisi de faire passer ta vie avant la sienne. Ni toi ni personne ne le lui avez demandé. Il l'a décidé seul. Qui es-tu pour endosser cette responsabilité ?

Aucun son ne sortit de la gorge de Jamie. Son esprit vacillait. Il était tellement habitué au poids de la culpabilité que cette simple suggestion était inconcevable.

– C'était sa vie, Jamie. Il a vécu et disparu comme il a choisi. Un luxe qui n'est pas donné à tout le monde. À mon avis, il n'aimerait pas cette condamnation. Crois-moi, où qu'il soit aujourd'hui, il est heureux.

30

IL N'Y A PAS DE PRESCRIPTION
À LA VENGEANCE

Allongé dans un somptueux lit à baldaquin, Frankenstein fixait le cadre doré au-dessus de lui.

Il n'avait pas bougé d'un cil depuis une heure. Il essayait de se réveiller, de dissoudre les brumes qui marquent la fin d'un rêve et le retour au monde réel. Il espérait futilement revenir dans un monde où il se souviendrait, où les insinuations de Latour ne hanteraient pas ses journées, où il serait libre et non prisonnier.

Il ignorait combien de jours s'étaient écoulés depuis que le vampire l'avait ramené chez lui. Plus d'un, mais moins de dix, selon ses estimations. Le temps s'écoulait comme de la mélasse, poisseuse et écœurante. On l'avait nourri, abreuvé. On ne lui refusait rien si ce n'était la liberté de quitter cet immense appartement avec ses hauts plafonds, ses fenêtres gigantesques, ses vastes et élégantes chambres.

Apparemment, il était déjà venu ici, avait passé de nombreuses nuits dans ce lit de son plein gré. Latour avait finalement été enchanté que Frankenstein ne se rappelle aucun aspect de sa vie et avait pris un plaisir sadique à lui en conter les moindres détails.

Pendant de longues heures, Latour avait narré des histoires de violences et d'horreurs auxquelles ils avaient participé. Abasourdi par ces récits, ne pouvant et ne voulant croire qu'il avait perpétré un seul de ces actes de sauvagerie décrits, Frankenstein avait supplié Latour d'arrêter. Aussitôt, le vampire l'avait frappé pour ses faiblesses, exhorté à sortir de sa torpeur, à redevenir l'homme qu'il considérait comme son ami.

Le jour, quand Latour dormait, Frankenstein demeurait prisonnier. La maison du vampire grouillait de serviteurs – humains entre autres –, polis et attentifs, mais aussi armés de lourds pistolets noirs. De plus, ils n'entraient jamais seuls dans sa chambre.

Frankenstein était absolument terrifié pour sa vie.

Il ne reconnaissait pas l'homme qu'il avait été, selon Latour : une créature violente et colérique, aux appétits atroces, se moquant de l'innocence des autres. Il regrettait même que cet homme ne soit pas là à présent car il ne serait pas resté inactif dans cette chambre, à attendre le pire.

Une clé tourna dans la serrure. Latour entra. Il portait un élégant smoking. Le noir était couleur de minuit, le col et la bande verticale étroite de sa chemise couleur de pleine lune. Il sourit à Frankenstein puis vola à travers la pièce à une vitesse telle que l'esprit vacillant du prisonnier conclut à de la téléportation.

– C'est l'heure, affirma le vampire. Nous allons voir un vieil ami et je préférerais ne pas arriver en retard. Tu comprends, dis-moi ?

Frankenstein hocha faiblement la tête.

– Splendide ! Dans ce cas, nous prendrons un cocktail en bas dans quinze minutes, avant de nous rendre dans le Marais. Cela te laisse assez de temps.

– Assez de temps pour quoi ? chuchota Frankenstein.

– Pour t'habiller bien sûr ! répliqua Latour en lui lançant un regard habituellement destiné aux simples d'esprit.

Il tendit un de ses longs bras graciles vers la porte où un serviteur patientait avec un grand porte-costume en cuir.

– J'ai pris la liberté de te mesurer pendant que tu dormais. Ce n'est pas très civilisé et je m'en excuse. Mais le temps était compté et nul ne va au théâtre accoutré comme tu l'es.

Frankenstein regarda ses vêtements, les mêmes pull en laine et pantalon de travail que lors de son périple en Allemagne.

– Lionel ici présent va t'aider, décréta Latour. Quinze minutes, pas plus. Ne m'oblige pas à venir te chercher.

Latour s'éclipsa. Le domestique le regarda avec une neutralité professionnelle mais, un instant, une lueur rouge éclaira ses yeux, comme un avertissement.

– Quand vous voulez, monsieur.

Dix minutes plus tard, Frankenstein descendait d'un pas gauche le grand escalier qui formait une spirale au centre de l'appartement.

Bien que le smoking lui allât à la perfection, il se sentait très mal à l'aise. Il tirait sur les manches, secouait les pieds pour placer les ourlets de son pantalon sur les chaussures brillant comme des miroirs. Un morceau de musique classique flottait en provenance du grand salon au bout du couloir est. Il s'y rendit.

Allongé sur une chaise longue au milieu de la pièce, les yeux fermés, un sourire sur son visage blême, Latour tenait dans une main une cigarette rouge foncé agrémentée d'une drogue, avait appris Frankenstein, pendant que l'autre battait la mesure.

– *Nocturnes, opus 27* de Chopin, annonça Latour sans ouvrir les yeux. C'était ton morceau préféré autrefois. Mais je présume que tu ne t'en souviens pas.

– Tu le sais bien, répliqua Frankenstein. Pourquoi serait-ce différent avec de la musique ?

– La musique élève l'âme. Même une âme aussi sombre et brisée que la tienne. Tu vois, je ne suis pas surpris. Comme toujours, tu me fais pitié.

Va en enfer avec ta pitié, pensa Frankenstein.

Latour se rendit au bar sous les grandes fenêtres qui dominaient la pièce. Le soleil était couché depuis longtemps et les lumières de Paris brillaient derrière les vitres. Le vampire s'empara d'un shaker en argent et versa un liquide clair dans deux verres avant de flotter à travers le salon.

– À l'expérience ! À toutes les pratiques d'une vie, bonnes ou mauvaises.

Frankenstein leva son verre à son tour avant de le porter à ses lèvres. La boisson âpre lui chauffa la langue.

– Qu'est-ce que c'est ? toussota-t-il.

– Un Martini, répliqua Latour. Tu adorais avant. Je croyais que… Oh ! Tant pis.

– C'est bon, ajouta Frankenstein avant de vider son verre. Je comprends pourquoi cela me plaisait.

Latour regarda sa montre.

– Où va-t-on ? demanda Frankenstein. Tu as parlé d'un théâtre.

– En quelque sorte. Nous nous sommes rencontrés là-bas et nous y avons passé de très bonnes soirées. Cela s'appelle la Fraternité de la Nuit. Bon, il est l'heure.

Il but d'un trait. La chaleur qui avait momentanément altéré sa voix avait disparu, laissant un ton froid et sec.

– Tu es prêt ?

Frankenstein se releva de toute sa hauteur, sa tête effleurant les cristaux du lustre.

– On y va.

Quarante minutes plus tard, Lionel arrêtait la Rolls noire de Latour rue de Sévigné puis descendait pour ouvrir la portière arrière.

Une peur panique s'empara alors de Frankenstein.

– Que faisons-nous ici, Latour ? Dis-moi au moins cela…

Les yeux de Latour rougirent.

– Sors ! Tu le sauras assez tôt.

Frankenstein déglutit et obéit. Il jeta un coup d'œil dans la rue calme, espérant en vain apercevoir quelqu'un qui l'aiderait.

Latour le poussa vers un portail noir derrière lequel se dressait un beau bâtiment en pierres claires. Frankenstein ne put s'empêcher de remarquer qu'il n'avait pas de fenêtres. Le vampire sortit une clé et ouvrit le portail puis il conduisit Frankenstein jusqu'à une imposante porte en bois. Il frappa trois fois.

Résigné, Frankenstein patienta en silence. Il se doutait que derrière la porte un spectacle atroce l'attendait. Latour ne l'avait pas retenu contre son gré pour le conduire dans un endroit agréable. Las, il réalisa qu'il n'avait plus peur – une grâce qu'il appréciait.

Ils entrèrent dans un petit vestibule. À leur gauche, il y avait un lutrin derrière lequel se tenait un homme ridé vêtu d'un costume immaculé. Il parut très choqué en voyant Frankenstein.

– Ce n'est pas poli de fixer les gens, déclara Latour en ôtant son manteau.

Le vieil homme cligna des yeux et reprit ses esprits. Il contourna le lutrin.

– Bienvenue à la Fraternité de la Nuit, messieurs.

Il débarrassa Latour de son manteau et attendit que Frankenstein enlève le sien. Puis il s'adressa spécifiquement à lui.

– C'est un plaisir particulier de vous revoir, monsieur. Cela faisait bien trop longtemps. Vous nous avez réellement manqué.

– Merci, répondit Frankenstein avec prudence car il avait entraperçu du rouge au coin de ses yeux.

Quel endroit est-ce donc ? Où m'a-t-on conduit ?

– Assez papoté ! coupa Latour, agacé. Nous voulons voir lord Dante. Je suppose qu'il est présent.

– Évidemment, monsieur. Sa salle à manger vous est ouverte, comme toujours.

– Bien.

Latour traversa le vestibule et attendit près de la petite porte au fond. Frankenstein le suivit à pas lents, comme un homme se rendant à la potence et, baissant la tête, il entra le premier.

Il émergea dans un petit théâtre et fut tout de suite frappé par deux sensations : une sale nausée quand l'odeur de sang lui piqua les narines. L'horreur se jouait devant lui : sur une petite scène, devant une soixantaine de sièges, un vampire dansait avec le cadavre d'une femme. Elle avait le cou et les épaules parsemés de trous ronds et rouges, la bouche bée et vide, les yeux grands ouverts.

La deuxième impression était pire encore : dans ce vieil endroit empestant la violence et le malheur, il se sentit à l'aise et rassuré.

Comme s'il rentrait finalement à la maison.

Quel genre d'homme étais-je pour venir dans un endroit pareil ? En ce lieu est rassemblé le pire de ce que le monde a à offrir.

Les monstres qui vivent dans les coins les plus sombres de la nuit.

– Je suis déjà venu ici, affirma-t-il lentement.

– Bien sûr. Je te l'ai dit.

– Je le sais parce que je le sens.

– Tu te souviens de ce que tu as fait ici ? l'interrogea Latour. Tu te rappelles lord Dante ?

Frankenstein fouilla son esprit délabré sans trouver la moindre réponse. Frustré, il secoua la tête.

– Ne t'inquiète pas, ajouta Latour avec un sourire de plaisir débridé. Il se souvient très bien de toi. Suis-moi.

Ils passèrent derrière les fauteuils et arrivèrent devant une porte en bois à gauche de la scène. Le vampire frappa un coup avant d'ouvrir. Il fit signe à Frankenstein d'entrer dans la pièce où le destin voulait qu'il retourne.

31

ÉCHOS DU PASSÉ

Jamie se leva de sa chaise et marcha lentement autour de la cellule. Valentin Rusmanov l'observait en souriant.

Je ne le crois pas. Je ne peux pas. C'est ma faute si Frankenstein est mort. Je l'ai toujours su.

Mais les mots du vampire ne voulaient pas le quitter. Au fond de son esprit, une petite voix sournoise lui répétait :

Tu voulais simplement le croire. C'était plus facile de penser ainsi que de croire qu'il s'était sacrifié pour toi. Il est mort pour que tu vives. Tu peux toujours honorer sa mémoire, son sacrifice et montrer à tout le monde qu'il n'a pas pris la mauvaise décision. Mais d'abord, débarrasse-toi de cette culpabilité avant qu'elle ne devienne trop lourde.

– Jamie ? l'interpella Valentin. Ça va ?

Il s'arrêta et se tourna face au vampire.

– Pourquoi m'avoir dit tout ça ?

– J'ai dit quoi ?

– Que ce n'était pas ma faute pour Frankenstein. Qu'essayiez-vous de faire ?

– Rien, répondit Valentin. Je te donnais simplement mon opinion.

Jamie le fixa un long moment avant de se rasseoir.

– Je vous ai dit que je voulais parler de mon grand-père. Pas de Frankenstein. Je ne veux plus parler de lui.

– En temps normal, j'aurais accepté sans la moindre réserve. La seule pensée de sa peau décolorée et inégale, de son sang d'occasion me retourne l'estomac. Mais je suis désolé, ton grand-père et lui étaient inextricablement liés. Je ne serai peut-être pas capable de mentionner l'un sans l'autre. Ce n'est pas grave ? Je ne voudrais pas te contrarier à nouveau.

Un sourire malicieux passa sur les lèvres de Valentin. Jamie ressentit une colère sourde.

Du calme. Du calme. Ne te laisse pas embobiner. Ne lui donne pas ce qu'il veut. Du calme.

– Ça ira, répondit Jamie sur un ton aussi neutre que possible.

– Merveilleux ! Pour être honnête avec toi, je ne sais pas par où commencer. Il n'existe pas vraiment de société des vampires, enfin… pas comme certains de tes collègues le pensent. Quelques vampires vivent en groupe, d'autres en famille – mari, femme, enfants – et d'autres seuls, mais ils apprécient la compagnie, tout comme les hommes. Je fais partie de cette dernière catégorie. Je vis seul à New York, si l'on excepte ce cher Lamberton bien entendu. Mais je fréquente régulièrement les hommes et les femmes de mon espèce. Pendant plus d'un siècle parfois.

– O.K. Pourquoi me racontez-vous cela ?

Valentin soupira, déçu à l'évidence.

– Parce que le consensus à Blacklight veut qu'il existe une sorte d'organisation unifiée des vampires, là, dans la nuit. Avec des chefs, des objectifs, des stratégies afin de provoquer la chute de l'humanité. Cela est ridicule, pardonne-moi de te le dire. La plupart d'entre nous évitons de croiser nos semblables. Maintenant, j'aimerais que tu comprennes deux choses : la majorité des vampires ignore tout de toi et tes amis. Ensuite, tout ce que je viens de te décrire va changer, et pour le pire, si Dracula rentre en possession de tous ses moyens.

Un frisson secoua Jamie quand il mentionna le premier vampire mais il refusait que Valentin dicte la conversation.

– Je comprends. Je voudrais parler de Dracula aussi. Mais revenons à mon grand-père car vous discutez de tout sauf de lui.

– Voilà, jeune impatient : même si les nouvelles ne circulent pas aussi vite dans les rangs des vampires que tes supérieurs le croient, certains d'entre nous sont plus au courant des choses que les autres. Moi, par exemple. Ma priorité a toujours été de me renseigner sur les développements qui pouvaient affecter ma vie. La formation de votre petit groupe, après la défaite de Dracula, en faisait partie. Mon frère Valeri a rencontré Quincey Harker et ses amis à Rome à la fin de la Première Guerre mondiale et a failli y laisser sa vie. J'ai donc commencé à m'intéresser à votre évolution à Londres, par instinct de conservation. Par conséquent, lorsque ton grand-père a surgi chez moi en menaçant de faire exploser les lieux à moins que je ne lui permette d'assassiner un de mes invités, son nom m'était déjà familier.

Jamie ressentit beaucoup de fierté pour cet homme qu'il n'avait pas connu. Il s'imagina à la place de son grand-père, dans une pièce grouillant de vampires, la seule chose les empêchant de le réduire en bouillie étant le caprice d'une créature assise à deux mètres de lui.

– Pourquoi l'avez-vous laissé partir ? Vous auriez pu le tuer avant qu'il n'ait le temps d'utiliser ses explosifs. Vous êtes très rapide.

– Tu as peut-être raison, répondit-il d'une voix douce, les yeux un peu vitreux, comme si son esprit ne se trouvait plus avec Jamie, mais dans une salle de bal plusieurs dizaines de kilomètres et d'années de là. Je n'en étais pas sûr. Son pouce se trouvait sur le déclencheur. Même si je l'avais tué, il aurait pu appuyer involontairement. Je n'avais pas plus envie d'être réduit à néant qu'aujourd'hui. Sans compter les dégâts qu'il aurait provoqués chez moi. Même dans les années 1920, une explosion de cette envergure à l'ouest de Central Park aurait suscité des questions auxquelles il aurait été ennuyeux de répondre. Et puis je lui ai dit la vérité : j'admirais son assurance, sa volonté apparemment sincère de mourir dans l'accomplissement de sa mission.

– Vous l'avez donc laissé partir et il a emmené Frankenstein avec lui.

– Exact. Il refusait de partir sans le monstre. Une de mes amies était très déçue car elle avait prévu quelque chose pour lui. Mais oui, je les ai laissés s'en aller.

– Quand l'avez-vous revu ?

Le vampire réfléchit avant de répondre. Un petit sourire apparut sur son visage quand le souvenir lui revint.

– En 1938. À Berlin.

John Carpenter était assis à la terrasse d'un café sur Potsdamer Platz quand un des trois plus dangereux vampires au monde s'installa en face de lui. Il venait de déguster une escalope viennoise et des pommes de terre arrosées d'un riesling et fumait une cigarette turque dans la chaude brise du soir. Les journaux anglais annonçaient que l'Allemagne entrait à nouveau dans une période de privation, que les salaires dégringolaient, le chômage augmentait...

Carpenter avait été envoyé par Quincey Harker, le directeur de Blacklight, auprès de l'Obergruppenführer Heydrich, chef du SD, le service de sécurité des SS, afin de le briefer sur la situation surnaturelle en Europe. La demande avait été formulée par Hitler en personne.

– Bonsoir, monsieur Carpenter. Pas d'inquiétude. Je ne suis pas là pour me battre.

Instinctivement, Carpenter avait saisi le pieu à sa ceinture, caché derrière un étui à pistolet en cuir et le vampire l'avait surpris. Il retira lentement la main et la posa sur sa cuisse.

Ils demeurèrent silencieux quelques minutes, après que Valentin eut commandé un café. Une fois servi, le vampire but une gorgée, soupira de plaisir puis offrit un grand sourire à John Carpenter.

– Je vous avais dit que nos chemins se croiseraient à nouveau. Ce n'est qu'une simple coïncidence mais j'aime avoir raison. Comment allez-vous ?

– Bien.

John avait l'impression d'être ivre. La situation était tellement irréelle.

– Et vous ?

– Je me porte à merveille. Un peu las d'attendre, mais à part ça, je ne me plains pas.

— Qu'attendez-vous ? s'enquit Carpenter.

— La guerre évidemment ! s'exclama Valentin le soupçonnant de se moquer. Vous ne la sentez pas venir ?

— Il n'y aura pas de guerre. Hitler a promis que l'annexion de la région des Sudètes constituait la limite de ses ambitions territoriales.

— Et vous l'avez cru ? Mon Dieu ! Vous l'avez cru !

— Pourquoi pas ?

— John, les hommes qui cherchent à acquérir le pouvoir de manière aussi désespérée qu'Hitler ne sont jamais satisfaits. Ils ne se lèvent pas un matin en se disant : « J'ai accompli ce que je voulais, maintenant je suis rassasié. » Ils imaginent déjà la suite : leur prochaine cible, leur prochaine querelle, leur prochaine victoire. Hitler est un petit homme colérique et violent, impatient de laisser sa marque sur le monde et votre petite île courageuse prendra bientôt les armes contre lui. Je vous le garantis.

— Quel est votre intérêt dans cette histoire ?

— La distraction, monsieur Carpenter. Je me considère comme un étudiant de la condition humaine. Et pendant une guerre, on voit le pire et le meilleur de l'humanité. Je trouve cela fascinant. Curiosité professionnelle : j'étais général autrefois.

— Général ? De quelle armée ?

— Les armées valaches du prince Vlad Tepes. Il y a très longtemps.

— Celles du comte Dracula ?

— Comme il s'est fait appeler ensuite, oui. Mes frères et moi étions ses loyaux sujets. Nous avons fait la guerre dans toute l'Europe du Nord, pendant plus de deux décennies.

— Avec succès ?

– *Parfois. Telle est la nature de la guerre. Les joueurs essaient de rester debout le plus longtemps possible puis ils tentent de minimiser la chute... qui vient toujours.*

Un silence assez agréable s'installa. Finalement Valentin reprit la parole.

– *J'ai une proposition à vous faire, monsieur Carpenter. Souhaitez-vous l'entendre ?*

– *Certainement.*

– *Vous et moi ne sommes pas des ennemis naturels, monsieur Carpenter. Votre département n'a pas été fondé pour me détruire.*

– *Vous êtes pourtant un vampire, il me semble ?*

– *Oui. Mais je me flatte d'être un peu différent du lot, de ces créatures sauvages que vos camarades et vous traquez et détruisez comme des chiens enragés. Je mène ma vie avec discrétion. Mes crimes et moi sommes invisibles.*

– *Vous assassinez néanmoins des innocents. Ce que vous faites dans l'intimité de votre maison ou les rues de Londres ne me concerne pas.*

– *Vraiment ? Cela n'a pas d'importance à vrai dire. Voilà qui vous concerne : j'ai épargné votre vie et celle du monstre.*

– *Je vous en suis encore reconnaissant,* affirma Carpenter qui choisit avec soin ses mots. *Je sais que les événements de ce soir-là auraient pu tourner différemment si vous l'aviez décidé ainsi.*

– *Voilà le signe d'un vrai gentleman. Cependant, admettre sa dette est une chose. S'en acquitter en est une autre.*

– *Qu'avez-vous derrière la tête ?*

– *Une simple trêve. Un pacte entre deux gentlemen qui ne se traqueront pas et vivront leur vie comme il leur plaira.*

– *Je ne parle pas au nom de Blacklight. Ce n'est pas à moi d'accepter un tel pacte.*

– Si j'avais voulu traiter avec Blacklight, j'aurais rendu visite à Quincey Harker. Ceci est un accord entre vous et moi, scellé par une poignée de main. Vous n'aidez pas Blacklight à me traquer et je vous laisse en paix. Je ne me venge pas comme mes nombreux amis me l'ont demandé.

– Vous me demandez le droit d'assassiner en toute impunité ?

– Oui, mais pensez à ce que je vous offre en échange : la fin d'une rancune qui pourrait réapparaître à tout moment. Si je le voulais, je pourrais vous tuer sur-le-champ et vous n'auriez pas le temps de dégainer votre ridicule cure-dents. Je ne vous demande quasi rien, juste de ne pas verser trop de larmes sur la mort de quelques personnes que vous n'auriez jamais rencontrées.

La peur enfla dans la poitrine de Carpenter. Le vampire avait raison. Il était battu d'avance s'ils en venaient aux mains. Et puis, il y avait quelque chose de très tentant dans cette offre : la mise à l'écart d'un vampire extrêmement dangereux. Toutefois, le prix était énorme : l'acceptation tacite qu'il tue.

– Pourquoi faire une pareille offre ? Pourquoi ne pas me tuer maintenant et ainsi se passer d'un tel pacte ?

– Monsieur Carpenter, le monde serait beaucoup moins intéressant sans vous. Je ne suis pas mes frères. Je n'ai pas envie de passer ma vie à guerroyer. Je suis un homme pacifique, même si cela est difficile à croire. Je pense que cette offre généreuse sera profitable à tous les deux. Vous n'êtes pas d'accord ?

– Ma famille... Étendez votre pacte aux miens et le marché sera conclu.

– J'inclus bien sûr votre épouse dans mon offre, répliqua Valentin, l'air blessé. Je pense que Mlle Westenra a assez souffert entre les mains de mes semblables.

– Je pensais à elle mais aussi à tous ceux qui portent le nom de Carpenter, tant que vous vivrez. Je parle de mes enfants et de leurs enfants.

Valentin pencha la tête puis sourit et acquiesça.

– Accordé, conclut-il en lui tendant une main pâle et délicate.

John tendit la sienne et la serra, une fois.

– Accordé, répliqua Carpenter.

– Parfait, parlons de choses moins sinistres, enchaîna Valentin. J'ai entendu dire que le fils de Jonathan Harker se débrouillait très bien à la tête de votre petit groupe. J'aimerais entendre les dernières nouvelles.

Jamie fixa Valentin un long moment après son récit. Rien sur son visage n'indiquait qu'il jouait avec Jamie.

– Je ne vous crois pas. Mon grand-père n'aurait jamais traité avec vous.

– Sur quoi te fondes-tu ? Tu as admis n'avoir jamais rencontré cet homme et ne rien savoir sur lui.

– Exact. C'est pratique pour vous, vous pouvez me raconter ce que vous voulez sur lui.

– À quoi bon, Jamie ?

– Je ne sais pas, cracha l'intéressé. Pour nous blesser, ma famille et moi. Pour vous venger un peu du coup d'éclat de mon grand-père en 1928.

Les yeux de Valentin rougirent.

– Tu penses que ce que je te raconte est dégradant ? Ton grand-père a passé un marché avec moi, comme tes collègues et toi l'avez fait. Pourquoi cela te contrarie-t-il autant ?

– Parce qu'ils sont différents. Nous cherchons à protéger le monde d'un monstre. Il cherchait à ne protéger que lui.

– Et ton père. Ta mère. Toi. Tu as raison, les marchés sont différents. Le nôtre sauvera la vie de millions d'hommes et de femmes que nous ne rencontrerons jamais. Celui de ton grand-père sauve les personnes qu'il aimait. Honnêtement, dis-moi qu'il a eu tort.

– C'est lâche ! s'emporta Jamie. Et faible !

Valentin le regarda avec un air déçu.

– Mettre de côté sa propre morale pour protéger des êtres chers est loin d'être de la faiblesse, Jamie. C'est exactement l'opposé. Il a porté le poids de ce choix toute sa vie, jusque dans la tombe. Il n'en a parlé à âme qui vive, n'a jamais réclamé le pardon et l'absolution. Tu ne peux pas continuer à voir le monde en noir et blanc. Il n'y a pas le mal et les méchants d'un côté, le bien et les héros de l'autre. Il n'y a que des gens, avec leurs défauts. Plus tôt tu le comprendras, moins le monde te blessera.

– Plus tôt je deviendrai un monstre comme vous ? Jamais !

Valentin soupira. Ses yeux redevinrent vert clair.

– Jamie, ton grand-père était un brave homme. Il a sauvé des centaines de vies, il a rendu ce monde meilleur. Mais était-il parfait ? Un modèle de vertu ? Bien sûr que non. L'amiral Seward, le commandant Turner non plus. Le monstre qui te manque tant non plus. Ton père non plus.

– Ne... parlez... pas... de... mon... père, siffla Jamie sur un ton glacial.

– Je ne me le permettrai pas. Je ne l'ai jamais rencontré. Mais sans le connaître, je peux te promettre qu'il n'était pas parfait. Parce que personne ne l'est.

Jamie essayait de rester calme, de penser rationnellement. Soudain, il parvint à une conclusion :

– Vous honorez encore votre parole ? demanda-t-il à voix basse. Je n'ai jamais couru aucun danger avec vous, c'est cela ?

– Tu as vu juste. Mais moi seul le savais. Je ne voulais pas te le dire à moins que cela ne soit nécessaire.

– Pourquoi ? Cela aurait été plus facile !

– Plus facile ? Si j'avais dit à Seward et aux autres que j'avais conclu un marché soixante-dix ans plus tôt avec un homme décédé il y a plusieurs décennies, m'auraient-ils cru ?

– Pourquoi devrais-je vous croire alors ?

– Parce que c'est la vérité. Parce que tu as tué mon frère et que tu respires encore. Cela ne te suffit pas ?

– Vous n'aimiez pas Alexandru !

– C'est vrai. Mais en matière de famille, surtout dans les familles aussi anciennes que la mienne, l'honneur l'emporte sur les sentiments personnels. En théorie.

– Je n'arrive pas à croire qu'il n'en ait parlé à personne, soupira Jamie. Que ce marché soit resté secret.

– Cela n'a rien de remarquable, Jamie. Tu n'as jamais rien dissimulé de ta vie ?

Jamie tressaillit. Valentin ne réagit pas. En apparence. De toute manière, Jamie ne l'aurait pas remarqué parce qu'il avait déjà l'esprit ailleurs. Il repensait à la conclusion de la première réunion de la force spéciale Heure H et du secret qu'il avait fini par confier à Larissa et à Kate.

32

LES PROFONDEURS DU SAVOIR

TROIS JOURS PLUS TÔT

Jamie fut le premier sorti de la salle des opérations, juste à la fin de la deuxième réunion de la force spéciale Heure H.

Il attendit dans le couloir que tous les membres sortent. Il voulait remercier le professeur Talbot de l'avoir soutenu quand Brennan avait remis en cause sa présence au sein de la force spéciale.

– Je peux t'aider ? lui demanda Talbot, l'air perplexe.

– Je voulais simplement vous remercier. Pour ce que vous avez dit. À Brennan.

– Inutile ! Je ne lui ai dit que la vérité. Tu as tué Alexandru. Je doute que quiconque dans la pièce aurait fait la même chose.

– Merci quand même.

– Tu m'accompagnes ? Ce doit être très difficile… d'être toi.

Il ne regardait pas Jamie tandis qu'ils marchaient le long du couloir. Mais son ton était chaleureux.

– Le fils d'un traître. Puis le fils d'un héros. Celui qui a détruit Alexandru mais qui a perdu le colonel Frankenstein. Ce doit être très lourd comme fardeau.

Vous n'avez pas idée à quel point !

– Parfois. Quand je suis arrivé ici, tout le monde me détestait à cause de mon père. Moi, j'essayais de sauver ma mère et je me moquais pas mal du reste. Puis quand nous sommes revenus de Lindisfarne, tout le monde a applaudi. J'étais devenu une sorte de héros. Ensuite, ils ont réalisé que Frankenstein était mort et se sont dit que j'aurais dû l'écouter lui, et non Thomas Morris. Ils ne sauront jamais à quel point je m'en veux. Malheureusement, je n'ai pas de baguette magique qui le ramènerait. Il est parti.

– Et ton père ?

– C'était facile de le détester, avoua-t-il, le cœur serré comme à chaque fois qu'il pensait vraiment à lui. Quand je pensais qu'il nous avait abandonnés, qu'il était un criminel, un traître, il me manquait mais je l'avais rayé de ma vie. Vous comprenez ?

Talbot hocha la tête.

– Maintenant que je connais la vérité, qu'il est mort pour nous protéger maman et moi, que Thomas Morris l'a piégé, qu'il était un héros… j'ai l'impression de le perdre à nouveau.

– Tu as fini de t'apitoyer sur ton sort ?

Jamie eut un mouvement de recul.

– La vie ne t'a pas épargné, je ne le conteste pas. Je compatis, mais cet apitoiement est devenu de la complaisance. Il faut passer à autre chose maintenant.

Il n'y avait ni méchanceté ni colère dans sa voix mais Jamie crut recevoir un coup de poing dans le ventre.

– Tous les jours, tu sauves des vies et aussi des âmes vouées à la damnation. C'est important et tu le fais bien. Tu enfiles ton uniforme et tu aides des gens qui ne pourront jamais te remercier. Tu es trop vieux pour te soucier de l'avis des autres.

Pourquoi me dit-il tout ça ? s'interrogea Jamie, complètement pris au dépourvu. *Il se prend pour qui ?*

– C'est pour ton bien que je te dis cela, continua Talbot, comme s'il lisait dans ses pensées. J'aimerais que tu croies en toi comme je le fais et je ne te lâcherai pas avant. Parce que quelqu'un doit s'en charger.

Jamie éprouvait une sensation nouvelle et étrange, voire un début d'affection pour cet homme.

Sa mère l'aimait et il l'aimait de tout son cœur. Cependant, depuis sa transformation, depuis qu'elle avait découvert la vérité sur son défunt époux, elle se souciait exclusivement de son fils. La discipline parentale n'avait plus lieu d'être.

Même si elle était en sécurité dans sa cellule, elle était loin de lui, de son monde. Il lui racontait beaucoup de choses mais un mur s'était dressé entre eux, en plus de la barrière à ultraviolets.

Il s'était confié à Larissa. Selon elle, cela faisait partie du processus naturel, du passage à la vie adulte qui pouvait être douloureux pour les parents et les enfants. Jamie commençait à comprendre où elle voulait en venir.

Il était fier de ses actes, content que les hommes et les femmes de Blacklight le traitent en égal, en adulte, mais parfois, il rêvait de redevenir un enfant.

Malgré les paroles de Talbot qui l'avait revigoré, il avait dix-sept ans et il n'était pas dans sa nature de recevoir une leçon sans riposter.

– Qu'est-ce que le projet Lazarus, professeur ? bafouilla-t-il.

Au lieu de le sermonner, Talbot lui sourit.

– Viens voir par toi-même !

– Vous êtes sérieux ?

– Toujours.

Quand ils parvinrent à l'ascenseur au bout du couloir gris, Talbot appuya sur F et la cabine amorça sa descente. Ils attendirent en silence que les portes s'ouvrent à nouveau.

Jamie n'avait jamais été aussi excité de sa vie.

Depuis l'annonce de l'amiral Seward, le projet Lazarus demeurait un mystère. Nul ne savait ce qu'il se passait derrière les lourdes portes blanches dans les profondeurs de la base.

Jamie Carpenter n'allait pas tarder à le découvrir.

Larissa et Kate seront vertes quand elles découvriront que je suis descendu ! Même si je n'aurais sûrement pas le droit de leur dire.

Quand son compagnon s'arrêta devant une grande porte blanche dans le couloir principal semblable à tous les autres de la Boucle, Jamie tremblotait comme un enfant le matin de Noël. Il était si pressé que Talbot ouvre qu'il en trépignait presque.

Talbot tapa une longue série de chiffres et de lettres sur le clavier à côté de la porte puis plaça son visage devant une lentille noire. Un laser vert glissa sur sa pupille. Après plusieurs bruits sourds, les serrures qui séparaient le projet Lazarus du reste de Blacklight se désengagèrent. La porte s'ouvrit dans un sifflement et un courant d'air.

– Attendez ! s'exclama soudain Jamie. Vous n'aurez pas de problème si je rentre avec vous ?

Talbot éclata de rire.

– Mon cher enfant, l'amiral Seward est peut-être responsable de chaque niveau de ce complexe mais ici, c'est moi le chef. Tu n'as pas d'inquiétude à avoir.

Aussitôt, il ouvrit la porte et Jamie eut son premier aperçu du projet Lazarus.

Ils pénétrèrent dans une salle immense, d'un blanc immaculé.

Sol en carrelage blanc, murs et plafond peints en mat, bureaux et surfaces diverses en blanc métal, blouses des médecins et des scientifiques blanches.

Quatre rangées de huit bureaux avaient été positionnées dans la pièce. Tous n'étaient pas occupés. Derrière leur écran, les hommes et les femmes levèrent à peine la tête quand ils entrèrent. Contre le mur à gauche s'alignaient des espèces d'armoires grises. Les longues paillasses étaient couvertes d'un assortiment incroyable d'instruments de laboratoire. Jamie vit tout ceci avec sa vision périphérique car son attention se porta instantanément sur le centre de la pièce.

On avait placé une grande lentille ronde sur le sol. Son miroir était relié au plafond. Entre eux tournait lentement un hologramme tridimensionnel d'une double hélice : des milliers de petites sphères, rouges en majorité, bleues pour les autres, reliées entre elles par des barres blanches et transparentes. Soudain, la sphère la plus proche de lui s'élargit et tournoya hors du dessin. Des lignes de code incompréhensibles apparurent à côté puis la sphère changea de couleur, passa de rouge à bleu avant de reprendre sa place sur le brin.

Une femme en blouse blanche à peine plus âgée que Jamie s'approcha de l'hologramme. Apparemment satisfaite de ce qu'elle voyait, elle retourna derrière son ordinateur.

Au-delà de l'hologramme, Jamie aperçut une épaisse porte de sas flanquée de panneaux « risque biologique ». En lettres rouges au-dessus apparaissait :

**ENVIRONNEMENT STÉRILE
ACCÈS UNIQUEMENT SUR AUTORISATION
DÉCONTAMINATION COMPLÈTE EXIGÉE
AVANT D'ENTRER**

Bouche bée, Jamie se tourna vers Talbot, visiblement fier de lui.

– Qu'est-ce que vous faites dans cet endroit ? demanda-t-il.

– Excuse-moi, Jamie. Je croyais que c'était évident. Nous essayons de trouver un remède.

33

À LA COUR DU ROI DES VAMPIRES

LA FRATERNITÉ DE LA NUIT
RUE DE SÉVIGNÉ, PARIS, FRANCE
LA VEILLE

La pièce dans laquelle Frankenstein entra était si sombre que pendant un instant il ignora si elle était occupée. Puis il entendit un halètement rapide. Une voix chevrotante s'éleva dans la pénombre.

– Non ! Après toutes ces années, il se tient réellement devant moi ?

Deux lampes s'allumèrent. Ce que Frankenstein vit devant lui manqua détruire ce qui restait de son esprit endommagé et l'expédier au royaume de la folie.

Au milieu de la petite salle, il y avait une table ronde mise pour huit. Les assiettes étaient ébréchées et sales, les verres couverts de poussière. Seule la chaise faisant face à la porte était occupée. Elle ressemblait à un vieux trône. On entrevoyait les sculptures malgré les couches de crasse et de sang coagulé. L'occupait, telle une araignée dans son trou, un vieux vampire desséché.

Sa peau était grise comme des cendres funéraires, son visage si ridé que Frankenstein ne vit que le rouge de ses yeux sous le front tombant. Dans sa bouche ouverte par la surprise, les dents étaient marron foncé, la langue couleur viande avariée. Le crâne était surmonté de longues mèches blanches. Le vampire portait un smoking taillé pour un homme plus gros car les manches et les jambes pendouillaient comme des morceaux de peau morte.

Quelque chose d'anguleux dépassait de son torse creux, soulevant le tissu sale de sa chemise comme une pyramide. Les yeux de Frankenstein étaient attirés par cette anomalie. Il avait jeté un rapide coup d'œil à la pièce tandis que les lampes clignotaient et à moins de se focaliser sur autre chose, il se serait évanoui, voire pis.

Les restes d'un nombre incalculable d'hommes et de femmes étaient empilés n'importe comment autour de la chaise du monstre.

Des os blancs, débarrassés de toute chair, brillaient sur des tas nauséabonds de viande pourrie. De longues mèches de cheveux – blonds, bruns, roux… – sillonnaient le carnage telles des veines. Il y avait des bras, des jambes, des mains. Certaines peaux avaient noirci au fil du temps et de la décomposition, d'autres étaient du blanc tacheté des morts récentes.

La puanteur dépassait l'imagination, mélange de sang et de crasse si épais qu'on aurait pu mordre dedans. Les visages émergeaient de ce fouillis immonde : crânes à la peau pas plus épaisse qu'une feuille de papier, bulles verdâtres à la place des femmes et des hommes décédés depuis longtemps en ces lieux, visages blancs des dernières victimes, l'air encore suppliant et sidéré, même sans leurs yeux qui étaient tombés ou avaient été arrachés.

Le regard rivé sur la poitrine du vampire, Frankenstein entraperçut un mouvement sur le côté. Les vieux doigts gris caressaient la longue chevelure blonde d'une tête sans corps. La fille paraissait surprise et Frankenstein espéra de tout son cœur que ses souffrances n'avaient pas duré.

– Lord Dante, murmura Latour, la tête inclinée depuis qu'il était entré. Près de quatre-vingt-dix ans plus tard, je vous ramène le monstre. Voici votre vengeance, Votre Majesté.

– Latour, enchaîna Dante, la voix semblable au crissement des ongles sur un tableau. Mon favori. Tu continues de m'honorer quand les autres m'ont abandonné. Tu seras récompensé pour ton travail, demande ce que tu voudras.

– Mon seigneur, ma récompense est de voir la justice enfin rendue. Mais si Votre Majesté insiste, il y a une petite récompense qui me ferait plaisir.

Le roi des vampires éclata de rire – un horrible bruit de crécelle.

– Je sais de quoi tu veux parler.

D'une main tremblante, il attrapa une clochette en or et l'agita. Presque aussitôt, une porte que Frankenstein n'avait pas remarquée s'ouvrit et un majordome apparut. Il fronça le nez de dégoût.

– Votre Majesté ? En quoi puis-je vous aider ?

– Amène Sophie, ordonna Dante, un sourire répugnant déformant les rides de son visage. Elle appartient à Latour désormais.

Derrière lui, Frankenstein entendit un grognement d'excitation guttural et son estomac se retourna.

– Tout de suite, Votre Majesté, répondit le majordome qui sortit à reculons.

– Jamais je n'aurais cru te revoir, monstre, chuchota le vampire. J'avais fini par croire que jamais je ne me vengerais. Et te voilà, devant moi. Comme la vie est amusante, tu ne trouves pas ? Qu'as-tu à dire pour ta défense ?

– Rien, répondit Frankenstein avec toute la fermeté possible. J'ignore quelle rancœur vous gardez contre moi et je n'ai pas souvenir que nous nous soyons déjà rencontrés. Je n'ai donc rien à vous dire.

Lord Dante tourna lentement la tête. Le craquement de ses tendons et de ses os résonna dans la salle. Il lança un regard incrédule à Latour.

– Quelle folie frappe ton ami, Latour ? Dit-il la vérité ?

– Oui, Votre Majesté. Son esprit a disparu pour des raisons que je n'ai pu éclaircir. Il ne se souvient de rien au-delà des quelques derniers mois.

Le vampire se tapota doucement le torse.

– Et ça ? Il ne s'en souvient pas ? Il a oublié ce qu'il m'a fait ?

– Il ne reste plus rien de l'homme qu'il était. J'ai essayé de lui raviver la mémoire par tous les moyens pour que votre vengeance soit plus douce, mais il n'y a rien à faire.

Frankenstein écoutait les deux vampires parler de lui comme s'il n'était pas là et s'interrogeait. À l'évidence, la créature que Latour appelait lord Dante attendait depuis des années de lui faire payer un crime qu'il ignorait avoir commis. Toutefois, il fut très satisfait par cette idée.

– Tu ne te souviens de rien, monstre ? lui demanda lord Dante.

– Ne m'appelez pas comme ça.

– Excusez-moi, monsieur Frankenstein. Tu prétends donc avoir perdu la mémoire…

– Je ne prétends rien, je l'affirme.

– Tu ne te rappelles pas les nombreuses nuits que tu as passées ici, en ma compagnie ?

– Non.

– Les repas que nous avons partagés, tous ces moments heureux ?

– Non.

– Les tortures qui nous ont divertis, le sang que nous avons bu, les vies que nous avons ôtées ?

– Non ! rugit Frankenstein. Je ne m'en souviens pas et j'en suis très content.

– Et ceci ? gronda lord Dante qui se leva en ouvrant sa chemise. Te souviens-tu de ceci, sale monstre déloyal ?

Frankenstein fixa la poitrine étroite et tachetée de gris du roi des vampires de Paris et écarquilla les yeux malgré lui. Pile sur le cœur du vampire, un morceau de métal large et fin dépassait de deux centimètres environ de sa peau. À l'endroit où le métal entrait dans la chair, il y avait une épaisse cicatrice, une croûte de peau rose pâle.

– Non, je ne m'en souviens pas.

– Moi si, ajouta Dante, une note de pitié dans la voix. Pendant presque quatre-vingt-dix ans, j'ai été incapable d'oublier ton geste, ne serait-ce qu'une minute. Tu as planté cette lame dans ma poitrine pour sauver une banale petite traînée qui mentait et tu m'as laissé pour mort. Toi que je considérais comme mon ami ! Tu imagines ?

Frankenstein se tut. De toute façon, sa réponse ne l'aurait pas intéressé.

— Bien sûr que non ! Tu ne peux pas imaginer d'avoir le cœur presque tranché en deux par quelqu'un en qui tu as eu confiance toute ta vie. De sentir ton corps lâcher et au dernier moment, ton cœur guérir autour de la lame et te condamner à une vie de mortel.

— Je n'imagine pas, rétorqua Frankenstein. Parce que je ne comprends pas de quoi vous parlez.

Un grognement rauque et vicieux sortit de la gorge de lord Dante et le vieux vampire fit un demi-pas vers Frankenstein.

— Cette lame, ton sale couteau de paysan, se trouve dans mon corps depuis près d'un siècle. La chair de mon cœur a repoussé autour d'elle avant que j'expire, me sauvant de la destruction mais l'enlever aurait provoqué ma perte. Plus cruel encore : la lame empêche mes cellules de se régénérer proprement, peu importe la quantité de sang que j'ingurgite.

Frankenstein fixa Dante puis Latour. On l'accusait d'avoir poignardé le monstre mais le reste de l'histoire n'avait aucun sens.

— Sa Majesté vieillit, expliqua Latour. La lame que tu as placée dans son cœur lui a volé son immortalité.

Peu m'importe de connaître la suite ! pensa-t-il. *Savoir cela me suffit.*

La porte latérale s'ouvrit, le majordome réapparut avec une jeune fille brune d'une quinzaine d'années. Elle serrait contre elle une magnifique poupée en porcelaine et portait une robe d'été couleur jonquille. Les yeux écarquillés par la peur, elle se cogna la hanche contre la table quand le serviteur la poussa vers Latour. Rapide comme l'éclair, celui-ci traversa la salle et la rattrapa avant qu'elle ne tombe.

– Chut, mon enfant. Tu es en sécurité avec moi.

La fille éclata en sanglots et enfouit le visage dans le cou de Latour. Frankenstein vit du rouge briller dans les yeux de son vieil ami et l'expression de son désir sur ses lèvres.

Le majordome déposa en silence une grande bouteille sur la table. D'une main tremblante, lord Dante but le liquide rouge foncé et la métamorphose s'accomplit. Cependant, il avait plus de cent vingt ans et son corps le lâchait.

Les litres de sang ingurgités lui rendraient quelque temps ses pouvoirs d'autrefois, sachant que, le lendemain, des douleurs atroces le paralyseraient. Aujourd'hui, il s'en moquait. Presque un siècle qu'il attendait cet instant et rien ne lui gâcherait sa vengeance.

Sa peau se tendit sur ses vieux os, ses yeux émergèrent des profondeurs de ses orbites et à nouveau flamboya le rouge impie qui terrorisait toutes les créatures nocturnes du nord de la France. Ses muscles gonflèrent au point de remplir son costume.

Finalement, sa vision s'améliora, son cœur reprit son staccato irrégulier habituel. Lord Dante examina la salle à manger avec des yeux nouveaux. Son majordome avait disparu, Latour était agenouillé à côté de son jouet, lui chuchotait des promesses rassurantes qu'il ne comptait pas honorer, pendant que le monstre, ce maudit et détestable monstre, regardait son vieil ami avec un dégoût flagrant.

Frankenstein s'aperçut de la proximité de lord Dante quand celui-ci le serra à la gorge. Il aurait crié si le roi des vampires ne lui avait pas comprimé la trachée-artère. Lord Dante le souleva puis le jeta contre le mur avec force au point de faire trembler toute la pièce. La terreur galvanisa Frankenstein qui frappa le visage souriant et soudain jeune du vampire.

Ses coups violents auraient démoli n'importe quelle créature mais lord Dante ne cilla pas. Au contraire, il sourit davantage. Frankenstein agrippa la main qui l'étranglait tandis que ses poumons suffoquaient et que sa vision grisaillait sur les côtés.

Tandis que la salle s'assombrissait, il lança un regard suppliant à Latour qui avait l'air amer. On aurait dit un homme venant de découvrir que son cadeau n'était pas à la hauteur de ses espérances. Cependant, il ne leva pas le petit doigt pour aider son vieil ami.

Des constellations de points blancs et gris tourbillonnèrent devant ses yeux. Sa poitrine se contracta, il y eut une énorme pression dans sa tête, comme si elle allait exploser, puis il se sentit extrêmement calme. Il n'éprouva ni peur ni panique ; il acceptait juste son sort. Il regretta de ne pas avoir recouvré la mémoire tout en étant soulagé de ne plus avoir à vivre dans les ténèbres.

Soudain, à la dernière seconde, Dante relâcha la pression. Loin de l'apaiser, ce geste provoqua une douleur foudroyante quand son corps réclama de l'oxygène. Il eut l'impression que chaque centimètre de son être s'embrasait tandis qu'il s'écroulait par terre.

Sa vision s'éclaircit. Au-dessus de lui, lord Dante le regardait avec convoitise.

– Pas si vite, lui chuchota le roi des vampires. Tu ne t'en tireras pas aussi facilement, pas après toutes ces années.

– Ramasse-le, ordonna-t-il à Latour. J'aimerais le présenter à mes invités.

Latour hésita un moment, assez longtemps pour que les yeux de Dante rougeoient, tel un avertissement. Il obéit et attrapa Frankenstein par la nuque, tel un chat ramassant un de ses chatons, avant de s'envoler vers la porte. Le monstre réalisa qu'il n'allait pas mourir et cela lui brisa le moral.

Qu'il en termine, et vite ! C'est tout ce que je demande. Quoi qu'il me réserve, que ce soit rapide.

Latour ouvrit la porte qui donnait sur le théâtre. Lord Dante la franchit, les yeux rouges, le visage triomphant.

– Mes frères, mes sœurs ! clama-t-il et tout le monde se tut.

Le vampire sur scène laissa tomber la fille morte sur le sol. Tous arborèrent un air surpris. Il était rare de voir lord Dante et encore plus rare de l'entendre s'adresser à eux.

Depuis que Frankenstein avait planté son kukri dans sa poitrine, le roi des vampires s'était retiré dans sa petite salle à manger. Seuls ses favoris, dont Latour, lui rendaient visite. Là, il se nourrissait d'hommes et de femmes fournis par son majordome. Peu à peu, il était devenu une sorte de légende, un monstre tapi dans l'ombre.

Au fil des années, les membres de la Fraternité s'étaient raréfiés, signe que les choses ne tournaient pas rond dans la maison. Elle demeurait l'endroit le plus sûr de Paris, mais moins de vampires profitaient de ce lieu de débauche.

– Mon Dieu…, murmura quelqu'un quand la procession passa.

Derrière un Dante à la mine réjouie, Latour porta Frankenstein sur la scène, devant un maigre public.

– Mes amis ! tonitrua-t-il. Vous êtes aujourd'hui les témoins d'un événement de très bon augure ! Un événement qui restera dans les annales de cette Fraternité.

Il y eut des chuchotements. Un ou deux doigts désignèrent Frankenstein, mais la plupart des vampires fixaient lord Dante dont le visage brûlait d'un feu quasi inédit.

– Il y a presque quatre-vingt-dix ans, on m'a causé un très grand tort. Il s'agissait d'une trahison si lâche, si injustifiée que je me suis demandé s'il était sage de continuer à fournir un sanctuaire aux créatures de la nuit. Je me suis coupé de vous, mes frères et mes sœurs, et je m'en excuse. Le coupable, que je peux enfin vous présenter, est un être ignoble et corrompu, une chose immonde qui n'aurait jamais dû voir le jour, une erreur que je vais enfin corriger.

Au centre de la scène était dressé un épais poteau en bois qui avait servi à des horreurs inimaginables depuis la fondation de la Fraternité. Le roi des vampires ordonna à Latour d'attacher Frankenstein à ce pilori.

– Certains d'entre vous reconnaîtront la créature à mes côtés, le monstre qui m'a mutilé.

Au même moment, il déboutonna sa chemise et montra la lame de métal qui sortait de son torse.

Puis il se tourna vers Frankenstein dont les poignets et les chevilles étaient solidement attachés au poteau. Seule sa tête pouvait remuer d'un centimètre ou deux. Quand il entendit les pas de lord Dante s'approcher de lui, il ouvrit les yeux. Le vampire le regardait avec une espèce de regret. Puis souriant à la manière des fous, il ferma le poing.

Frankenstein ne vit pas le coup arriver.

Il s'enfonça dans son ventre et chassa toutes les molécules d'air de ses poumons. Un bruit d'explosion sortit involontairement de sa bouche, tel un gros ballon qui éclate. Il voulut hurler mais en fut incapable. Pris de spasmes, il était paralysé par le besoin d'apporter de l'oxygène à ses poumons commotionnés.

Soudain, la panique s'empara de lui, il se débattit tant qu'il pouvait contre le pilier de bois, effrayé à la pensée de mourir ainsi, tel un animal, pour amuser quelques monstres. Tandis qu'il bataillait et que ses forces s'amoindrissaient, lord Dante approcha son terrible visage souriant du sien.

– Ça fait mal, hein ? C'est affreux d'être aussi vulnérable…

Frankenstein ne put répondre. Il attendait que les ténèbres l'emportent quand dans un soupir Dante enfonça une main pâle et délicate dans sa bouche.

Les doigts froids du vampire envahirent le fond de sa gorge et Frankenstein vomit. Comme son estomac ne contenait rien, tout ce qui jaillit fut de la bile. Lord Dante ôta sa main, l'air révulsé. Il la secoua au-dessus de la scène, aspergeant les planches de liquide visqueux.

Frankenstein trembla de tout son corps car ce haut-le-cœur avait mis fin à sa paralysie. Quand il inspira, il eut l'impression d'avaler des lames de rasoir. Puis il s'avachit, ses yeux roulèrent dans leurs orbites et il ne vit plus rien.

Haletant, lord Dante se tourna vers son public conquis, alléché par les cruautés à venir.

– Contactez tous les membres de la Fraternité de la Nuit, où qu'ils soient. Dites-leur que lord Dante s'est relevé, qu'il les invite chez lui dans deux nuits et qu'il a prévu un spectacle à ne pas manquer.

34

COMMENT VOLER LE FEU AUX DIEUX

– Un remède ? répéta Jamie.

– Contre le vampirisme, répondit le professeur Talbot. Rien de moins.

– Est-ce possible ?

– En tout cas, nous le pensons !

– Mais comment ?

– Nous nous servirons d'un virus à ADN autoréplicateur génétiquement modifié.

– Pardon ?

Un grand sourire aux lèvres, Talbot conduisit Jamie près de l'immense hologramme.

– O.K. Dis-moi comment se transmet l'état que nous appelons « vampirisme » ?

– Par la morsure. Si un vampire vous mord et que vous ne mourez pas, vous vous transformez.

– Exact. À quoi est due cette transformation ?

– Je n'en sais rien.

– C'était une question piège. Seules quelques personnes au monde comprennent ce processus. Je t'explique avec des mots simples : leurs crocs sont recouverts d'un fluide, un type unique de plasma qui passe dans ton sang lors de la morsure. Ce fluide contient un virus semblable à n'importe quel autre virus au monde. Sache qu'il est très agressif. Il peut se répliquer des millions de fois et se diffuser dans ton sang jusqu'à ce qu'il infecte chaque cellule de ton corps. Tu sais ce qu'est une cellule ?

– Je ne suis pas idiot, rétorqua Jamie, le regard noir.

– À cause de cette agressivité, il est extrêmement difficile de trouver un moyen d'arrêter ce processus. Mais c'est possible ! Le virus agit rapidement mais vit très peu longtemps. Si l'on transfuse du sang à la victime avant qu'il ait le temps de se multiplier, il se consume au bout de quelques heures et la transformation n'a pas lieu. Sinon, il se multiplie à l'infini jusqu'à saturation. La mutation peut alors commencer.

Talbot désigna l'hologramme.

– Voici un brin d'ADN humain. Environ vingt-trois mille gènes disposés autour de vingt-trois paires de chromosomes. Ces gènes contiennent les plans du bâtiment, c'est-à-dire les systèmes qui composent un être humain. Je ne rentrerai pas dans les détails aujourd'hui. Je veux simplement que tu comprennes une chose : tu es qui tu es grâce à une combinaison de gènes. Cette information est codée dans chacune des cellules de ton corps, prête à être transmise à tes enfants, à tes petits-enfants. Tu me suis ?

– Sans problème.

– Bien. Ce n'est pas le virus transmis à la victime pendant l'attaque qui donne les capacités surhumaines. Il n'est qu'un agent. Après saturation, le virus altère l'ADN de la victime – en gros, il écrase le code existant. Ce nouveau code intègre chaque cellule, voilà ce qui provoque la mutation, la création d'un vampire.

– Une seconde ! Si vous changez mon ADN, je change aussi ? Physiquement ? Je pensais que je passais simplement mon nouveau code à mes enfants.

– Bravo ! Des hommes et des femmes plus âgés que toi ne l'ont jamais compris. Tu as absolument raison. En temps normal, changer l'ADN d'un organisme ne provoque pas des changements physiques dans l'organisme en question. Parfois, c'est possible, mais dans des cas très spécifiques et sur un nombre minuscule de cellules.

– Voilà pourquoi le virus vampirique est différent ! Parce qu'il change les gens. Il décuple leurs forces et leur rapidité.

– Jusqu'à présent, ce processus était irréversible. Tu vois ces armoires grises là-bas ? Ce sont des séquenceurs de gènes. Nous essayons d'isoler ce fameux code. Ensuite, nous espérons fabriquer un antivirus qui ramènera l'ADN de la victime à son état premier.

– Vous n'y arrivez pas ?

– Un grand problème se pose, Jamie : l'ADN de chaque personne sur Terre est unique. La restauration de ton ADN ne correspondra pas à la restauration du mien.

– Quelle est la solution ?

– Le virus que nous concevons ressemble à un petit superordinateur biologique. Il analyse chaque cellule pendant qu'elle se réplique, efface le code vampirique – il a été programmé pour le reconnaître – en se servant d'une analyse chimique incroyablement sophistiquée des protéines entourant la cellule, puis il récrit les sections vides du code. Ensuite, il se sert du même déclencheur que le virus vampirique, un acide aminé que nous avons réussi à isoler. L'organisme reprend son fonctionnement normal, toute trace de vampirisme ayant disparu de son corps.

– Cela paraît impossible !

– Tu as devant toi le projet scientifique le plus ambitieux, le plus cher, le plus compliqué jamais mené. Par rapport au reste du monde, nous sommes en avance de plusieurs générations. Je suis confiant : nous allons briser la malédiction des vampires.

– Quand ? s'exclama Jamie.

Combien de temps avant que je puisse annoncer à maman et à Larissa qu'elles vont guérir ?

– Je l'ignore. Jamie, je comprends ton impatience mais nous avons effectué des progrès fulgurants. Cela peut prendre des années avant de trouver un vaccin.

– Des années ?

– Peut-être moins… En tout cas, nous ne pourrons pas guérir ta mère demain, je suis désolé.

– Mais vous pourrez la guérir un jour ?

– J'ai peut-être eu tort de t'emmener ici… Je ne voulais pas te donner de faux espoirs. Je suis désolé.

– Non, non ! Je suis heureux de savoir que vous cherchez un remède. Je ne suis plus un enfant !

– Dans ce cas, tant mieux. Allez, on remonte.

Tandis qu'ils s'approchaient du sas, Jamie ralentit devant une fenêtre rectangulaire située au niveau des yeux dans l'épais métal blanc.

– Tout va bien ? s'enquit Talbot.

– Oui. Je me demandais juste…

– Ce qu'il y a derrière la porte.

– Exact.

– C'est là où nous gardons les sujets de recherches.

– Les vampires que nous avons capturés pour vous ?

– Oui, nous les isolons pour qu'ils ne soient pas contaminés par les virus et les bactéries que les employés pourraient véhiculer. Et puis ce sont encore des vampires.

– Mon équipe vous en a apporté deux, hier, affirma Jamie avec fierté.

– M. Connors et sa fille. Deux membres d'une même famille : très utile d'un point de vue génétique.

– Ils vont bien ? Ils avaient très peur quand on les a attrapés.

– Très bien. Nous traitons nos sujets avec un grand soin.

– Je peux les voir ?

– J'ai peur que non. La procédure de stérilisation pour accéder aux pièces décontaminées prend quarante minutes et je ne peux libérer un de mes chercheurs pour cela. Désolé.

Jamie attendrait, même s'il mourait d'envie de s'y rendre. Il n'avait pas l'intention de braquer le professeur Talbot qui lui avait montré une très grande confiance en le conduisant dans ce laboratoire.

– Depuis combien de temps travaillez-vous sur ce projet ?

– J'ai été recruté par le Département 19 il y a un an et nous avons redoublé d'efforts quand les restes de Dracula ont été dérobés. J'ai travaillé avec Francis Collins sur l'*Human Genome Project* dans le Maryland, puis sur l'ingénierie virale à Cambridge et enfin j'ai intégré cette équipe.

– Vous me parlez d'eux ?

– Ce sont des généticiens. Des virologues. Des médecins. Tous débauchés des meilleurs instituts de recherche au monde. Les plus grands cerveaux dans leur domaine.

Admiratif, Jamie regarda les blouses blanches qui s'affairaient, telles des abeilles super-intelligentes dans leur ruche.

– Autre chose ? demanda Talbot. Sinon, je devrais peut-être me remettre au travail.

Jamie allait dire non quand une pensée lui vint soudain à l'esprit et il rougit comme une pivoine.

– Que se passe-t-il ?

Mon Dieu ! Je lui demande ? Je ne crains rien si je n'ai pas été transformé… Je lui demande quand même.

– Si un être humain… euh… embrassait un vampire… ce serait risqué ?

Talbot le dévisagea avant d'éclater de rire.

– Ce n'est qu'une hypothèse bien entendu, monsieur Carpenter.

– Bien entendu, bredouilla Jamie.

– Dans ce cas, l'homme n'a rien à craindre tant que le vampire en question ne le mord pas avec ses crocs. Comme le virus ne se situe nulle part ailleurs, le risque d'infection est négligeable.

– C'est bon à savoir, répondit Jamie.

– Si tu as d'autres questions ou si tu as envie de parler, tu sais où me trouver.

– Merci beaucoup.

Talbot lui ouvrit le sas et Jamie retourna dans le couloir du niveau F. Tandis que le professeur fermait la porte, Jamie eut l'impression qu'il voulait ajouter autre chose avant de se raviser. Puis la porte claqua, laissant Jamie seul à l'extérieur.

35

L'ESPOIR EST
UN SENTIMENT DANGEREUX

87 JOURS AVANT L'HEURE H

– J'ai des secrets, affirma Jamie, mais je n'ai pas l'intention de vous les divulguer.

– Je n'oserais même pas te le demander, répondit Valentin. Mais je sens que tu veux me confier quelque chose...

Jamie était impressionné malgré lui par son remarquable pouvoir d'observation.

– L'année dernière, quand nous cherchions ma mère, nous sommes allés dans un endroit appelé Walhalla. Vous en avez entendu parler ?

– La communauté dans le nord du pays ? Où les vampires se donnent la main, chantent et nient ce qu'ils sont ?

– O.K. Elle a été fondée par un certain Grey qui prétend être le plus ancien vampire d'Angleterre. C'est lui qui a transformé Larissa et d'autres adolescentes tout en prêchant la paix et l'amour. Il a été banni quand ses disciples ont découvert ses mensonges. Avant de partir, il m'a dit quelque chose à propos de Dracula.

Valentin n'intervint pas mais plissa les yeux.

– Il n'existerait qu'une manière de le détruire pour de bon. Cela aurait un rapport avec le sang de sa première victime. Frankenstein qui connaissait la légende s'est moqué de lui. « Tout le monde sait que Valeri est le premier homme transmuté par Dracula, jamais il ne voudra qu'on l'utilise pour détruire son maître ! » Grey a ajouté que lors d'une fête que vous avez organisée, vous lui avez confié que cette version n'était peut-être pas la vraie. Vous vous rappelez ?

Valentin esquissa un sourire.

– Je me rappelle. Nous étions sur le toit de mon immeuble à Manhattan et attendions que le soleil se lève. Je ne crois pas qu'on l'appelait Grey à l'époque. Je l'aimais bien. On l'a souvent vu à New York cet été-là.

– Il a dit la vérité ?

– Oui. Je lui ai raconté que mon frère n'était pas si important dans la légende de Dracula. Beaucoup moins qu'il le prétendait ! Par contre, ne me demande pas plus de détails, je les ignore.

Jamie se découragea.

– Et puis je me trompe peut-être, poursuivit Valentin. Mon frère est peut-être la clé de l'immortalité de mon ancien maître. Au fil des années, des siècles, tu n'imagines pas ce qui a pu se raconter. J'en ai conclu que la transformation de Dracula n'était pas aussi simple qu'on le pensait. En résumé, je pense que mon frère n'a pas été sa première victime.

– Dracula vous l'a dit ? Vous lui avez demandé directement ?

– Je ne lui ai jamais demandé quoi que ce soit directement ! s'exclama Valentin. Il était notre maître, notre prince, notre deuxième père. Il exigeait de nous obéissance et soumission, ce que nous lui donnions. Il nous a raconté l'histoire de sa renaissance à une seule et unique occasion. Il avait été transformé dans la forêt de Bucarest puis nous avait rejoints sur le champ de bataille. En chemin, il avait transmuté Valeri, puis Alexandru et enfin moi. Il n'a jamais mentionné quelqu'un d'autre.

– Alors pourquoi pensez-vous…

– L'instinct, Jamie. Des siècles passés à observer la manière dont les gens mentent, trichent, dissimulent. Les coups d'œil, les regards, le langage du corps. Cela n'a plus d'importance à présent. À toi de me croire ou non.

– Vous pensez donc que la clé de sa destruction n'est pas Valeri, conclut Jamie.

– Attention, ne t'emballe pas ! Si un vampire a été créé par Dracula avant mes frères et moi, il doit avoir plus de cinq cents ans aujourd'hui, s'il est encore vivant. La probabilité de détruire mon maître n'existe plus.

– Vous ne croyez pas ce que vous dites. Sinon, vous ne seriez pas ici.

– Je t'ai déjà expliqué pourquoi je suis là : pour empêcher Dracula de mettre ce monde à feu et à sang.

Jamie hésita avant de poser une question dont il ne voulait pas vraiment entendre la réponse.

– À quoi ressemblera-t-il, ce monde ? Si Dracula revient. Dites-moi la vérité.

– Ce sera terrible. Quand j'étais encore un homme, je l'ai aidé à mener une campagne de terreur à travers l'Europe, simplement parce qu'il aimait le pouvoir et croyait avoir été insulté par les Turcs. Cinq cents ans après, je ne peux même pas te décrire les horreurs que j'ai commises sous sa bannière, tellement ça me rend malade. Après sa transformation, son appétit de pouvoir et de vengeance s'est calmé pendant quelque temps.

Nous vivions comme des rois dans la pénombre, des lieux sombres, tranquillement car nous nous pensions invulnérables. Jusqu'à ce que Vlad s'ennuie et cherche de la compagnie. Valeri était écœuré quand il a annoncé son départ pour Londres. Il considérait cette décision comme un rejet des combats que nous avions menés, du sang que nous avions versé. Dracula n'en a pas tenu compte et nos chemins se sont séparés. Jusqu'à ce qu'il soit tué par les hommes qui ont fondé cette organisation, dans les plaines au-delà de son château.

– Mais il n'a pas été tué. C'est bien là le problème.

– À l'époque, nous l'ignorions. Ce n'est que bien des années plus tard, grâce aux expériences de Van Helsing, que nous avons compris qu'il existait une chance de ressusciter notre maître. Seulement il était trop tard. Les restes avaient disparu et il a fallu un siècle à Valeri pour les récupérer.

– Pourtant, Dracula était rassasié avant de mourir, non ? Il s'apprêtait à intégrer la société londonienne, à abandonner ses manières. Pourquoi voudrait-il terroriser le monde aujourd'hui ?

– Autrefois, j'ai vu mon ancien maître assassiner tous les habitants d'un village qui se trouve au nord de la Roumanie actuelle. Ce n'est pas tout : pendant trois jours, notre armée a infligé à ces pauvres gens toutes les tortures que tu peux imaginer et d'autres que tu ne conçois même pas. Des rivières de sang coulaient dans les rues. Nous avons obligé les parents à tuer leurs enfants, les frères à violer leurs sœurs, les maris à crever les yeux et à mutiler leurs épouses. Pour finir, nous avons brûlé les corps et les maisons, nous avons salé le sol pour que rien ne repousse jamais. Tout ça pour quoi ?

Jamie haussa les sourcils.

– Le jour où nous avons traversé le village à cheval, la femme du maire ne se serait pas assez inclinée devant le prince Vlad. Plus de cent hommes, femmes et enfants sont morts dans des circonstances atroces. Maintenant, tu imagines comment Dracula se vengera d'avoir passé plus d'un siècle sous terre.

Jamie franchit la deuxième porte du sas, les cheveux encore soulevés par le courant gazeux. Il ne fut pas surpris de tomber sur le commandant Turner. Adossé au mur, l'officier de la sécurité ne semblait pas avoir bougé pendant le séjour de Jamie en cellule.

– Tu as réussi, constata-t-il, un léger sourire sur son visage étroit. Bien travaillé.

– Merci, répondit Jamie, encore horrifié par le dernier récit de Valentin.

– Le directeur veut un rapport complet. Maintenant.

Jamie hocha la tête et prit la direction de l'ascenseur. Turner lui posa une main sur l'épaule au passage. Jamie se tourna.

– Tu t'es bien débrouillé. J'ai tout écouté. Tu peux être fier de toi.

– Je ne me sens pas fier.

Les deux hommes se dévisagèrent longuement. Turner lâcha Jamie qui repartit à pas lents.

Il se rendit au niveau A, dans les quartiers de l'amiral Seward. L'euphorie suscitée par les exploits de son grand-père à New York et l'idée de Valentin selon laquelle il n'était pas responsable de la mort de Frankenstein avaient été remplacées par une terrible lassitude et un mauvais pressentiment. Les détails du sadisme et la soif de vengeance de Dracula l'avaient horrifié. Il avait tout de suite pensé à sa mère dans sa cellule, à Larissa, à Kate et à Matt. Que deviendraient-ils si Dracula rentrait en pleine possession de ses moyens ?

Ne mettait-il pas leur vie en danger en étant simplement leur ami ? Dracula s'intéresserait particulièrement à eux quand il découvrirait qu'il avait tué Alexandru.

Je leur cause du tort. Ils seraient en sécurité si je n'étais pas là.

Devant la lourde porte, le garde lui fit un signe de tête. Jamie frappa un coup. La porte s'entrouvrit et le directeur du Département 19 lui cria d'entrer.

Seward était à l'endroit où il l'avait laissé une heure plus tôt. Pendant une seconde, Jamie vit une lueur de soulagement dans ses yeux.

– Lieutenant Carpenter, content de te revoir. Comment cela s'est-il passé ?

– C'était… intéressant, monsieur.

– J'ai lu une transcription de votre conversation. Tu crois ce qu'il t'a raconté sur Dracula ? Sur la manière de le détruire ?

– Je n'en sais rien. Valentin le pense, lui. Mais c'est arrivé il y a si longtemps…

– Peu importe. Tu étais assis en face de lui. Qu'as-tu pensé de ses déclarations ?

Jamie se rappela le visage de Valentin quand il partageait avec lui sa théorie ; il avait l'air satisfait, ravi de sa supériorité.

– Il m'a semblé sincère.

– Alors je lancerai une enquête. Inutile de te répéter que…

– Tout ce que Valentin m'a dit est classifié Heure H.

L'amiral Seward hocha la tête et fit la moue.

– Je dois aussi enquêter sur ton grand-père, Jamie. Tu comprends pourquoi.

– Oui, monsieur. Je m'en doutais. J'aimerais savoir si Valentin a dit la vérité.

– Tu seras le premier à être informé, lui promit le directeur. Quelle que soit la conclusion, je ne laisserai personne salir la mémoire de John, d'accord ? Il était le meilleur agent que nous ayons eu. Rien ne changera ça.

– Merci, monsieur.

Hanté par les fantômes du passé, les deux hommes se turent un bon moment. Jamie décida d'aborder un sujet moins problématique.

– Voulez-vous lire mon rapport préliminaire, monsieur ?

– Pas besoin, Jamie. J'ai la transcription comme je te l'ai dit.

– Mais le commandant Turner m'a dit…

– Je sais ce que le commandant Turner t'a dit. Je le lui avais ordonné. J'aimerais partager quelque chose avec toi, mais je ne voudrais pas que tu te fasses trop d'illusions.

– Sur quoi, monsieur ? demanda Jamie, impatient.

Seward prit un dossier sur la pile vacillante de dossiers identiques. Il le tint un moment : faisait-il preuve de sagesse en le soumettant à l'adolescent ? Puis il soupira et le lui tendit.

Jamie ouvrit le dossier et lut la première page.

MÉMORANDUM

De : Marcus Jones, docteur en médecine, médecin légiste du comté de Northumberland

À : Sergent Richard Threlfall, police du Northumberland

Jamie leva les yeux vers le directeur.

– Lis, lui demanda Seward.

Jamie s'intéressa au deuxième document du dossier.

Dick,

Encore un cas pour notre cabinet de curiosités mais je préfère t'en parler avant de le classer.

Hier, j'ai fait l'autopsie d'un corps découvert dans la grotte de Bamburgh. Horreur : la nuque avait été brisée intentionnellement, la trachée et le larynx aplatis par l'agresseur. (Voir rapport complet ci-joint.) Alors que je le recousais, une chose étrange s'est produite.

Vu son état de décomposition avancé, j'estime que le corps est resté plusieurs mois dans la grotte. Quand soudain, une épaisse fourrure animale noire a émergé de la peau qui restait. Ce n'est pas une blague, je t'assure ! J'étais seul au bureau et le lendemain matin, quand j'ai demandé à mon assistant de vérifier, les poils avaient disparu. Je n'ai pas la moindre explication. Peut-être une stimulation folliculaire anormale, une distorsion génétique ?

Voilà. Je voulais te prévenir au cas où cela te servirait pour l'identification.

À dimanche – golf à 7 : 45. Amitiés à Judy

Marcus

Jamie lut deux fois la courte lettre.

– D'où cela vient-il ? demanda-t-il à Seward.

– Elle a été interceptée par l'avant-poste du Nord. Il y a trois semaines et demie. Le Service des Renseignements a tenu à me la remettre.

– Pourquoi ? s'enquit Jamie.

– Il y a trois semaines et demie, c'était la pleine lune. Et Bamburgh se situe à huit kilomètres au nord de Lindisfarne.

Un déclic se fit dans l'esprit de Jamie, aussi étincelant que le soleil.

– Mon Dieu, chuchota-t-il. C'est le loup-garou ! Celui qui est tombé de la falaise avec Frankenstein.

– Nous le pensons. J'ai envoyé une équipe pour récupérer le corps. Ils doivent revenir dans une heure. Nous saurons alors si c'est un lycanthrope.

– Il était vivant lors de sa chute, bégaya Jamie. Il a hurlé tout le long. Je l'ai entendu.

– Je sais. J'ai lu ton rapport et celui des survivants.

– Il est mort après ?

Jamie essayait de ne pas penser à la conclusion qui hurlait dans son cerveau.

– Sa nuque a été brisée par des mains humaines, continua-t-il. Des mains assez grandes et fortes pour lui écraser la gorge.

– Il semblerait…

Jamie manqua s'écrouler dans le bureau du directeur. Des larmes apparurent au coin de ses yeux.

– Il est peut-être vivant, chuchota Jamie. C'est ce que vous essayez de me dire, monsieur ? Frankenstein est peut-être en vie ?

Seward fixa longuement Jamie avant de hocher la tête.

RETROUVEZ LA SUITE DES AVENTURES DE JAMIE CARPENTER
DANS LE PROCHAIN TOME, À PARAÎTRE EN JANVIER 2013

Les jours filent à toute allure tandis que le comte Dracula se ragaillardit grâce aux bons soins du fidèle Valeri Rusmanov.

À la Boucle, Jamie ne sait plus à quel saint se vouer. Réussira-t-il à répondre aux attentes de tous ceux qui l'entourent ? À commencer par Larissa qui se sent de plus en plus négligée...

Même si quelques lueurs d'espoir éclaircissent ce sombre horizon, le jeune Carpenter sait que le pire reste à venir.

Composition : Nord Compo
Achevé d'imprimer en mars 2012.
par Normandie Roto Impression s.a.s.
à Lonrai (Orne)
N° d'impression : 12-1160
Dépôt légal : avril 2012

Conforme à la loi n° 49.956
du 16 juillet 1949 sur
les publications destinées à la jeunesse

Imprimé en France